T5-BBK-602

そうだったのか！ アメリカ

池上　彰

集英社文庫

そうだったのか！　アメリカ　目次

はじめに

民主主義の帝国アメリカ

私はアメリカが嫌いです。

私はアメリカが大好きです。

そんな矛盾した気持ちに、どう折り合いをつければいいのか。そんなことを考えながら、この本を書きました。

愛され、憎まれる国アメリカ

二〇〇四年、元大統領のロナルド・レーガンが亡くなりました。アメリカ国中が、彼の死を悼んで丸一日、喪に服しました。そのレーガンが、かつて南米を初めて訪問した後、記者団に向かって、こう発言しました。

「諸君は驚くだろうが、むこうはみんな別々の国なんだ」と。

ジョージ・W・ブッシュ大統領は、大統領に就任後、ブラジルの大統領と会った際、「ブラジルにも黒人はいるのですか?」と問いかけました。

世界のことをあまりにも知らないのに大統領でいられる国アメリカ。そのアメリカが何かを決めるたびに、世界は大きな影響を受けます。大勢の人が亡くなることもあります。

二〇〇一年九月一一日。アメリカが同時多発テロに襲われたことに対して、世界の多くの人々が怒り、アメリカ人に対して同情を寄せました。世界各国のアメリカ大使館前には多くの花束が手向(たむ)けられました。

ドイツで、そしてフランスで、犠牲者を悼む追悼集会が開かれ、「我々はみなアメリカ人だ」という声があふれました。かつて、アメリカの若き大統領ジョン・F・ケネディが、分断されたドイツのベルリンの市庁舎のバルコニーで演説し、「私はベルリン市民だ」と言って、西ドイツ国民を激励した故事に倣(なら)ったかのように。

もし別の国が、同じような攻撃を受けたとしても、これほど世界から同情されることはないでしょう。アメリカが、いかに世界の国々から愛されているかを、この出来事は示しました。

しかし、アメリカが九・一一の報復としてアフガニスタンを攻撃し、さらにイラクに侵攻するに至って、世界の多くの国の人々が、アメリカに背を向けました。世界から愛されていた国が、いつしか疎(うと)まれ、憎まれるようにもなっているのです。

「ここはいったい、どこの国？」

二〇〇五年八月には、アメリカの南部一帯を超大型ハリケーンが襲い、大勢の犠牲者が出ました。犠牲者の多くは、ハリケーンから逃げようにも自動車を持っていなかった貧困層でした。逃げ場を失って救助される住民たちの様子はテレビニュースの映像に映し出されましたが、その全員が黒人でした。南部の黒人の置かれている現状を、はしなくも浮き彫りにしました。

そして、〝難民〟となった人々は、スーパーマーケットなど商店を襲撃する暴徒と化しました。住民たちは銃を持ち、銃撃戦も繰り広げられました。「これはいったい、どこの国の話だ」と嘆くアメリカ人たち。開発途上国の災害のような姿が展開されたのです。

被害を受けた各州には独自の軍事組織である州兵が存在しますが、その多くがイラクに派遣されていて人手不足。災害の即応体制が後手に回り、被災住民の批判を浴びました。いくつもの州にまたがる災害では、連邦政府の出番ですが、連邦政府のトップだったブッシュ大統領の指導力にも批判が高まりました。

これが、あの、世界一の軍事力と経済力を誇る大国の姿なのでしょうか。

アメリカは不思議な国だ

アメリカは、不思議な国です。アメリカに、アメリカ人に、そしてアメリカ文化に、世界の多くの人々が魅力を感じています。世界はアメリカの文化に大きな影響を受けています。しかし、この影響を、「侵食」あるいは「侵略」されていると感じる人がいることも事実なのです。

アメリカ人ジャーナリストのマーク・ハーツガードは、アメリカに対して外国人は次のようなイメージを持っている、と指摘しています(マーク・ハーツガード著、忠平美幸訳『だからアメリカは嫌われる』)。

1 アメリカは偏狭(へんきょう)で自己中心的だ。
2 アメリカは豊かで刺激的だ。
3 アメリカは自由の国だ。
4 アメリカは偽善的で圧制的な帝国だ。
5 アメリカ人は世間知らずだ。
6 アメリカ人は俗物だ。
7 アメリカは機会均等の国だ。
8 アメリカの民主主義はひとりよがりだ。

9　アメリカは将来の世界の姿だ。
10　アメリカは自国の利益しか眼中にない。

どうですか。あなたのイメージと、どのくらい共通点がありましたか。おそらく、ひとつひとつに頷きながら読んだのではないでしょうか。

民主主義の帝国アメリカ

世界のことを知らないのに、「イラクが民主化すれば中東世界も民主化する」と信じてイラクを攻撃したアメリカ。なぜアメリカのことを憎む人たちがいるのか、ちっとも理解できない・理解しようとしないアメリカ人。

アメリカは、巨大な民主主義国家です。でも、外部から見ると、現代の帝国でもあります。世界を武力で制圧する。まさに帝国主義なのですが、民主主義国家でもあります。そんな矛盾した存在がありうるのでしょうか。

第二次世界大戦後、日本に対して「民主主義」を教えてくれたはずのアメリカ。そのアメリカでは、獲得票数が対立候補より少なくても大統領に当選してしまう政治制度が存在しています。

そのアメリカ軍は、イラクの刑務所で、イラク人を虐待していました。その残虐さ。その一方で、それが内部告発され、広く報道されるという「言論・報道の自由」もあるアメリカ。

健康問題にうるさく、公共の場で喫煙もできなくなっていながら、銃の規制はほとんどなく、毎年大勢の子どもたちが銃弾の犠牲になっている国。

ブッシュ大統領によってアメリカの評判が地に堕ちると、次にアメリカ国民は初の黒人大統領を誕生させました。この驚くべきダイナミズム。

ここには、あなたの知っているアメリカと知らないアメリカがあるのです。

あこがれと反発の対象アメリカ

かつての一九七〇年代、ベトナム戦争に突き進んだアメリカに対して、日本で、そしてヨーロッパで、戦争反対の反米デモが繰り広げられました。デモに参加した学生たちは、あこがれのアメリカのジーンズをはいていました。「ヤンキーゴーホーム！」などと叫びながら、心の中では、アメリカへのあこがれを抱いていました。

デモが終わると、コカコーラを飲むのが楽しみでした。当時の日本人の若者の多くが、アメリカが大好きで、大嫌いだったのです。

アメリカに対する「あこがれ」と「反発」。こんなアンビバレントな気持ちを抱かせる国アメリカ。

アメリカは自由な国です。日本とアメリカを比較して、アメリカの経済戦略研究所所長のクライド・プレストウィッツは、こう言います。

「日本では特別に許可されないかぎりすべてが禁じられており、それに対してアメリカでは特に禁止されないかぎりすべてが許される」（クライド・プレストウィッツ著、鈴木主税訳『ならずもの国家アメリカ』）

そんなアメリカのさまざまな様相を、いくつかの視点で切って分析してみました。それが、この本です。

いわば、「印象派の点描画」のように、さまざまな色合いの絵の具を使ってアメリカの細部・側面を描くことで、結果的に、アメリカの全体像を描くことが目的でした。目的が達せられたかどうか、読者のあなたが判断してください。読後、あなたのアメリカに対するイメージが、少しでも変わっていたら、私にとって、こんなにうれしいことはありません。

二〇〇九年　六月

池上　彰

第一章 アメリカは宗教国家だ

★なにごとも聖書で始まるアメリカ

二〇〇五年一月に行われたアメリカ大統領の就任式で、ジョージ・W・ブッシュは、聖書に左手を置き、右手を掲げて宣誓しました。四年に一度行われる就任式では、必ず見られる光景です。

この場で、ブッシュ大統領は、「ヘルプ・ミー・ゴッド」（神よ助けたまえ）と、「神のご加護」を求めました。

大統領就任式ばかりではありません。毎年秋には、ワシントンの教会に最高裁判所の判事全員が集まり、判事が正しい裁判ができるように神の加護を祈るミサが開かれます。あらゆる場で聖書が顔を出し、神の名が称えられます。アメリカは、「宗教国家」でもあるのです。

アメリカに移住してきてアメリカ国籍を与えられると、「アメリカ国民になる宣誓」を行います。これまで所属していた国への忠誠を放棄し、アメリカ国民としての義務と責任を果たすことを宣誓するのですが、この宣誓の文章は、「私に神のご加護のあらんことを」で終わっています。アメリカ国民になる人間は、神を信じ、神に祈りを捧げることを当然の前提としている文章になっているのです。

また、アメリカの公立学校では、星条旗に向かって起立し、右手を左胸に置き、次のように唱える「国旗宣誓」を折にふれて行います。

「私は、アメリカ合衆国の国旗とそれが象徴する共和国に忠誠を誓います。アメリカ合衆国はすべての者のための自由と正義を持ち、分割することのできない、神のもとの一つの

就任式で宣誓するブッシュ大統領。隣はローラ夫人(2005年1月)

国家です」

アメリカは、「神のもとの国家」なのです。

アメリカは、「政教分離」の原則を持っていると言われています。それなのに、なぜ「神」が登場するのでしょうか。この章では、「政教分離」と「宗教国家」についての関係を見てみましょう。

二〇〇一年九月一一日に発生した同時多発テロ事件の直後、ブッシュ政権の閣議が開かれました。このときの様子について、当時ブッシュ政権で財務長官だったポール・オニールは、次のように述懐しています。

「大統領が開会を告げたので、最初に全員で祈りをささげた。新政権が発足してまもなくブッシュがこの習慣を取り入れたときは、多くの閣僚が辟易したものだった。その日は、初めてそれが不可欠なもののように思われた」（ロン・サスキンド著、武井楊一訳『忠誠の代償』）

アメリカの歴代の大統領の中でも、ジョージ・ブッシュは、とりわけキリスト教の信仰心が篤いことで知られていました。ブッシュ自らが、こう語っています。

「私は、自分の人生を揺るぎない信念をもって歩んで来た。信仰は私を自由にし、問題に直面したときには、進むべき方向を示してくれた。信仰があったからこそ、人々が好まない決断もできた。そして信仰に基づいて、世論の人気のないことでも、正しいと思うことは断行した。さらに、信仰があるからこそ、人生を楽しむことができた」（ジョージ・W・ブッシュ著、藤井厳喜訳『ジョージ・ブッシュ　私はアメリカを変える』）

アメリカの歴代の大統領も負けていません。

就任式で、聖書に手を置き宣誓するユタ州副知事(2003年10月)

帰化した人々も、胸に手をあて、アメリカに忠誠を誓う

大統領の任期中、不倫騒動を引き起こしたビル・クリントンも、一九九三年一月の大統領就任演説で、「たゆまず善を行いましょう。飽きずに励んでいれば、時が来て、実を刈り取ることになります」という聖書の言葉を引用して国民に勤勉であることを訴えています。

一九七七年に大統領に就任したジミー・カーターも、敬虔なキリスト教徒として知られていました。彼は、大統領時代を振り返って、こう記しています。

「私はそれまでの人生で祈ったより、多く祈った。私の祈りは神が私に澄んだ心と、正しい判断とアメリカや外国の多くの人々に影響を与える問題を処理するための智恵を与えてくれるようにというものであった。私の下した決定が常に正しかったと主張することはできないが、祈りは私を助けてくれた。少なくとも祈ることによって私は毎日私の果たさなければならない責任と相対する時でも、怖気や絶望感を抱かなかったからである」（ジミー・カーター著、持田直武ほか訳『カーター回顧録（上）』）

一九八〇年七月、共和党大会で大統領候補に指名されたロナルド・レーガンは、「神がお創りになり、私たちにお与えくださったこの広大な大陸の素晴らしさを言葉で言い表わすことはできません」と演説しています（リチャード・V・ピラード、ロバート・D・リンダー著、堀内一史ほか訳『アメリカの市民宗教と大統領』）。

さらにレーガンは、一九八七年に、こう演説しています。

「神意の導きの手は、このアメリカという新国家をアメリカ国民だけのためではなく、もっと崇高な目的のために創られました。すなわち、人類の自由という聖なる火を守り、広げるためでもあるのです。これはアメリカの厳粛なる義務なのであります」（同前）

アメリカは、神によって創られた。理想を世界に広げるために。アメリカは、なぜ世界の国々にさまざまな介入をするのか。ここに、その理由が説明されています。

★アメリカ国民は神を信じる

「宗教国家」であるアメリカの国民は、どの程度神を信じているのか。

世論調査会社ギャラップによる二〇〇四年五月の調査によると、アメリカ人の約九〇％は、「神を信じる」と答えています。また、天国の存在を信じる者は八一％、地獄の存在を信じる者は七〇％でした。多くの国民が、神を信じているのです。

そもそもアメリカは、キリスト教徒によって作られた国です。

一六二〇年一二月、一〇二人のイギリス人が、「メイフラワー号」という船で現在のマ

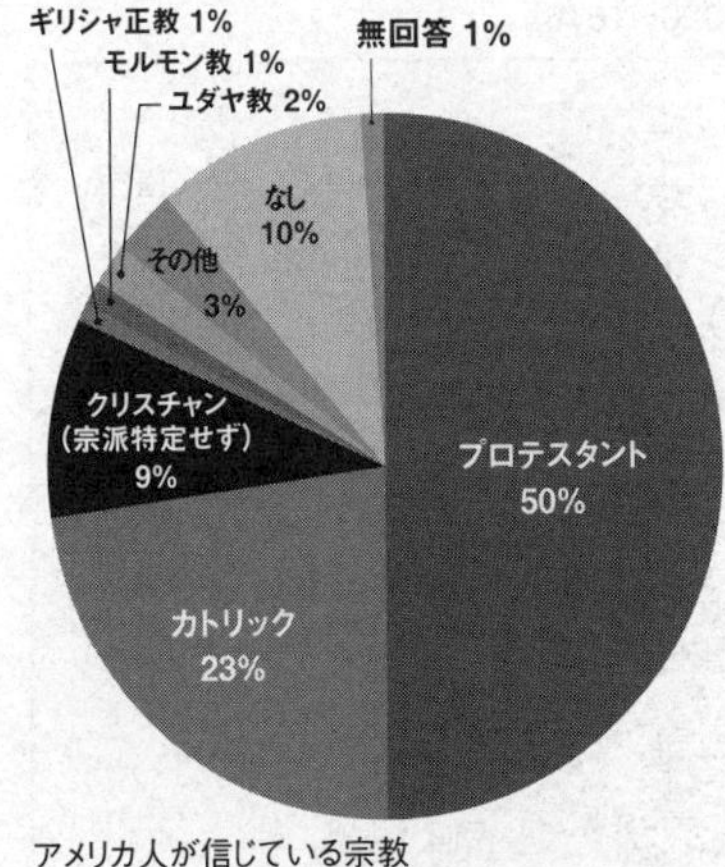

アメリカ人が信じている宗教
（ギャラップ社の世論調査2004年5月）

サチューセッツ州プリマスに到着しました。

現在のバージニア州ジェームズタウンで、すでにイギリスによる植民地の建設が始まっていて、船はその近くをめざしたのですが、風に流され、はるかに北に到着してしまったのです。ここで、一〇二人のうちウィリアム・ブラッドフォード率いる四一人が上陸しました。上陸地を、出発したイギリスの港町

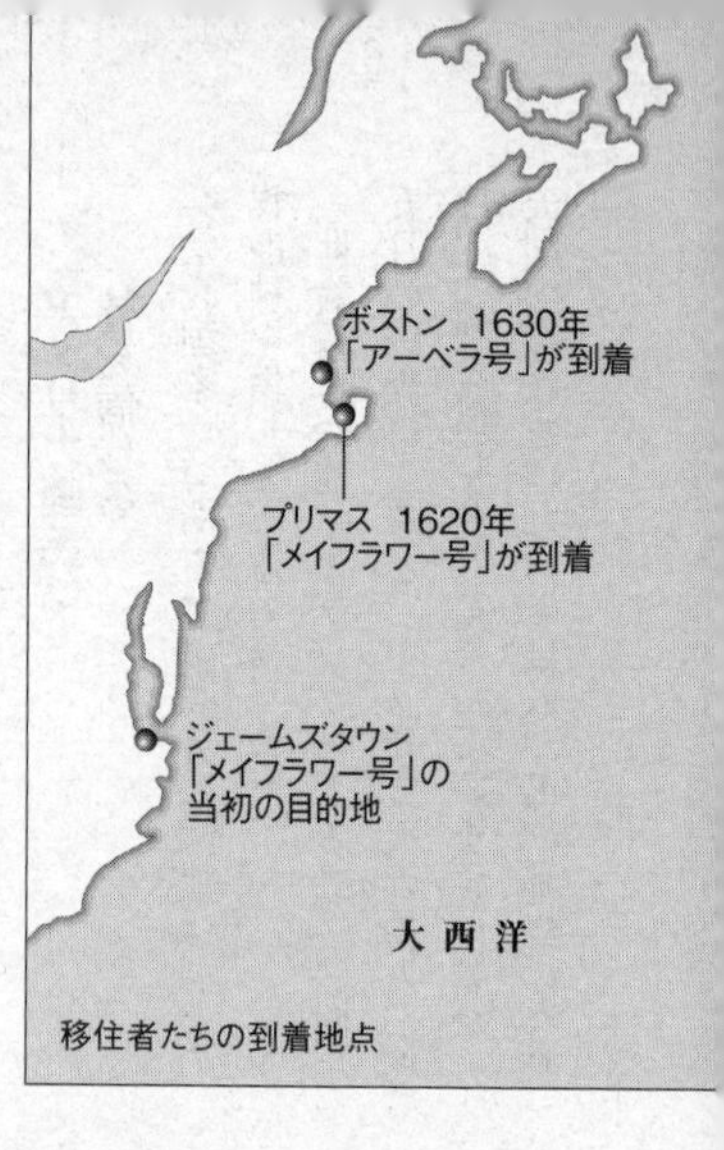

英国からのピューリタンの移住（1620〜1646）

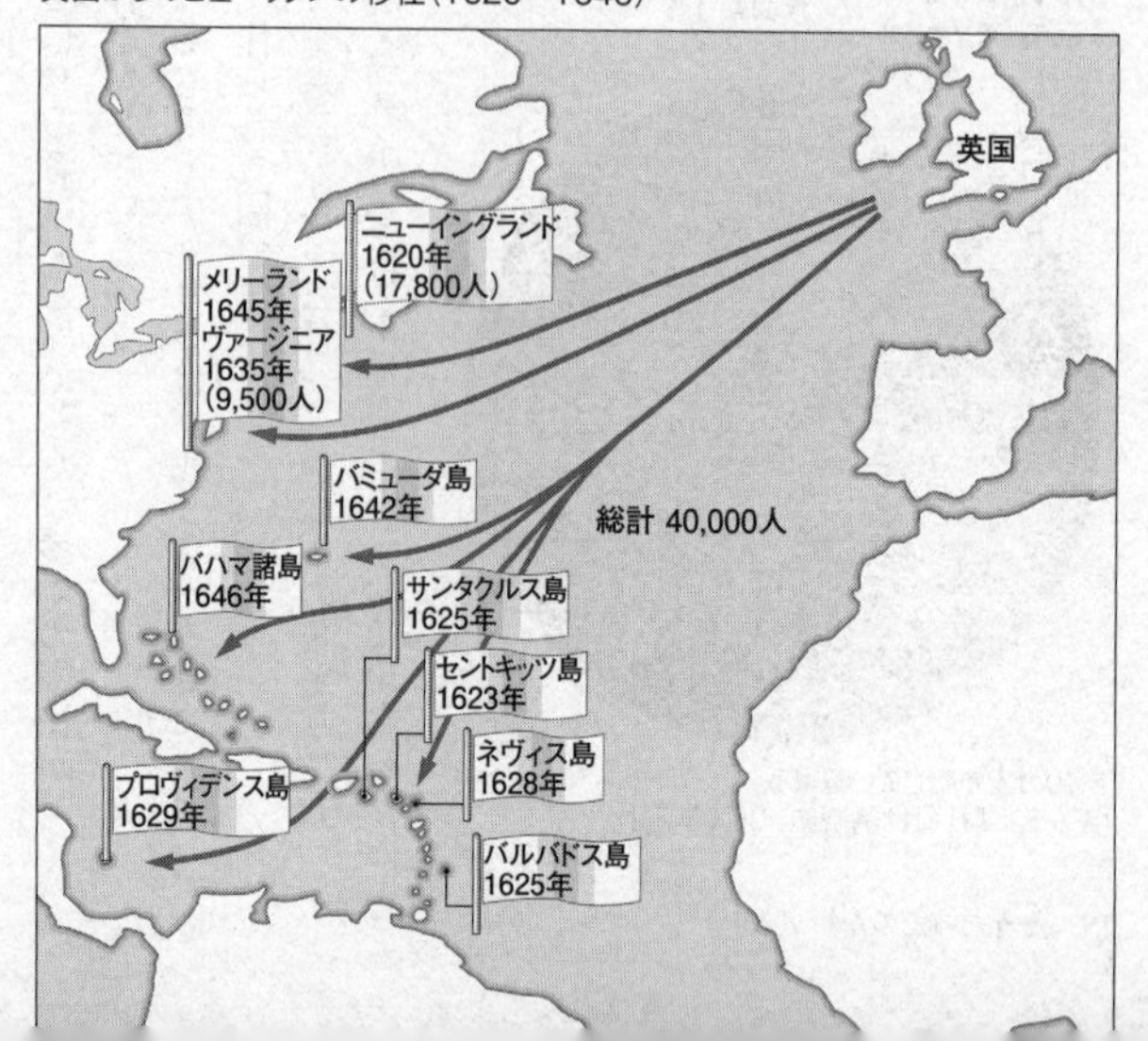

と同じ名前のプリマスと名づけました。

この四一人は、イギリス国教会に不満を持つ人たちでした。イギリス国教会を純粋な（ピュアな）ものにすることを求めたので、「ピューリタン」（清くする教徒＝清教徒）と呼ばれました。

彼らは、いったんはイギリスを離れ、オランダに移ったのですが、さらに新天地での生活を求めてアメリカに渡ってきました。

信仰の自由を求めて移動した四一人は、自らを「巡礼者」（ピルグリム）と称していました。彼らが、アメリカの「建国の父」（ファーザーズ）と呼ばれるようになるのです。

しかし、まもなく訪れた厳しい冬の寒さのため、彼らの半数近くが翌春までに死亡したと伝えられています。

コラム

先住民が絶滅していた

「メイフラワー号」から上陸した四一人は、早速その土地を切り開きましたが、当然のことながら、そこはアメリカ先住民（ネイティブ・アメリカン）の土地でした。ところが、一行の到着の三年前に、現地で天然痘（てんねんとう）が流行し、先住民のパタクセット族は絶滅してしまっていたのです（天然痘発生前に奴隷になっていた一人を除く）。四一人は、労せずしてその土地を手に入れました。


このときの様子について、ウィンスロップは、1634年、イギリスの友人に、次のような手紙を書いています。

「この地方の原住民について言えば、神様が彼らを追跡してくださったので、三〇〇マイルの範囲に関しては、その最大部分が、今なお彼らの間で流行している天然痘で一掃されようとしています。このように神様がこの土地に対する私たちの権利を明確にしてくださったので、この土地にとどまっていた五〇人以下の原住民たちも、私たちに保護を求めてきました」（ジェームズ・W・ローウェン著、富田虎男監訳『アメリカの歴史教科書問題』）

この天然痘は、それまでアメリカにはない病気でした。天然痘に免疫を持っているヨーロッパからの移住者が持ち込んだ病気だったのです。

その一〇年後の一六三〇年、やはりピューリタンの人々約一〇〇〇人が、「アーベラ号」という船で、プリマスに近いボストンに上陸しました。

このときの指導者ジョン・ウィンスロップは、移住者に対して、「我々は『山の上の町』とならなければならない」と呼びかけました。

この「山の上の町」とは、『新約聖書』の「マタイによる福音書」の中に、イエスの言葉として出てくるものです。イエスは、「山の上にある町は、隠れることができない」と述べたというのです。

「山の上の町」は、常にどこからでも見ることができます。どこから誰から見られてもいいような理想の町を作らなければならない、という意味なのです（「山の上の町」は「丘の上の町」とも表現されるが、ここでは日本聖書協会による『聖書　新共同訳』の表現に従う）。

キリスト教による理想の国を建設する意気込みが伝わってきます。アメリカは、まさに「山の上の町」たらんとして建設された国だったのです。

★アメリカは「新しいイスラエル」だった

キリスト教徒にとっての聖典は、『旧約聖書』と『新約聖書』です。キリストによって人間が神と結んだ「新しい約束」が『新約聖書』であり、それ以前の「古い約束」が『旧約聖書』です。

もっとも、ユダヤ教徒にしてみれば、キリスト教徒が『旧約聖書』と呼ぶ聖典だけが神の言葉を記したもの、ということになります。

この『旧約聖書』の中に、神の命令を受けたモーセが、エジプトで奴隷状態になっていたイスラエル人たちを連れ出す話が載っています。「出エジプト」です。神に導かれたモーセは、「神が与えた地」であるカナン（現在のパレスチナ）に向かい、カナンに定住し、やがてイスラエルを建国するのですが、途中で妨害したカナン人を絶滅させた、という話が出ています。

イギリスで弾圧を受けていたピューリタンの人々は、イギリスを出て新大陸アメリカに渡ることを『旧約聖書』に描かれた「出エジプト」や「カナン定住」になぞらえました。アメリカを神から与えられた「約束の地」とみなしたのです。アメリカ大陸は、「新しいイスラエル」でした。

こうなると、彼らがアメリカで出会う先住民は、約束の地に行くことを妨害する「カナン人」のイメージと重なってきます。彼らは、先住民をキリスト教に改宗させることに失敗したり、先住民が抵抗したりすると、『旧約聖書』に描かれた古代イスラエル民族と同じように、先住民を武力で全滅させる方針をとったのです。

現代のアメリカが、国際政治において常にイスラエルの行動を支持するのは、アメリカ政財界にユダヤ人の影響力が強いからですが、その根底には、アメリカを「新しいイスラエル」とみなすアメリカのキリスト教徒の精神が存在しているのです。

★「神からの明白な使命」に燃えた

自らを「約束の地」に来た「新しいイスラ

エル」の民とみなす人々は、「約束の地」を開拓することは「神から与えられた使命」だと考えます。一八四五年、ジャーナリストのジョン・オサリバンは、「神が与えた大陸全体を所有するのは、明白な使命である」と主張し、この考えを強調しました。

こうして、宗教的な「理想」に燃えた人々は、アメリカ大陸を切り開いていきます。邪魔する者は「神の使命に逆らう者」と考えました。

アメリカに渡ってきた初期の人々が、どれだけ宗教的な情熱を持っていたか。一六五〇年にコネチカット州が制定した刑法では、冒頭に、「天父以外の神を崇拝する者は死刑に処せられる」と明記され、その後に、『旧約聖書』から本文通りに引用された規定が列記されていたといいます(A・トクヴィル著、井伊玄太郎訳『アメリカの民主政治』)。

★憲法は「政教分離」を打ち出したが

その後、新大陸アメリカには、ピューリタンのみならず、イギリス国教会やカトリック、クエーカー教徒、カルヴァン派など、キリスト教各派の人々が入植し、次第に一三の植民地が形成されていきます。

この一三の植民地が国家としてイギリスから独立し、やがて連合国家を建設していきます。

このうち「清教徒」は、マサチューセッツを開拓しました。しかし、ペンシルベニアはクエーカー教徒、メリーランドはカトリック、バージニアはイギリス国教会など、植民地により主導権をとった宗派は異なっていました。

このため、一三の植民地が一緒になる際、どこか特定の宗派を「国教」とするわけにはいきませんでした。

また、祖国イギリスで、イギリス国教会が「国教」となったために堕落してしまったと考える人々が多かったことから、堕落を避けるためにも「国教」は設けず、すべての宗派が自由に宗教活動ができるようにしたのです。

一七八八年にアメリカ合衆国憲法が成立したときには、この点について直接の言及はありませんでしたが、三年後の一七九一年の憲法修正で、いわゆる「政教分離」条項がつけ加えられました。ここには、こう明記してあります。

アメリカ合衆国憲法修正第一条

「連邦議会は宗教を国定したり、宗教上の自由な活動を禁止したりする法律を制定してはならない」

これが「政教分離」と呼ばれるものです。

★「政教分離」でキリスト教が力を持つ

「政教分離」とは、政府が特定の宗教に便宜をはからないこと。同時に、特定の宗教の活動を禁止しないことなのです。特定の宗教が政治に関わることを禁止したものではありません。キリスト教徒によって作られたアメリカでは、キリスト教徒が政治に関わることは、至極当たり前のことだったのです。

「合衆国憲法の起草者が国教を禁じたのは、政府の権力を制限するためであり、宗教を保護し強化するためだった。(中略)宗教からの自由を確立するためではなく、宗教のための自由を確保することだったのである。それはみごとに功を奏した。国教の存在しない状況下で、アメリカ人は望みどおり自由に信仰できたばかりか、希望するどんな宗派の共同体でも組織でも自由につくりだせたのだ」(サミュエル・ハンチントン著、鈴木主税訳『分断されるアメリカ』)

こうして、アメリカ成立当初から人々が信じていたキリスト教が、強い生命力を持って全米に広がっていったのです。

★キリスト教はアメリカ社会を支える

アメリカ国民の多くは、毎週日曜日、自宅近くの教会に足を運びます。教会によっては一度に信者が入りきれないため、何回にも分けて日曜礼拝をとり行うところもあります。

アメリカの子どもたちのうち二割は私立学校で教育を受けますが、この私立学校のほとんどが教会経営で、キリスト教に則って教育が行われます。アメリカの有力大学であるハーバードにしてもイェール、プリンストンにしても、そもそもはキリスト教会が信者のために設立したものでした。

アメリカ人の結婚式はふつう教会で行われ、子どもが生まれれば、教会で洗礼を受けさせます。地域のさまざまなボランティア活動は、教会が中心になっているものが多く、アメリカ人は、常に教会の存在を身近に感じながら生活しているのです。

毎年一一月、アメリカは「感謝祭」一色になり、一二月にはクリスマスの行事が続きます。

「感謝祭」は、「メイフラワー号」でアメリカ大陸に渡って来た清教徒の一行の故事になら

感謝祭を祝うマサチューセッツの市民たち(2004年11月)

ったものです。清教徒の一行は、アメリカで最初の冬を越す際、その多くが食料不足と寒さで死亡しました。生き残った人々は、翌年の秋、農作物の豊作を神に感謝する催しを開きます。このとき、現地の友好的な「インディアン」(先住民)を招き、野生の七面鳥を料理して食事会を開きました。

それ以来、アメリカ国民は、七面鳥の料理を家族で囲み、「ピルグリムファーザーズ」の苦労に思いを馳せるのです。初代大統領のジョージ・ワシントンが一七八九年、国民に感謝祭の行事を行うように布告を出して以来、感謝祭は全米で毎年行われています。アメリカ人は、感謝祭を祝うたびに、食事できることの幸せを神に感謝し、神の存在を再確認するのです。

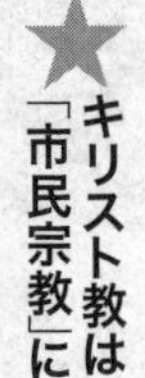

キリスト教は「市民宗教」に

　こうして、常にキリスト教と共にあるアメリカ国民にとって、キリスト教の教えは、いわば生活の背景となっています。誰もが神の存在を信じていることを前提としているのです。この神とは、「この世界を創造した唯一の神」です。つまり、キリスト教、ユダヤ教に共通する一神教の神です。

　アメリカの貨幣には、「IN GOD WE TRUST」（我々は神を信じる）という文字が刻んであります。

　アメリカは移民社会で、多くのアメリカ国民は、「共通の歴史」を持っていません。その状況で国民を統合するためには、常にアメリカのアメリカたるゆえんを再確認しなければなりません。そのときに登場するのが「神」なのです。アメリカは、「神のもとにある国家」というわけです。

コインに刻まれた「我々は神を信じる」という文字

　このようにアメリカ国民にとって共通の「神への信仰」を、アメリカの宗教社会学者ロバート・N・ベラは、「市民宗教」と呼びました。特定の宗派ではなく、「キリスト教的考え方」が、アメリカ人にとって無意識の宗教になっている、というわけです。

宗教学者の森孝一氏は、「市民宗教」ではなく、「見えざる国教」という表現を使っています。アメリカ人には「国教」はありませんが、キリスト教が、アメリカ人を統合する力を持った「国教」の役割を果たしている、というのです（森孝一『宗教からよむ「アメリカ」』）。

ただし、その「見えざる国教」とは、キリスト教に極めて近いものの、キリスト教そのものではありません。大統領の就任式でも、その他の行事でも、「神を信じる」とか「神のご加護がありますように」とか言いますが、「キリストのお導きがありますように」とは言わないのです。

アメリカの大統領はしばしば「神」について言及しますが、「イエス・キリスト」について公式な場で語ることはありません。「イエス・キリスト」について語ると、ユダヤ教徒を排除することになるからです。

つまり、「見えざる国教」とは、ユダヤ教、キリスト教のそれぞれを信じる人たちを含んだ「ユダヤ・キリスト教的伝統」なのです。

したがって、大統領が演説で引用する聖書の言葉も、キリスト教、ユダヤ教に共通する『旧約聖書』を中心に選ばれることになります。

アメリカの「市民宗教」「見えざる国教」とは、いわば、「キリストなきキリスト教」なのです。

「アメリカの市民宗教は特定の宗派にはこだわらない国教であり、明確な表現のなかでは、あからさまにキリスト教とはされていない。

しかし、その起源、内容、前提、および気質において、それはまぎれもなくキリスト教なのだ。（中略）アメリカの市民宗教はキリスト抜きのキリスト教なのである」（サミュエル・ハンチントン著、鈴木主税訳『分断されるアメリカ』）

★宗教保守派が大きな力を持つようになった

「市民宗教」ないしは「見えざる国教」のもとでのアメリカ人は、キリスト教を信じてはいても、その宗教観をあからさまに表に出すことは少なかったのですが、近年になって、自らの宗教観を他人に強制しようという動きが強まっています。「宗教保守派」の台頭です。

アメリカ南部の保守的な地域には、「福音主義者」（エヴァンジェリカル）と呼ばれるキリスト教徒が多く住んでいます。この人たちは、『新約聖書』の福音書に重きを置き、福音書に書かれていることはすべて一字一句真実であると考えます。こうした考え方は、「キリスト教原理主義」とも呼ばれます。宗派としては、プロテスタントの中のバプティストやメソジストなど、いくつもの派がありますが、いずれも、「神の福音をできるだけ大勢の人々に伝えるのが責務」と考え、伝道に力を入れます。

こうした中から生まれたのが、「テレビ伝道師」と呼ばれる人々です。自らの宗教的信念を、テレビを通じて全米に伝えるようになったのです。

アメリカでは、毎週日曜日、ケーブルテレビのいくつものチャンネルで、日曜礼拝の模様が中継されます。そこで全米に向かって説教をするのが、「テレビ伝道師」です。

彼らは、暴力やセックスがあふれるアメリカの現状を厳しく批判し、福音書にもとづく「正しいキリスト教徒」として生きるように呼びかけます。これが、都市部の「乱れた生活」への嫌悪感を募らせていた地方の人々の心をつかみました。

一九八一年の世論調査では、「この一週間にテレビの礼拝番組を見ましたか」という問いに、三二％もの人が「見た」と答えています（森孝一『宗教からよむ「アメリカ」』）。

テレビ伝道師が強い影響力を持つようになって、アメリカでは宗教保守派が台頭します。

そのきっかけになったのは、ジェリー・ファルウェルが一九七九年に結成した「モラル・

コラム

キリスト教とイスラム教の「原理主義」

宗教に関する「原理主義」という言葉は、イスラム教原理主義に関してよく使われます。しかし、もともとはキリスト教原理主義という呼び名があって、そこからの類推でイスラム教にもあてはめた名称なのです。

イスラム教原理主義とは、キリスト教徒側からの呼び方で、イスラム教徒の側には、このように自称する人たちはいません。

イスラム原理主義者と呼ばれる人たちは、イスラム教徒の側からすれば、「イスラム主義」ないし「イスラム復興運動」とでも呼ぶべき存在です。近現代のイスラム社会が西欧文化の影響で「堕落した」と考える人々が、「イスラム教のあるべき姿に立ち返るべきだ」と主張しているのです。

キリスト教原理主義は、『聖書』に書かれてあることは一字一句真実である、という立場です。イスラム教では聖典の『コーラン』は、すべて神の言葉とされていて、一字一句真実であることは自明の理とされています。この考え方を「原理主義」と呼んでしまうと、イスラム教徒は全員が原理主義者ということになってしまいます。

ただ、キリスト教原理主義もイスラム教原理主義も、すべてを「敵と味方」に二分する発想が強く、その点では似通っているとも言えます。

マジョリティ（道徳的多数派）」です。三五〇万人の信者を抱え、「正しいキリスト教」を政治の場に反映させようとします。一九八〇年に行われた大統領選挙では、共和党のロナルド・レーガンを支援し、当選に大きな力となったとも言われています。

★共和党への浸透進む

テレビ伝道師の中には、自ら大統領選挙に出馬しようとした人物もいました。テレビ伝道師として高い人気を誇ったパット・ロバートソンです。

彼は、一九八八年の共和党の大統領予備選挙に立候補しましたが、指名は獲得できませんでした。その代わり、選挙中に各州に築いた組織を利用して、一九八九年、「クリスチャン連合」（Christian Coalition）を結成しました。支持者が共和党の地方組織に加入して影響力を確保し、共和党全体への影響力を強めていく方針をとったのです。

この方針は成功し、共和党は、「クリスチャン連合」に代表される宗教保守派を無視して政治は行えないまでになりました。一九九二年に開かれた共和党の全国大会では、出席した各地の代表の四二％が、「クリスチャン連合」の関係者でした。

二〇〇四年一一月のアメリカ大統領選挙でも、宗教保守派は強固な組織をフルに動員して、ブッシュ大統領再選への大きな力となりました。

ブッシュ対ケリーの一騎打ちとなった大統領選挙では、民主党の大統領候補となったジ

テレビ伝道師、ビリー・グラハムの講話に聞き入る人々

ョン・ケリーが、イラク戦争反対の論陣を張りましたが、宗教保守派が多いアメリカ南部では、国際問題は論点になりませんでした。

宗教保守派は、「ブッシュは妊娠中絶に反対し、同性結婚にも反対する」という観点から支持を呼びかけ、これが功を奏したのです。

★「生命を守れ」と言いながら殺人を犯す

宗教保守派がいま最も力を入れているのが、「妊娠中絶反対」と「同性愛・同性婚反対」の運動です。

『旧約聖書』の「創世記」には、神が人間たちに、「産めよ、増えよ」と命じたと記されています。人間たちが中絶をすることは、この神の教えに反すると考えているのです。また、同じ『旧約聖書』の中で、神が人間に与えた「十戒」の中に、「汝、殺すなかれ」という言葉があります。中絶は胎児を殺すことになるので、この教えに反することになる、と主張しています。

この妊娠中絶に関しては、母体保護の観点から、一九七三年、連邦最高裁判所が、女性が妊娠の一定の時期に中絶を行う権利を認めました。これに宗教保守派が猛然と反発し、妊娠中絶を禁止する法律の制定に向けて活発な運動を展開するようになったのです。

運動は、時に暴力的な様相を帯びます。一九九三年三月、フロリダ州で、中絶手術をする医師が、中絶反対派の人間によって射殺されるという事件が発生しました。その後も、中絶手術をする医師や、クリニックの職員が殺される事件が相次ぎました。

一九九八年一月には、アラバマ州バーミングハムで、中絶手術をするクリニックが爆破され、ひとりが死亡、ひとりが重傷を負うという事件が起きました。中絶反対派による殺人の犠牲者は、これで七人となったのです。「汝、殺すなかれ」という教えを守るべきだと主張しながら殺人を犯すという、なんとも矛盾した行為が行われているのです。

アメリカ国内の中絶反対派は「生命を大切にすべきだ」という主張から「プロライフ」派と呼ばれています。これに対して、中絶は母親の選択に委ねるべきだと主張する人たちは「プロチョイス」派と呼ばれ、双方の対立が続いています。

★ブッシュ政権、国連人口計画に反対

宗教保守派に支持されているブッシュ政権

アラバマ州で起きた女性のためのクリニック爆破事件（1998年1月）

は、二〇〇二年、国連人口基金への三四〇〇万ドルの資金拠出を中止しました。

国連人口基金は、開発途上国が急激な人口増加（これを「人口爆発」という）に悩んでいる状況を改善するため、家族計画を支援する組織です。世界各国が拠出する資金で運営されています。クリントン政権時代は資金の拠出をしていましたが、ブッシュ大統領は、議会が承認した三四〇〇万ドルの拠出を拒否したのです。

「国連人口基金は、中国で行われている強制的な妊娠中絶に関与しているから」というのが、拠出拒否の理由でした。これについては、アメリカ国務省が調査した結果、そのような事実はないことが確認されたのですが、資金を出そうとはしなかったのです。

国連人口基金は、開発途上国の国民に避妊

の方法を教え、避妊具を配布したりしています。また、「リプロダクティブ・ライツ」という方針をとっています。これは、子どもを産むかどうかは母親なりカップルが決めることだ、という考え方です。ブッシュ政権は、「この権利は、中絶を認めることになる」として、反対しているのです。

国連人口基金は、アメリカが資金提供を拒んだことで、「開発途上国での家族計画を進める上で支障が出る」と困惑していますが、「中絶は認めるべきではない」という考え方が、こんなところにも現れているのです。

★「同性婚」にアメリカは揺れる

中絶問題と並んで、いまアメリカで大きな論争になっているのが、「同性婚」を認めるかどうかです。

二〇〇三年一一月、マサチューセッツ州の最高裁判所は、「異性間だけに結婚を認めるのは、州憲法の男女平等の規定に反する」という判決を下しました。

同性カップル七組が、「自分たちの結婚を認めない州当局の対応は州の憲法に違反する」と訴えていたのを認めたのです。

この判断に、アメリカは大きく揺れました。ブッシュ大統領は、「異性の結婚は神聖なものだ」と、同性結婚を認めた判決を強く批判しました。

「同性婚」を認めるかどうかは、「結婚」に宗教的意味を見出すか、「法のもとでの平等」を重視するか、の違いです。

結婚しているカップルの場合、片方が死亡した際の遺族年金の支給や、遺産相続の問題、

サンフランシスコで、同性結婚を祝うゲイのカップル（2004年）

さらに離婚したときの慰謝料や財産分与などについて、未婚のカップルより法律的な権利が保障されています。そこで、たとえ同性のカップルであっても、「結婚」を希望するのであれば、異性のカップルの結婚と同じだけの法律的な権利を保障しよう、というのが、「同性婚」を認める人たちの立場です。

これに対して、宗教保守派は、結婚に宗教的な意味を見出し、「結婚は異性同士が結びつくもの」という考えから、「同性婚」に強く反対します。州が独自に「同性婚」を認めようとするのなら、合衆国憲法でこれを禁止してしまえばいい、というのが宗教保守派の考え方で、憲法改正を求める運動を起こしています。

『旧約聖書』には、同性愛にふけっていたソドムという町が天によって滅ぼされたという記述があります。これが、同性愛を否定する宗教保守派の根拠になっています。

アメリカでは、さまざまな社会問題が発生するたびに、宗教的な観点からの賛否が巻き起こるのです。

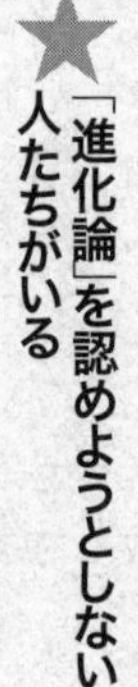

「進化論」を認めようとしない人たちがいる

アメリカのキリスト教原理主義を象徴するエピソードとしてよく知られているものに、進化論をめぐる論争があります。

一九二五年七月、テネシー州デイトンにあるレイ・セントラル高校の教師ジョン・トーマス・スコープスが、進化論を教えたために逮捕され、裁判にかけられたのです。

テネシー州議会は、この年の三月、公立学校で「進化論」を教えることを禁止する法律（進化論禁止法）を制定していました。当時、キリスト教原理主義者が多い南部の州では、計一三州もが、同じような法律を相次いで成立させていたのです。「『旧約聖書』に描かれているように、人間は神が創造したものであり、それに反する教えは許されない」というのが法律の趣旨でした。

スコープスの裁判は、別名「モンキー裁判」と呼ばれました。「人間がサル（モンキー）から進化したなどという荒唐無稽（こうとうむけい）な理論を教えるのはけしからん」という声が上がっていたからです。

この裁判があったことは、日本でもよく知られていますが、裁判の結果は、意外に知られていません。判決は？

進化論を教えた教師は、有罪になったのです。一〇〇ドルの罰金刑でした。

この裁判は、実は被告となったスコープスの側から仕掛けられたものでした。進化論禁止法が成立したことに怒った人たちが、進化論を教えることを禁止した州法の愚かしさを広くアピールしたいと考え、進化論が掲載されている教科書を授業で使うようにスコープスに頼んだのです。

たまたま生物学担当の教員が病欠し、代用教員になったスコープスはこの頼みを引き受け、あえて逮捕されました。

裁判では、被告のスコープスに有能な弁護士がつきました。弁護士は、「聖書は正しい」と信じる検察官に論争を挑みました。

たとえば、『旧約聖書』の「創世記」には、神が太陽と月を創造したのは四日目と書いてあるが、その前に、「夕となり朝となった」

コラム

ローマ法王は進化論を認めている

カトリックは、すでに進化論を認めています。1950年、当時のローマ法王ピオ一二世は、進化論はキリスト教と矛盾しないと述べています。ただ、人間の魂の創造には神の介入が必要であると言っています。

また、1996年、故ヨハネ・パウロ二世は、進化論は仮説ではなく理論であると認めています。

地球誕生は6000年前？

キリスト教原理主義者たちは、『創世記』の記述を手がかりに、地球がいつ頃創造されたのかを計算してきました。当初出た説では、紀元前4004年10月26日の午前9時だというものでした。

その後、論者によって微妙に日付が異なりますが、いずれにせよ、地球が誕生してまだ数千年しか経っていない、という結論になっています。

これらの論者に言わせれば、地中から出土する化石は、「ノアの洪水」によって死亡した動物たちの化石ということになります。

という記述がある。太陽も月もない段階で、どうして夕や朝がわかったのか、という問いです。

また、「エデンの園」で、イブをたぶらかしてリンゴを食べさせたへビは、その罰として地面をはい回るようにされたというが、では、その前はへビはどんな格好をして歩いていたのか、という質問もありました。

検察官は、いずれの問いにも答えられませんでした。

しかし、裁判官は有罪判決を言い渡したのです。

ただ、この判決は一年後、テネシー州最高裁で破棄されています。判決内容ではなく、判決の手続きに誤りがあったという理由でした。進化論を教えたこと自体が違法であったかどうかについての判断は下されませんでした。

裁判の様子は全米で大々的に報道されました。多くの国民が、この論争の様子を知りました。しかし、この裁判の後、スコープスが使った高校の生物学の教科書から進化論の記述が消えました。ほかの教科書も、進化論を扱わないようになりました。教育現場でも進化論者が敗北したのです。

この裁判は、その後、映画にもなりました。一九六〇年に公開された『聖書への反逆』です。映画は、実際の様子をかなり脚色しており、事実の正確な再現ではありませんが。

このテネシー州議会が進化論禁止法を廃止したのは、一九六七年になってからのことです。しかし、話はこれで終わりません。テネシー州議会は、一九七三年に、新たな法律を成立させました。進化論が「理論」であっていけない、というものでした。また、進化論を教える場合は、『旧約聖書』の「創世記」も合わせて教えなければならないとされたのです。

しかし、この法律は、一九七五年、州の裁判所で「憲法違反」とされ、無効になりました。

それでもキリスト教原理主義者たちの運動は続きます。『旧約聖書』の記述は真実であるという立場から、「創造科学」というものを提唱し、公立学校では、進化論を教える場合、併せて「創造科学」も教えなければならないとする法律を、一九八一年、ルイジアナ州とアーカンソー州で成立させました。どちらも平等に扱わなければならないというもので、「授業時間均等化法」といいます。

しかし、これも最終的には、一九八七年、連邦最高裁判所が、進化論は科学であるが、「創造科学」は宗教理念であるから、公立学校で教えることは憲法違反であるという判断を示しました。「創造科学」を公立学校で教えることが、ようやく禁止されたのです。

学校現場で科学の常識を教えようとするだけで、キリスト教原理主義者の激しい抵抗を受け、進化論を教えられるようになるのに、これだけの時間がかかったのです。

しかも、進化論を教えることができると裁判所のお墨付きはもらっても、実際の学校現場では、そうはいきません。キリスト教原理主義者の父母から激しい抗議が予想されることから、実際には生物学の授業で進化論には触れようとしない教師がいまも多いのです。

★「神のもとにある国」

進化論を学校で教えることが、これほどまでに大問題になってしまう国アメリカ。

アメリカは、生活のあらゆる場面に、キリスト教的な考え方が浸透しているのです。神を信じることが当たり前の国であり、アメリカは、「神のもとにある国」であるという揺るぎなき信念を、多くのアメリカ人が共有しているのです。

このことを知っておかないと、宗教的な理念や知識があまりない日本人にとっては、アメリカは理解不能な国になってしまいます。

ただ、このアメリカにも、最近はイスラム教徒が激増するようになりました。現在、三五〇万人とも五〇〇万人ともいわれるイスラム教徒がいて、キリスト教徒との間で宗教をめぐる摩擦が起きるようになっています。

アメリカのイスラム教徒には、二つのタイプがあります。

ひとつは、海外から移民してくるイスラム教徒です。中東での圧政を嫌い、「自由の国アメリカ」をめざすイスラム教徒が増えています。この人々は、アメリカに住み着いても、イスラム教への信仰を失わず、イスラム教徒としての暮らしを維持しています。

もうひとつのタイプは、アメリカで差別され続けてきた黒人がイスラム教に改宗するものです。

一九九五年一〇月一六日、首都ワシントンに、全米から黒人男性一〇〇万人もが集まり、大集会を開きました（警察発表は四〇万人）。

黒人イスラム教組織「ネイション・オブ・イスラム」の指導者ルイス・ファラカンが開

ワシントンで開かれた「ネイション・オブ・イスラム」の100万人集会(1995年)

いたものでした。

ルイス・ファラカンは、反ユダヤ、反白人を主張する過激な黒人イスラム教徒です。その組織が、これだけの黒人を集める組織力を持つまでになったことに、アメリカ国民は驚きました。男性優位の思想から、集会に黒人女性の参加は認められませんでした。

ファラカンは、この集会で、白人優越主義がアメリカを病んだものにしていると主張し、黒人の地位向上を呼びかけました。

黒人の地位向上運動とイスラム教が結びついたのです。

この様子はスパイク・リー監督によって映画化され、『ゲット・オン・ザ・バス』という題名で一九九八年に公開されています。

このようにイスラム教への改宗が進んでいるのは、アメリカで白人から差別を受けてき国民の多くは神の存在を信じ、宗教保守派の影響力が増大している。

た黒人たちが、「神のもとでのすべての人々の平等」を重視するイスラム教に魅力を感じるようになっているからです。

ただ、イスラム教徒にとっても、この世界は唯一の神によって創造されたもの。その点では、ユダヤ教徒、キリスト教徒と同じです。アメリカは、「神を信じる人々の国」であることに違いはありません。これからも、アメリカの大統領は、「アメリカに神のご加護がありますように」と呼びかけ続けるのです。

この章のまとめ

アメリカは、憲法で「政教分離」を定めているが、これは、「国教」を定めないという意味であって、国民の多くがキリスト教徒であることを前提としている。いわば「キリストなきキリスト教」なのである。

第二章　アメリカは連合国家だ

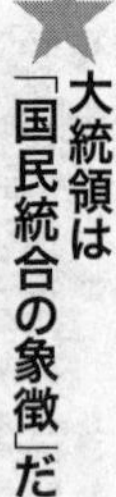

大統領は「国民統合の象徴」だ

アメリカ大統領が連邦議会で演説する光景をテレビのニュースで見たことはあるでしょうか。

大統領が議会に入場するとき、議員たちは全員起立して拍手で大統領を迎えます。大統領が演説をしている最中も、野次を飛ばす議員はおらず、話の折々に拍手が湧き起こります。最後は、全員が再び立ってスタンディング・オベーションです。

大統領とは所属が違う政党の議員たちも、大統領の演説に対しては拍手を惜しみません。日本の国会での総理大臣演説とは、えらい違いです。どうして、こんなにも違うのでしょうか。それは、アメリカの大統領が、国家元首であり、行政の最高責任者（連邦軍の総指揮官でもある）であると同時に、アメリカ国民統合の象徴だからなのです。

日本で言えば、天皇と総理大臣を合わせたような存在、とでもいうべきものでしょう。

日本の天皇が国家元首であるかどうかについては日本国内で議論のあるところですが、海外からは、天皇は国家元首の扱いを受けています。天皇が、日本国民統合の象徴であることは、憲法の規定の通りです。国会が開会するとき、天皇は参議院の議場に来て、「お言葉」を述べます。このとき、国会議員から野次が飛ぶことはありません。政治的な立場に関係なく、日本の象徴である天皇への敬意が払われています。

日本の総理大臣は、各省庁のトップである大臣を取りまとめる立場。つまり行政の最高責任者です。

大統領をスタンディング・オベーションで迎える議場の議員たち（1998年1月）

アメリカの大統領が、これらを併せ持った存在であるとすれば、議会演説で野次が飛ばないこと、野党議員からも拍手を受ける理由がわかるのではないでしょうか。

★連邦をひとつの国家につなぎ止める大統領

アメリカ人にとって、大統領は、それがブッシュであれオバマであれ、個人的な思いはあるにせよ、「大統領」という「職」に対しては、敬意を払っているのです。

大統領は、これに応え、まるで「アメリカ国民の父」であるかのように振る舞うことが期待されます。大統領は、国民にとっての「精神的指導者」であることすら求められているのです。

四年に一度、アメリカ国民が選ぶ大統領は、いわば国民が選挙で「国王」を選出しているようなもの、と言うこともできるでしょう。
そこには、アメリカ国民の統合の象徴である大統領がいなければ、アメリカという連合国家がバラバラになってしまう、という危機感が存在するからです。事実、過去には南北戦争のように、アメリカが二つに分裂して争う事態も起きています。

アメリカは、五〇の「国」が集まってできていて、それを大統領が取りまとめているのです。

★五〇の「国家」が連合している

アメリカの正式名称は、ご存じの通り、Ｔｈｅ Ｕｎｉｔｅｄ Ｓｔａｔｅｓ ｏｆ

コラム

大統領と首相はどう違う?

世界には、大統領と首相の両方がいる国があります。どちらが強い力を持っているのか。それは、国によって異なります。

大統領は国家元首です。それに対して、首相は行政の最高責任者。両方がいる国は、大統領が強い権限を持つ国と、首相が権限を持つ国があります。

たとえば、フランスやロシア、韓国は、大統領が強い権限を持ち、首相は大統領の指示を受けながら、行政の責任者としての仕事を遂行します。

一方、ドイツやオーストリア、イスラエルのように、大統領は国家元首だが名目上の存在で、首相が政治的権限を一手に握っているという国もあります。また、イギリスやオランダ、ベルギーのように、女王や国王がいる国では、女王や国王が国家元首で、政治的な力は首相が握っています。

アメリカのように、首相も国王も存在せず、大統領がすべてを掌握している例は珍しいのです。

Americaです。Statesとは、国家の複数形。つまり、「アメリカ（大陸）の連合国家」という意味です。日本ではStatesを「州」と訳しているため、まるで日本の都道府県のようなものというイメージがありますが、そうではないのです。

イギリスからの植民者たちが作りあげた植民地は一三。それぞれが別々に発展しますが、本国イギリスから課せられる税金に反発して、一三の植民地が、一七七四年、緩やかな連合組織である「大陸会議」を発足させます。

そして一七七五年四月、イギリスからの独立を求めて独立戦争を始め、翌年の七月四日、大陸会議は「独立宣言」を発表します。

しかし、イギリスが敗北して実際に戦争が終わるのは一七八一年。イギリスをはじめヨーロッパ各国がアメリカを独立国家と認めた

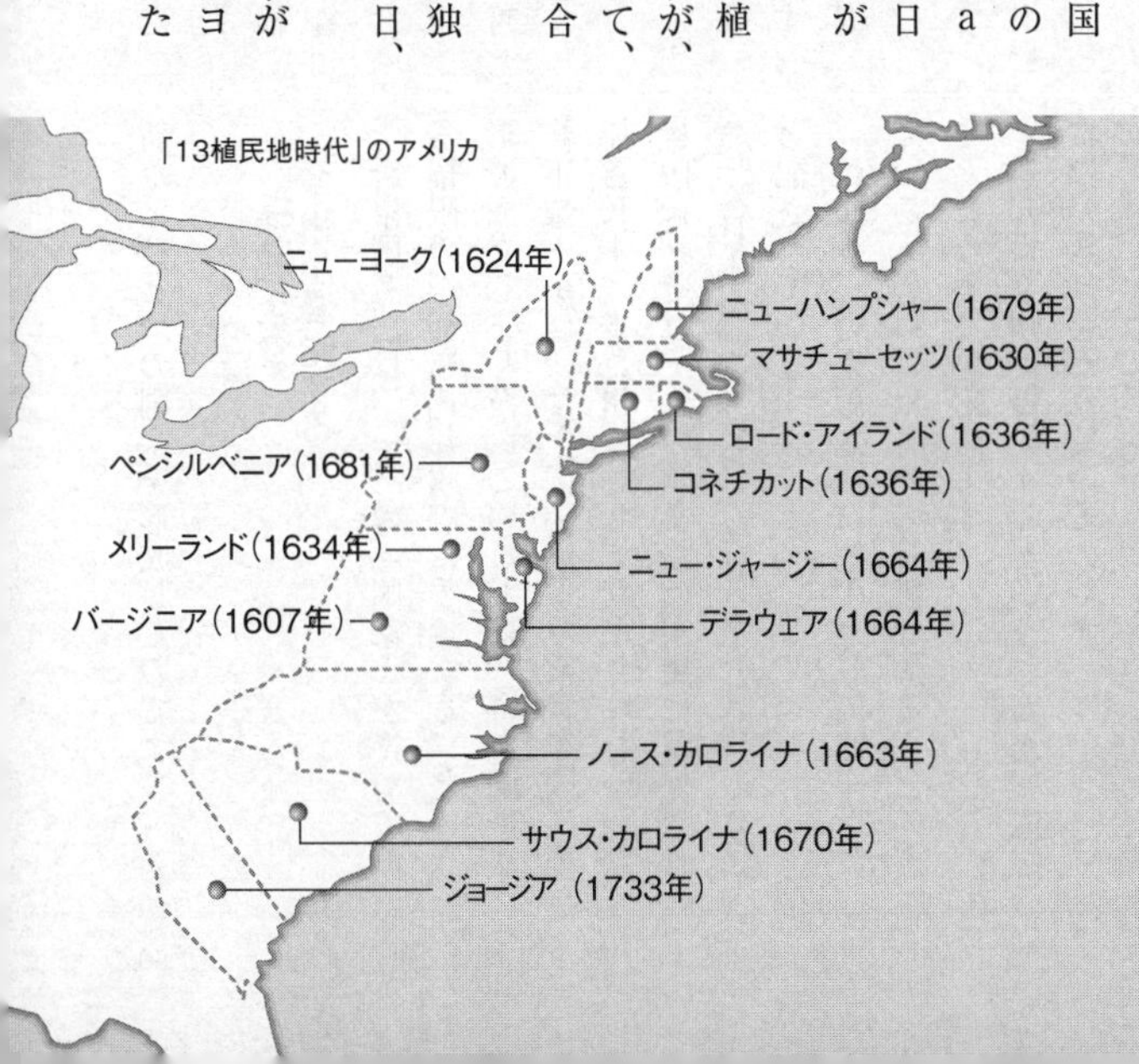

のは、一七八三年のパリ条約によってでした。

この段階でようやく「独立」が認められたアメリカは、単に一三の「国家」の連合組織でしかありませんでした。この連合組織が名実ともにひとつの独立国家になるのは、一七八九年四月三〇日。合衆国憲法の規定によって選出されたジョージ・ワシントンが、仮首都のニューヨークで初代大統領に就任してからのことでした。

合衆国憲法の草案がまとまったのは一七八七年。この憲法は、一三の「国家」のうち九つ以上の議会で承認（批准）されれば発効することになっていて、実際に発効したのは翌年のことです。

ところが、合衆国憲法ができる前に、すでに一三の「国家」にはそれぞれ「憲法」がありました。まさに、独自の国家が連合して、新たにひとつの国家を形成したのです。

★連邦より州が優先する

合衆国憲法は、一三の「国家」が持っている権限の一部を連邦政府に委譲する、という形で成立しました。このことは、合衆国憲法修正第十条に、「本憲法によって合衆国に委任されず、また州に対して禁止されなかった権限は、それぞれの州または人民に留保される」（日本語訳は駐日アメリカ大使館による）と記されています。

つまり、合衆国憲法に権限として明記されているもの以外は各州の権限である、ということになっているのです。

連邦より州が優先するということが、憲法にはっきり書かれているのです。

もちろん、合衆国憲法や連邦議会が制定した法律は国の最高法規であって、州の憲法や州の法律に優先します。つまり、連邦と州で相反する法律があった場合は、連邦が優先するけれど、連邦の憲法や法律で決められていないことは、州の独自の判断に任される、ということになっているのです。

これぞまさに、地方分権のあるべき姿かも知れませんが、これは、国家があって州が生まれたのではなく、まず州（国家）があって、その上に連邦国家が作られたことによるものなのです。

日本では都道府県の役所のことを「地方公共団体」と呼びますが、アメリカでは州「政府」です。

これは、当時の一三の「国家」の指導者た

コラム

合衆国か合州国か

The United States of America (USA)はアメリカ合衆国と訳されていますが、これを「アメリカ合州国」と訳すべきだ、という主張があります。

「合衆国」だと、まるで民衆が力を合わせているかのように受け取れるが、実際には州が集まっているだけだから、という論法です。

しかし、この主張は誤解から生まれました。「合衆国」というのは、もともとは中国語で、「共和制」のことです。「国王がいない国」という意味なのです。USAを中国語に翻訳した際、この「合衆国」という言葉が使われ、その後、日本に入ってきました。そこで本書では、伝統的な「合衆国」という言葉を使用することにします。

星条旗とともに掲揚される
州旗（ジョージア州）

ちが、自分たちより上位の連邦国家が強い権限を持ち、自分たちの意思を無視して勝手な振る舞いをすることを恐れたからです。現在のアメリカにも、この気風は残っています。「連邦政府は勝手なことをするのではないか」という懐疑が、折にふれて州の人々から出てくるのです。

裁判所も連邦と州と両方ある

まず州ありき。このため、各州に憲法があり、議会があり、議会が制定した法律があります。

刑罰も、死刑がある州とない州があります。

裁判所も、地方裁判所、控訴裁判所、最高裁判所という三審制になっています。

その一方で、連邦国家にも、最高裁判所があり、その下に連邦控訴裁判所（日本の高等裁判所に相当）、連邦地方裁判所があります。

では、州と連邦の裁判所はどういう関係になっているのでしょうか。

その州内での事件は、原則として州の裁判所で裁かれます。連邦政府を相手どった裁判、複数の州にまたがる事件、憲法違反かどうかを問う裁判などは、連邦裁判所で審理されます。

警察組織も、州と連邦に分かれています。と言うよりも、警察組織は、州単位のみならず、地方自治体ごとに分かれています。州警察、郡警察、市警察というように。アメリカのハイウエイを自動車で走っていると、さまざまな色のパトカーに出合います。州警察に所属しているハイウエイパトロールや郡警察、市警察などです。「シェリフ」（保安官）と記されたパトカーも目につきます。地方自治体では、地元の人たちが選挙で警察組織のトップの保安官を選び、その保安官事務所にプロの警察官が勤務するというのが原則だからです。

一方、連邦の警察組織といえば、ご存じFBI（連邦捜査局）です。ワシントンに本部があり、全米各地に支局があります。こちらは司法省直属で、連邦法違反事件や、複数の州にまたがる事件などを捜査します。事件の捜査をめぐって地元警察とFBIが対立するというのは、ハリウッド映画おなじみのシーンです。

FBI以外にも、連邦の警察組織としては、麻薬犯罪を取り締まるDEA（麻薬取締局）、銃器や爆発物を取り締まるATF（連邦アルコール・タバコ・火器取締局）、国立公園を

パトカーも様々。写真はバーモント州、保安官のもの

担当する国立公園警察があります。

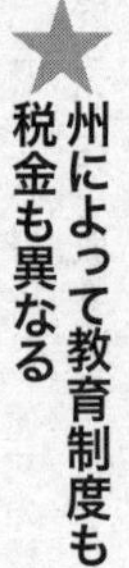

州によって教育制度も税金も異なる

各州に独自の法律があるように、教育制度も州によってまったく異なっています。日本のような六・三・三制の州もありますが、多くは、まったく別のシステムです。義務教育の年限も州によって異なり、小学校に入学する年齢も違います。

税制も異なっています。州によって消費税、ガソリン税、タバコ税、アルコール税の税率も違っています。

たとえば消費税。最も税率が高いのはカリフォルニア州の七・二五%です。その一方で、アラスカ州やデラウェア州、モンタナ州などは、そもそも州独自の消費税がありません。

また、ガソリン税は、ニューヨーク州が一番高く、一ガロン当たり三二・七セントです。最も安いのは、ジョージア州の七・五セントです。

さらにタバコ税は、最も高いのがニュージャージー州の二ドル五セント（二〇本入り一箱）で、最も安いのがケンタッキー州の三セント、という具合です（二〇〇三年末現在。Tax Foundationの資料による）。

州によって、こんなにも違いがあるのです。こうなると、買い物やガソリンを入れるために自分の州より安い隣の州に行く、という行動をとる人たちも出てきます。

州にも軍隊がある

アメリカの州は、いわば国家のようなものだという話をしてきましたが、国家につきものなのが軍隊。州にも軍隊が存在するのです。州兵です。

ブッシュ前大統領は、かつてテキサス州兵だったことがあります。当時、連邦軍に徴兵されるとベトナム戦争に派遣されるので、それを逃れるために州兵になったのではないかという疑惑が取りざたされました。テキサス州には陸軍と空軍があり、ブッシュ前大統領は、テキサス空軍のパイロットの訓練を受けていました。

アメリカには、連邦政府に軍隊があるのに、なぜ各州にも軍隊があるのか。合衆国憲法修正第二条に、次のような規定があります。

「規律ある民兵は、自由な国家の安全にとっ

コラム

「祝日」も州によって異なる

日本と異なり、アメリカでは「祝日」も州によって違いがあります。大統領は「連邦のナショナル・ホリデー」を制定することができますが、それが適用されるのは、首都ワシントンと全米の連邦政府機関の職員に対してだけです。各州は、それぞれで「州のナショナル・ホリデー」を決めています。

全米のすべての州が「ナショナル・ホリデー」に指定しているのは、次の10種類です。

元日（1月1日）、キング牧師記念日（1月第3月曜日）、大統領の日（2月第3月曜日、以前はワシントンの誕生日だった）、メモリアル・デー（5月最終月曜日、　戦死した人々を記念する日）、独立記念日（7月4日）、労働者の日（9月第1月曜日、レイバーデー）、コロンブス・デー（10月第2月曜日、コロンブスのアメリカ到達を記念）、復員（退役）軍人の日（11月11日）、感謝祭（11月第4木曜日）、クリスマス（12月25日）。

て必要であるから、人民が武器を保有しまたは携帯する権利は、これを侵してはならない」(駐日アメリカ大使館の訳による)

この「規律ある民兵」というのが、州兵のことです。

連邦政府は何を始めるかわからない。信用できない。もし連邦政府が州の自治権を侵すようなことになったら大変だから、武器を使って抵抗する力を持っていなければ安心できない。これが、各州が州兵を持っている理由です。これほど、各州は連邦政府への不信感を持っているのです。

ただし、連邦政府の力が強まり、連邦軍も強大になったいまでは、「連邦政府に対抗する武力」というのは、単なる建前になってしまっています。事実、大統領は、大統領令によって、州兵を連邦軍に編入することができるようになっています。

ベトナム戦争当時のアメリカは徴兵制を敷いていたので、連邦軍の兵員は多く、州兵が連邦軍に編入された例はごくわずかでした。しかし、ベトナム戦争後、徴兵制は廃止され、志願制の軍隊になりました。

イラク戦争後、アメリカ連邦軍は兵員不足に悩み、ブッシュ大統領は、各州の州兵を大統領令によって連邦軍に編入し、イラクに送り込みました。

自分は州兵になることでベトナム戦争を免れながら、大統領になると、州兵をイラクに送ったのです。

★連邦政府の首都はどこの州にも属さない

五〇の州(国)がまとまって成立したのが

ワシントン・モニュメント越しに眺望したワシントンD.C.の市街

連邦である以上、連邦政府は、どこかの州の中に置くわけにはいきません。こうして、どこの州にも属さないワシントンという町が成立しました。

一七八九年、初代アメリカ大統領のジョージ・ワシントンの就任式はニューヨークで行われました。このときアメリカ合衆国の恒久的な首都はまだ決まっていなかったからです。

このとき臨時首都はペンシルベニア州のフィラデルフィアに置かれることになりました。憲法制定会議が開かれた場所だったからです。

恒久的な首都は、当時の一三州のほぼ中央に位置する場所に建設することになり、メリーランド州とバージニア州から土地を提供させて、連邦議会直轄地となりました。この場所は、コロンビア特別区（Ｄｉｓｔｒｉｃｔ　ｏｆ　Ｃｏｌｕｍｂｉａ）と名づけられ、

「ワシントンD.C.」と呼ばれるようになりました。アメリカ大陸に到達したコロンブスと、初代大統領ワシントンにちなんだ名前になったのです。

首都ワシントンはポトマック川のほとりにあり、もともとは湿地帯でした。夏は暑くて湿気が強く、住むのに適しているとは言えません。しばしば濃い霧が立ちこめます。ワシントンの町のことを「フォギーボトム」（霧の底）と呼ぶこともあるほどです。

このため、連邦政府を信用していなかった人たちが、わざと住みにくい場所を選んだ、と言い伝えられています。

★連邦議会は大統領を牽制する

アメリカ合衆国という連邦国家が誕生した

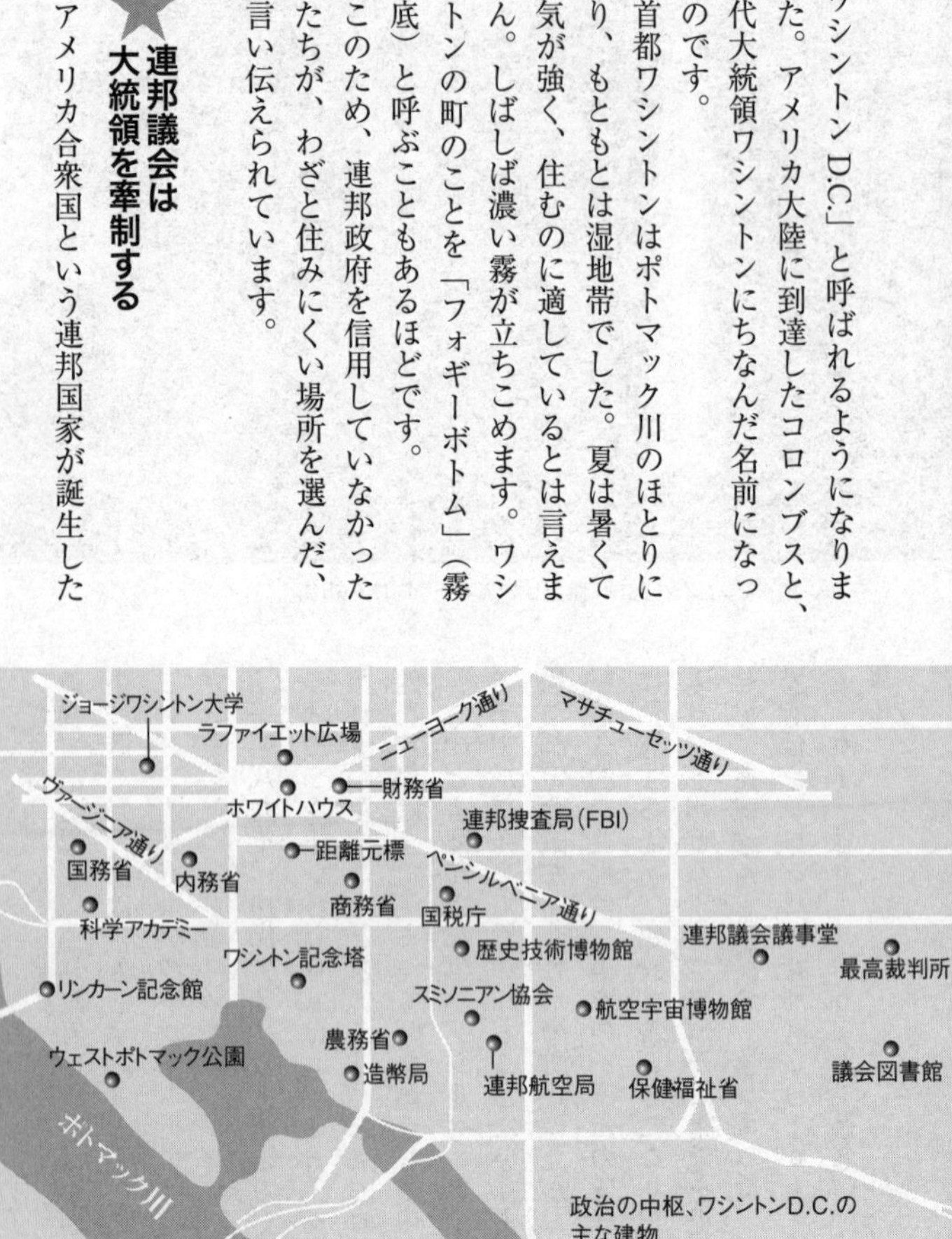

政治の中枢、ワシントンD.C.の主な建物

とき、各州の代表者は、連邦政府の大統領が強大な権限を持つようになることを警戒していました。大統領が強い力を持つと、州の権限が奪われると考えたからです。そこで、大統領の権限を、自分たちの代表である連邦議会が牽制する仕組みを作り上げました。いわゆる「三権分立」の確立です。

日本の政治制度は議院内閣制です。議会の投票で総理大臣が選ばれ、総理大臣は、衆議院を解散させることができます。

しかし、アメリカの大統領は、連邦議会を解散させることはできません。この点だけでも、議会は大統領と対等な立場を保持しています。

一方、議会は、厳重な手続きが必要ですが、「弾劾」といって、大統領をやめさせる力を持っています。過去に弾劾が行われたことはありませんが、議会が弾劾の審議に入った段階で辞任したニクソン大統領の例（一九七四年）があります。

アメリカの大統領の権限が限られていることを示す象徴は、なんといっても、大統領には予算案も法案も議会に提出することができない、という点でしょう。

日本なら、内閣が予算案を国会に提出しますし、多くの法案も内閣が提出します。アメリカは、そうではないのです。

では、どうするのか。予算に関しては、大統領は、「予算教書」といって、予算の基本的な枠組みの方針案を作成し、これを連邦議会に提出します。しかし、それに基づいて実際に予算案を作成するのは議会です。議会に予算局があって、議員と相談しながら予算案を作り、議会審議を経て可決します。その結果、大統領の方針とは異なったものができることもあります。

また、法律案を提出できるのも議員に限られています。大統領には法案を提出する権限がないのです。

ただ、大統領は、議会に対して「自ら必要かつ適切と考える施策について議会に審議を勧告する」(合衆国憲法第二条)ことが憲法で認められているので、毎年初めに「一般教書」を議会に示し、法律を成立させるように勧告するのです。これに基づいて、議会の与党議員が法案を作成し、議員提案の形で議会に提出して、審議が行われます。

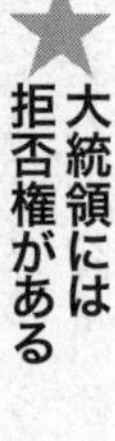

大統領には拒否権がある

連邦議会がこれだけ強い力を持っていることに対して、大統領の側にも対抗する力があります。「拒否権」です。

連邦議会が通過させた予算案や法案は大統領に送られ、大統領が署名することで成立します。大統領が法案を受け取ってから一〇日が経過すると、大統領の署名がなくても法案は自動的に成立します。

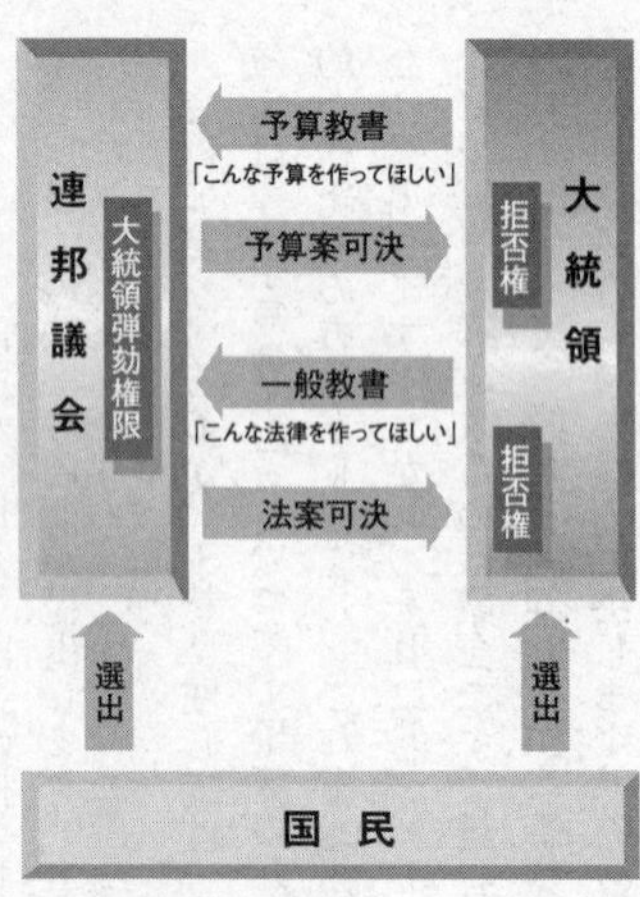

大統領と議会の関係図

しかし、大統領は、法案への署名を拒否することができるのです。こうなると、法案は成立しません。大統領のこの権限を拒否権といいます。

この場合、議会が上院・下院のそれぞれの三分の二以上の多数で法案を再可決すると、大統領の拒否権にもかかわらず、法案は成立します。

大統領と議会の権限を、微妙にバランスがとれるように分けてあるのです。

★連邦議会は上院と下院から成る

アメリカの連邦議会は二院制です。上院と下院から成っています。簡単に言えば、上院が日本の参議院、下院が衆議院に相当するようなものですが、もちろん微妙に異なっています。

まず、上院は、各州二人ずつ選出され、合計一〇〇人です。各州の二人は別々の年に選ばれるので、一回の選挙で選出されるのは、各州一人ずつです。

上院議員の任期は六年。全体の三分の一ずつ改選される仕組みになっています。

一方、下院議員は、全体で四三五人。こちらは人口に比例して各州で定員が異なります。州の中をいくつもの選挙区に分け、各選挙区から一人が当選するという小選挙区制度です。

下院議員の任期は二年。日本の衆議院が四年ですから、それよりかなり短くなっています。日本のような解散はありませんが、短い期間に選挙があるので、常に有権者の最新の意見を代表しているとみなされます。

アメリカの大統領の任期は四年ですから、

大統領選挙のときに同時に上院議員の三分の一と下院議員全員の選挙も行われます。

また、大統領選挙の二年後にも、上院議員の三分の一と下院議員全員の選挙が実施されます。これは、大統領選挙の中間の年に行われるので、「中間選挙」と呼ばれます。

★宣戦布告の権限は連邦議会にある

アメリカという国家が他国と戦争する場合、宣戦布告の権限は連邦議会にあります。戦争をするかどうかは連邦議会が決めることになっているのです。

その一方で、大統領は連邦軍の最高指揮官なので、その立場を利用して軍隊を動かせば、議会による宣戦布告がなくても結果的に戦争を始めることが可能になります。


大統領職権で朝鮮派兵を発令したトルーマン大統領（1950年）

事実、トルーマン大統領は、一九五〇年、朝鮮戦争に当たって、議会の承認を得ることなく、軍の総司令官としてアメリカ軍を朝鮮半島に送りました。

また、ベトナム戦争は、議会による宣戦布告がないまま泥沼の戦争になってしまいました。この教訓から、連邦議会は一九七三年、「戦時権限法」を成立させました。この法律では、大統領が軍隊を戦争に投入する場合、事前に議会と協議すること、戦争に入った場合、直ちに議会に報告し、議会が承認しなかった場合、大統領が軍を引き揚げなくてはならないことになりました。大統領と連邦議会の権力の綱引きが行われたのです。

ブッシュ大統領がイラクを攻撃するときは、連邦議会が、事前に大統領に対して戦争を始める権限を与えています。

★大統領は最高裁判事を指名する

三権分立では、司法の役割も欠かせません。最高裁判所は長官と八人の判事から成り、連邦議会や州議会が制定した法律が憲法に違反していないかを判断する権限を持っています。

最高裁判所の判事は大統領が指名し、連邦議会の上院が承認して初めて就任できます。この点でも、大統領の行動を議会が牽制しています。同じ連邦議会でも、判事の承認は上院だけが担当します。

いったん最高裁判事に就任すると、任期は終身です。死亡するか自ら辞任しない限り、いつまでも職にとどまることができるのです。もちろん、判事が問題を起こすことがあれば、議会上院が弾劾して辞めさせることができる制度になっています。

最高裁判事の指名・承認に当たっては、大統領の党派性が出ます。一般に共和党の大統領は保守的な考えの判事を指名し、民主党の大統領は進歩的な思想の人を選ぼうとします。これを議会の反対党派が妨害する、ということも起きるのです。

さらに判事の中にも、自分と同じ思想傾向を持つ人を後任に選んでもらいたいと考え、自分を指名した大統領と同じ党派の大統領在任中に辞任する、という行動をとる人がいます。もし反対の思想の党派の大統領だった場合、いつまでも辞任しようとしない、という行動をとることにもつながるのですが。

★大統領が権力を奪ってきた

アメリカ合衆国が発足したとき、小さな権限しか持っていなかった大統領は、やがて強大な権限を持つに至ります。当時の州の代表者たちが危惧（きぐ）した通りのことが起きたのです。きっかけは、戦争と大恐慌でした。

アメリカは、二回にわたる世界大戦に参戦しました。戦争を勝ち抜くためには、政府としてのさまざまな決定を素早く行わなければなりません。いちいち連邦議会に相談したり決定してもらったりしていては間に合いません。大統領が強権発動をすることがしばしば発生します。戦時のことなので、国民も連邦議会も、これを黙認。あるいは、積極的に支持します。

戦争が終わっても、いったん獲得した大統領権限の多くは、そのまま大統領のものになりました。こうして、大統領の権限は、次第に強大なものになっていったのです。

ホワイトハウスで、ドイツへの
宣戦布告書に署名する
ローズベルト大統領（1941年12月）

とりわけ顕著（けんちょ）だったのは、フランクリン・ローズベルト大統領の時代です。

一九二九年に発生した大恐慌で、アメリカは未曾有（みぞう）の不況に見舞われました。恐慌発生の後の一九三二年に大統領に就任したローズベルトは、「ニューディール」（新規巻き返し）政策を打ち出し、景気回復策を矢継ぎ早に打ち出します。緊急事態とあって、国民の多くがこれを支持しました。

一九三九年には、大統領の直属機関として大統領府が設置されます。大統領を補佐するスタッフを多数抱えるようになり、大統領の力は増大していきます。

また、ローズベルト大統領は、大統領として法案の原案を作成して議会に示す、という形を定着させました。法案提出の権限がなかった大統領が、実質的に法案提出権限を持つようになったのです。

★大統領が代わるとすべてが変わる

こうして、アメリカの大統領は、憲法制定当初とは異なり、大変強い力を持つに至りました。

アメリカの中央省庁の幹部は、すべて大統

領が任命します。大統領が代わると、五〇〇〇人もの幹部が交代するのです。

首都ワシントンでは、大統領が代わると、血統書つきの野良犬が増えると、まことしやかに言われています。

大統領が代わることで職を失う政権幹部が、もはや血統書つきの犬を飼うほどの財政的なゆとりがなくなり、ワシントンを去っていくに当たって犬を捨てていくから、というわけです。

大統領の考えによって、国の方針もガラリと変わります。

日本の総理大臣が次々に代わっても、省庁の役人は代わらず、日本という国の方針も変化しないのとは対照的です。

ブッシュ前大統領は、大統領就任後、それまでのクリントン政権がしたことを次々に引っ繰り返してきました。

地球温暖化防止のための世界の約束である「京都議定書」は、クリントン時代に結ばれましたが、ブッシュ大統領は、「二酸化炭素を削減することは、生活水準の低下につながるから反対だ」と言って認めませんでした。

クリントン大統領が尽力した中東問題の解決にも、当初は一切興味を示さず、紛争は泥沼化しました。

「あらゆる核実験をやめよう」という「包括的核実験禁止条約」にも反対の立場を打ち出しました。「使える核兵器」の開発にまで乗り出しました。

ヨーロッパの反対を押し切ってイラク戦争に踏み切ったように、「アメリカさえよければいいのだ」という「一国主義」（ユニラテラリズム）の色彩が濃い方針を打ち出してい

ホワイトハウス

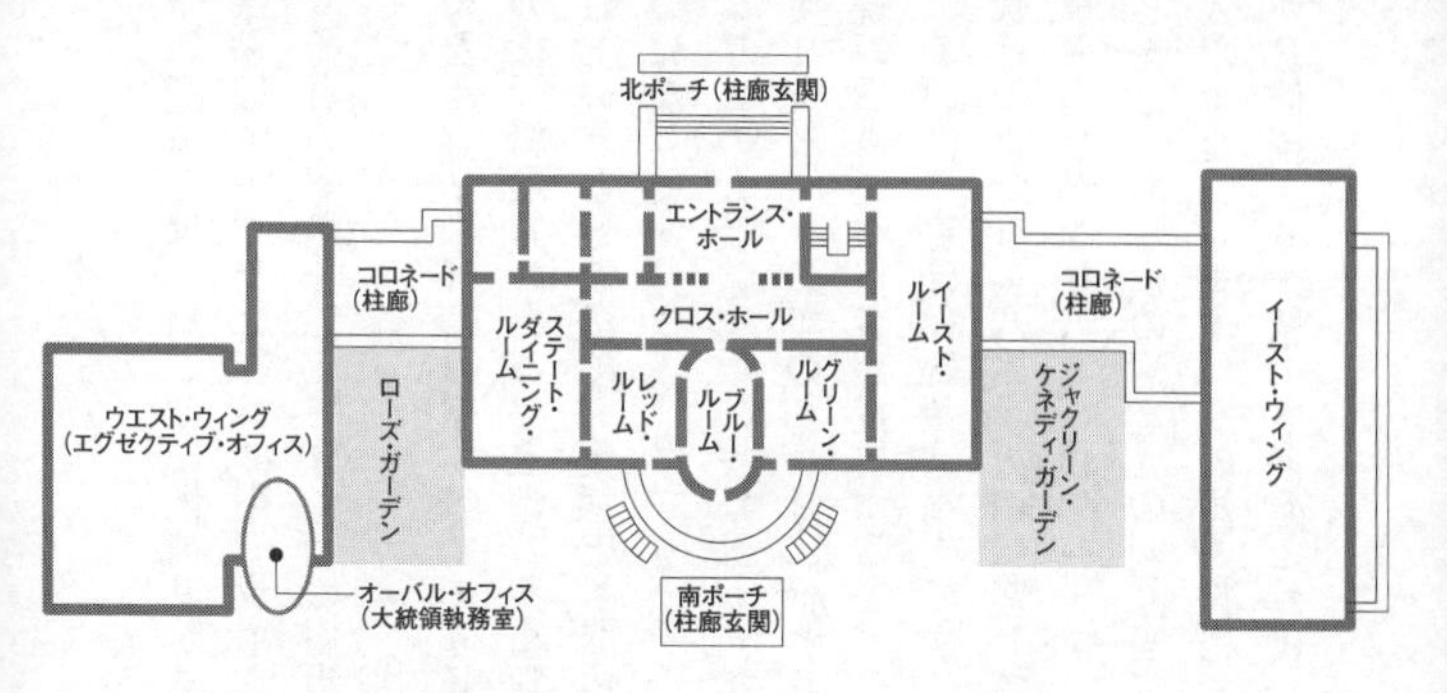

ホワイトハウス内部見取り図

るのです。これがヨーロッパ諸国の反発を招き、国際協調路線はどこかに消えてしまいました。

大統領が代わると、こうも変化するものなのか、という事実を私たちに教えてくれています。

★アメリカ大統領選挙はこういう仕組みだ

では、そのアメリカ大統領は、どのようにして選ばれるのでしょうか。

あなたは、「アメリカの大統領は、国民が直接選べるからいいなあ」と思ったことはありませんか。

確かに大統領は国民が直接選ぶ仕組みではあるのですが、実際には「選挙人」という人を選ぶ間接選挙の形をとっています。

大統領選挙では、州ごとに候補者が立候補の登録をします。それぞれの州で決められた数の支持者の署名を添えて立候補の届出をするのです。

このため、全米五〇の州すべてで立候補できるのは、組織力のある民主党、共和党の候補だけということが多く、実態としては二人の争いになります。

アメリカの大統領選挙の投票は、四年に一度、オリンピックの年の一一月に行われます。

大統領選挙で有権者が投票すると、それで選ばれるのは、実は大統領選挙人です。選挙人の数は全米で五三八人。人口に応じて各州に選挙人の数が割り当てられています。

たとえば、ある州の選挙人の割り当て数が三〇人だったとします。その州の投票で、A候補がB候補より一票でも多くとれば、その州の選挙人三〇人の枠は、全部Ａ候補が獲得することになります。これを「勝者総取り」（Ｗｉｎｎｅｒ　ｔａｋｅｓ　ａｌｌ）といいます。Ａ候補は、あらかじめ自分の支持者の中から三〇人を選び出していて、選挙管理委員会に届けてあります。この人たちが自動的に選挙人になります。

この選挙人たちが、一二月にそれぞれの州の州都に集まって投票し、この票を翌年一月に連邦議会の上院の議場で開票します。この段階で、大統領が正式に決まる仕組みなのです。

しかし、一一月の投票の段階で、どの候補が一番多く選挙人を獲得したかわかるので、その時点で次のアメリカ大統領が事実上決定するというわけです。

なんで、こんなにややこしい方法をとっているのか。それは、アメリカ建国当時の伝統を守っているからなのです。アメリカという国が誕生したころには、交通手段も限られ、全米規模で一斉に投票することは困難でした。

さらに、当時は読み書きできる人も限られていました。こういう人々に大統領を選ぶ能力はないだろうと考えた合衆国憲法の起草者たちは、大統領を選ぶだけの判断力を持った「大統領選挙人」に大統領選出を任せようとしたのです。

したがって、当初の大統領選挙人は、各州の議会が選んでいました。

しかし、やがて「大統領選挙人は国民自らが選ぶべきだ」という声が高まり、国民の投票で大統領選挙人が選ばれるという現在の形になりました。一八三〇年代のことでした。

★大混乱したフロリダ州の選挙と開票作業

このややこしい仕組みの矛盾が噴き出したのが、二〇〇〇年に行われた大統領選挙でした。

このときの選挙では、民主党のゴア候補が全米で合計五〇九九万票を集めましたが、獲得した選挙人の数は二六六人でした。一方、共和党のブッシュ候補は五〇四五万票と、ゴア候補より少なかったのですが、選挙人は逆にゴア候補より多い二七一人でした。

つまり、国民の支持の少ないほうの候補が大統領に当選してしまったのです。

総得票数が多くても選挙人の数が少なくなるというのは、どういうことなのでしょうか。このメカニズムを理解するために、単純化したこんな例で考えてみましょう（図参照）。

たとえば、ある州は得票数が一〇〇万票で選挙人を一〇〇人選ぶとしましょう。もうひとつの州は、得票数が五〇万票で選挙人を五〇人選ぶとします。

最初の州では、A候補が五一万票、B候補が四九万票を獲得しました。次の州では、A

票数が少なくても
選挙人が多くなる場合

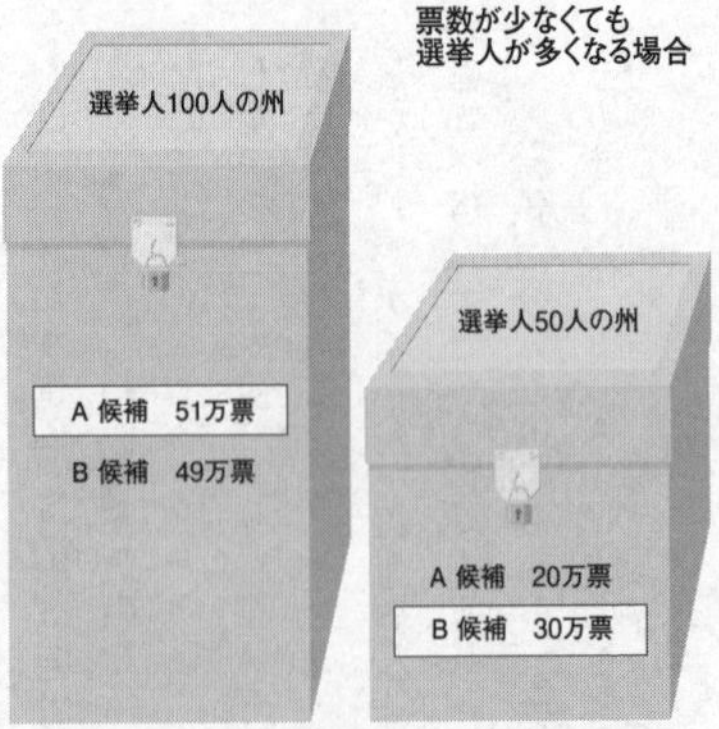

選挙人100人の州
A 候補　51万票
B 候補　49万票

選挙人50人の州
A 候補　20万票
B 候補　30万票

A 候補　51万票＋20万票＝71万票で選挙人100人
B 候補　49万票＋30万票＝79万票で選挙人50人

大統領選挙における選挙人と得票数の関係図

候補が二〇万票、B候補が三〇万票を獲得しました。

最初の州ではA候補が選挙人一〇〇人を総取りします。次の州ではB候補が選挙人五〇人を総取りです。

A候補の総得票数は、五一万票と二〇万票で合計七一万票を獲得し、選挙人一〇〇人を確保しました。

一方、B候補の総得票数は、四九万票と三〇万票で、合計七九万票。ところが、選挙人の数は五〇人にとどまります。一票でも多く獲得した候補が選挙人を総取りするという仕組みのため、こんな事態が起きるのです。

二〇〇〇年の大統領選挙では、フロリダ州で票の数え間違いが相次ぎ、票の数え直しが行われました。日本の投票では、投票用紙に

コラム

大統領選挙人の数

大統領選挙人の数は、上院議員数である100人と下院議員数435人を合計し、さらに首都ワシントンの3人を加えた数である538人と同数と決められています。

しかし、議員は選挙人になれません。

アメリカの有権者

日本の有権者は20歳以上で、自動的に「選挙人名簿」に名前がのり、投票日の直前に投票の案内が来ます。

これに対して、アメリカの有権者は18歳以上ですが、事前に「有権者登録」をしておかないと、投票権が得られない仕組みになっています。有権者登録をする若者は少なく、それがそのまま若者の低投票率につながっています。

候補者の名前を書きますが、アメリカはそうではありません。字を書けない人がいるので、あらかじめ投票用紙に候補者名を印刷してあるのです。フロリダ州では地域によって、有権者が投票する候補の名前の横に穴を開ける、という原始的な方法をとっていました。その穴を見間違えたり見落としたりしていたのです。

このように地域によって投票の方法がまったく異なるというのは、日本人にとっては大変違和感がありますが、アメリカは、大統領選挙人を選ぶのは州の仕事です。各州の代表を選ぶのですから。従って、選出方法も、州によって異なり、州の中には、郡の独自性に委ねているところもあるので、こんなことが起きるのです。

★大統領選挙には金がかかる

アメリカ大統領選挙には大変な金額がかかります。テレビコマーシャルは無制限にできますから、その費用だけでも莫大なものにな

膨大な出費でますます壮大になる大統領選挙戦。写真は2004年の共和党大会

ります。二〇〇〇年の大統領選挙で支出された資金は、合計で六億七〇〇〇万ドル（日本円で七〇〇億円）に達しました。多額の資金を集めることができる候補だけが生き残ることができるのです。

これでは、大統領は資金を出してくれたスポンサーのために仕事をすることになってしまうのではないかと私など危惧してしまうのですが、アメリカでは、資金が多く集められるだけの人気がある、という受け止め方をする人が多いようです。

それでも、あまりに急増する選挙資金が問題になり、現在では、連邦選挙運動法によって、選挙資金は規制されるようになりました。

まず、個人の献金は、一人の候補者に対して、一回の選挙で二〇〇〇ドルまでとなっています。このため各候補は、なるべく多くの有権者から政治献金を受けようと努力することになります。

また、国からの資金援助も受けられます。二〇〇四年の大統領選挙では、民主党のケリー、共和党のブッシュの両候補に、それぞれ七五〇〇万ドル（日本円で八二億円）が支給されました。ただ、国から資金を受け取ると、それ以降は、選挙の投票日まで個人献金を受けられなくなります。

さらに両党とも、全国大会を開く費用として三〇〇〇万ドル（日本円で三億一〇〇〇万円）ずつを国から受け取りました。

しかし、問題もあります。政治資金の抜け道です。大統領選挙の際、候補者とは別に、支援団体が「政治活動委員会」（ＰＡＣ）を作り、資金を集めて、独自に選挙活動を展開することができるのです。いわば候補者の別動隊です。ブッシュ陣営は、これで支援企業から膨大な資金援助を受けました。

★大統領候補になるのも大変だ

この大統領選挙に出るための候補になるのも、そもそも大変なことです。

アメリカは、共和党と民主党という二大政党があって、どちらかの候補が大統領に当選します。このため、大統領になろうと考えている人は、まずは、自分が所属する政党の候補者に選ばれなければなりません。

候補者選びには、二つの方法があります。党員集会（コーカス）と予備選挙（プライマリー）です。

党員集会は、各州の党員たちが集まって話

コラム

民主党と共和党

アメリカは民主党と共和党の2大政党制です。もちろんほかにも弱小政党は存在しているのですが、この2党が中央でも地方でも圧倒的な力を持っています。

2党の違いは、一般的には、民主党は社会的に弱い立場に配慮した社会福祉重視の「大きな政府」を志向し、共和党は、国民の自主・自立を重視する「小さな政府」をめざすという性格である、と説明されます。最近は両者の差異が際立たなくなってきていましたが、ブッシュ前大統領が「福祉財源切り詰め・金持ち向け減税拡大」路線をとったことで、両者の路線の違いが明確になりつつあります。

アメリカ大統領になれる条件

アメリカ大統領選挙に立候補できる条件は、アメリカで生まれ、アメリカ国籍を持ち、アメリカ在住14年以上で、35歳以上と決められています。

カリフォルニア州知事のアーノルド・シュワルツェネッガーはオーストリア生まれでアメリカ国籍をとっているため、州知事にはなれましたが、大統領選挙に立候補することはできないのです。

余談ですが、あなたがアメリカ国籍を持っていなくても、将来アメリカで子どもを産めば、アメリカで生まれた↙

↘子どもには自動的にアメリカ国籍が与えられます。その子が14年以上アメリカに滞在し、35歳を過ぎれば、選挙に立候補できます。
　つまり、あなたが将来、「アメリカ大統領候補の親」という立場に立つことは可能かも知れません。

し合い、自分たちの州からは、どの候補を支持する代議員を送るか決めます。

一方、予備選挙は、本番さながらに、党員たちが投票します。得票数に応じて代議員の割り当ての数が決まる州もあれば、過半数の票を集めた候補が、その州の代議員全員を獲得してしまう、という仕組みの州もあります。民主党は、得票数に応じて代議員数が決まる方式に統一されています。

また、共和党の候補選びの予備選挙では、共和党員でなくても投票できる、という制度の州もあります。まさに、多種多様です。

党員選挙や予備選挙で代議員を獲得していく途中で、どの候補が有力か、わかってきます。有力候補には、さらに支援が集まりますから、どんどん有利になっていきます。

そこで、候補者予備軍たちは、早く党員選挙や予備選挙を実施する州に殺到して、支持を訴えるのです。その様子はテレビで全米に伝えられます。こうなると、その州にとっては、自分たちの存在を全米にアピールするいい機会になります。そこで、アイオワ州やニューハンプシャー州のように、全米でもトップで候補者選びをする日程を組み、全米のマスコミの注目を集める、という方法をとる州も出てきました。

二〇〇四年の民主党の候補者選びでは、当初有利と見られてきたディーン候補が、序盤戦から意外な苦戦を強いられ、代わってケリー候補がトップを奪う、という展開になりました。まさに選挙は「やってみなければわからない」のです。

★大統領は厳しい選挙戦で鍛えられる

強い力を持つ分、アメリカの大統領になるのは大変です。まずは、候補者になるために、同じ党の仲間と競わなければなりません。長い選挙中には、演説でうっかり失言したり、過去のスキャンダルが明るみに出たり、選挙運動を続けるだけの資金が不足したり、とい

コラム

もし、大統領が死亡したら

大統領が暗殺されるなど不慮の死を遂げた場合、副大統領が昇格することはよく知られていますが、もし副大統領も一緒に亡くなったら、どうなるのでしょうか。その場合も、昇格する序列がしっかり決まっているのです。

副大統領の次は、議会の下院議長。続いて上院の議長代行です。なぜ議長ではないのでしょうか。実は上院の議長は副大統領が兼ねているからなのです。副大統領がいなくなれば、自動的に上院議長もいなくなるので、議長代行を決めてあります。

その次は国務長官です。日本で言えば外務大臣に当たります。ブッシュ大統領の第2期政権では、コンドリーサ・ライス長官でした。いかにライスがブッシュから信頼されていたかわかると思います。

その後は、財務長官、国防長官、司法長官、内務長官、農務長官、商務長官……と続きます。

正副大統領が同時に死亡することを避けるため、二人が同じ飛行機に乗ることはありません。いつもなるべく別行動をとるようにしているのです。

う不測の事態が次々に起きます。
そうした試練を乗り越えて、やっと候補者になっても、今度は本選挙が控えています。本選挙では、強力なライバルと一騎打ち。公開討論で、相手を打ち負かさなければなりません。それも、論理で相手を叩きのめすだけでは、国民の支持が得られない場合がありま す。国民にとって親しみやすい、という人間性が求められます。ブッシュ前大統領は、この親しみやすさで大統領に選ばれました。
長い選挙戦の中で、まさにあらゆる面からチェックされ、それを勝ち抜いた人だけが、アメリカ大統領になる資格を得るのです。

この章のまとめ

アメリカはもともと五〇の国（州）による連邦国家である。

連邦政府が強大な権限を握って各州の力を削ぐことを恐れた人たちが、州の重視・三権分立の仕組みを作り上げたが、次第に連邦政府・大統領の力が強くなってきている。

第三章 アメリカは「帝国主義」国家だ

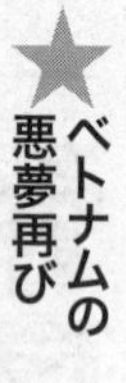

ベトナムの悪夢再び

イラクを攻撃し、占領したアメリカ軍。そのアメリカ軍の兵士たちは、毎日のように自爆テロの攻撃を受け、死傷者の数は増え続けています。

私には、極めて印象的な写真があります。攻撃で負傷したアメリカ兵が担架に乗せられ、ヘリコプターに運ばれる写真です。これぞまさしく既視感（デジャ・ヴュ）。いまから四〇年近く前、ベトナムで毎日のように見られた光景ではありませんか（次ページの写真）。

ベトナムに民主主義をもたらすと言ってベトナム戦争に介入したアメリカは、多大な被害を出して撤退に追い込まれました。そして、イラクを民主主義国家にすると宣言したアメリカは、いままた泥沼の戦いに足をとられています。場所が東南アジアから中東に変わっただけなのです。

なぜアメリカは懲りないのか。どうして他国を侵略し、多くの犠牲者を出し続けるのか。それは、アメリカが「帝国主義国家」だから。

こんな言い方では説明になりませんね。なぜアメリカが「帝国主義国家」なのかを説明しなければ、納得できないでしょう。

いまのアメリカは、幾多の戦争で領土を拡大し続けてきた国なのです。その振る舞いは、まさに「帝国」そのものです。

★「民主主義」を押しつけたイラク戦争

アメリカは、フセイン政権のイラクを、「大量破壊兵器を保有する危険な国家」であるとして攻撃しました。大量破壊兵器が見つ

ベトナム戦争で、負傷兵をヘリコプターで移送する米軍兵士（1965年6月）

イラク戦争の負傷者をヘリに運ぶ兵士たち（2004年11月）

からないと、「イラクに民主主義をもたらすため」と理由を変更しました。そのご都合主義はさておき、アメリカは、「世界に民主主義を広める」という「善意」の「使命」を持っているつもりなのです。

第1章で見たように、アメリカという国は、キリスト教の理想にもとづいて「新しいイスラエル」として建国されました。この伝統を持つアメリカの人々の多くは、世界を、自分たちの文明社会である「新世界」と、野蛮な「旧世界」に二分して考えます。

そして、「神によって祝福されたアメリカ」には、世界を指導していくという「神聖なる使命」が与えられていると考える発想を持つに至りました。

この「理想」を世界に広め、反対する国や政権は倒してしまうことが、「神聖なる使命」

であると考える「善意」の国になったのです。この「善意」が、客観的には「帝国主義」的な行動に発展するのです。

★アメリカは「帝国」だ

アメリカが帝国だというと、非常にイデオロギー的な反米思想のような表現だと思う人がいるかも知れません。一九七〇年代に日本で吹き荒れた学生運動のスローガンのひとつは、「アメリカ帝国主義打倒」だったからです。その場合の「帝国主義」とは、一九世紀の帝国主義列強による世界分割、植民地支配の現代版を意味していました。

しかし、ここで言う「帝国」とは、そのようなものではありません。アメリカは、確かに他国を侵略しますが、現在では、新たな領土拡大の野望を持っていませんし、植民地支配を始めようと思っているわけではないからです。

むしろ、古代ローマ帝国のようなイメージに近いというべきなのかも知れません。

ローマ帝国は、強大な国家を築きながらも、辺境の属州の独立性、自治を認めていました。こうしたゆるやかな帝国。これが、現代のアメリカのイメージです。

アメリカは、「世界平和」を維持するためといって他国への侵略・軍事介入を繰り返し、そのための費用を日本やヨーロッパ各国に負担するように求めます。いわば、世界から「警備保障」の費用を「税金」として徴収する帝国の様相を示しています。

アメリカは、他国が及びもつかない強大な軍事力を持っていますから、世界各国は、うっかり逆らうわけにはいかなくなっています。各国は、アメリカに対して、いわば恭順（きょうじゅん）の意を示し、アメリカが唯一の超大国として振る舞うことを黙認してしまいます。「パックス・アメリカーナ」（アメリカの世界支配によって保たれる国際平和）が完成してしまっているのです。

では、このアメリカ帝国は、どのようにして生まれたのか。アメリカの歴史を振り返りましょう。

★アメリカは西に植民地を拡大した

イギリスとの独立戦争を戦い、独立を勝ち取って成立したアメリカ合衆国は、東部の一三州の「連合国家」でしかありませんでした。その後のアメリカの歴史は、ひたすら領土を拡大する過程そのものでした。

一三州の西側に広がる土地は、フランスが開拓した植民地・ルイジアナでした。第三代大統領のトマス・ジェファーソンは、一八〇三年、ここをフランスから一五〇〇万ドルで買い取ります。これで、アメリカの領土は一気に二倍に拡大します。

当時のアメリカは、ルイジアナのごく一部のニューオーリンズをフランスから買い取ることだけを考えていたのですが、ナポレオンが政権をとったフランスは、戦争への道を進んでいる最中で、戦争のための資金が欲しくて、領土をアメリカに売り払ったのです。

北米大陸の東部一三州で成立したアメリカ合衆国は、その後、北米大陸を西へ西へと開拓を続けました。

一八一九年にはフロリダをスペインから買収し、メキシコ領から独立したテキサス共和国を一八四五年に併合。さらにメキシコとの戦争で、一八四八年にカリフォルニアを獲得します。

いわば、西部に植民地を拡大していったのです。もちろん西部は無人の荒野だったわけではありません。先住民が住んでいました。

アメリカ合衆国は、北米大陸の先住民を殺し、

コラム

アイルランドのジャガイモ飢饉

建国初期のアメリカにヨーロッパから移り住んだ人々の中には、特にアイルランドからの移民が多くいました。当時のアイルランドで主食のジャガイモが病害のためにほぼ全滅し、大飢饉が発生したためです。祖国で生きていけなくなった人々は、新天地をめざしました。

1843年からの5年間で100万人が餓死し、100万人がアメリカに渡ったといわれています。

ケネディ大統領の祖先も、このときアメリカに渡ってきました。レーガン大統領やクリントン大統領も、アイルランド系です。

追い出し、あるいは従属させることで、植民地を拡大していったのです。

植民地獲得こそは、帝国主義そのものの行動です。アメリカは、北米大陸に植民地を拡大し、やがてその植民地を、国内に取り込んでいくのです。

★ヨーロッパから移民たちが流れ込んだ

アメリカを西へ、西へと駆り立てたのは、ヨーロッパからの移民の流れです。アメリカ独立当時のヨーロッパでは悪天候のためたびたび飢饉が発生し、人々は飢えに苦しみます。アメリカという別天地へのあこがれが募るのです。

当時のヨーロッパ各国の人々は重税にも苦しんでいましたが、アメリカの人々が払う税金はわずかなものでした。そして何よりも、アメリカでは極めて安い価格で土地が買えることが魅力でした。アメリカに移住した人々が故郷の知り合いに送った手紙でこのことを知った人々は、次々にアメリカへ渡ってきたのです。

北米大陸の土地は、まずはアメリカ連邦政府のものになり、それを安く開拓者に売り渡していきました。一七九六年の条例で、土地の価格は一エーカー(〇・四ヘクタール)あたり二ドルと決められ、一八〇〇年に、土地の最低購入単位が三二〇エーカーになりました。

土地を買う開拓者は、頭金として二五%を払えば、残りは四年間で払えばいいのです。つまり、一二八ヘクタールもの土地が、現金一六〇ドルがあればとりあえず手に入りました。

開拓者が入った土地は、手付かずの肥沃な大地でした。開墾して種を蒔けば、翌年にはトウモロコシや小麦が豊作でした。西へと広大な農地が広がっていきます。

新天地をめざした移民の流入。若い移民家族の高い出生率。若きアメリカには、爆発的な人口増加が起こります。一八〇〇年の統計では当時のアメリカの人口は五三〇万人あまり。一〇年前に比べて三五％も増加しています。これが、西への拡張の原動力となるのです。

★「明白なる使命」に導かれて

当時のアメリカが西へと拡大を続けることを正当化した理論がありました。それが、「マニフェスト・デスティニー（明白なる使命）」です。

第一章でも書いたように、ジャーナリストのジョン・オサリバンが打ち出した理論です。彼は、自らが編集していた雑誌『デモクラティック・レビュー』の中で、「神が与えた大陸全体を所有するのは、明白な使命である」と主張しました。北米大陸の東部に限られていた当時のアメリカではなく、大陸全体がアメリカのものであると主張し、西へ領土を拡大したいという当時の人々の欲望を、「神から与えられた神聖な使命」であると美化・正当化してみせたのです。

これ以降、アメリカ人にとって、西へ領土を拡大していくことは、神から与えられた使命として、むしろ積極的に推進すべきことになったのです。

「アラモの戦い」(1836年)を記念するセレモニー(2002年3月)

その典型例が、テキサスをめぐるメキシコとの争いです。

★「アラモを忘れるな」と言うけれど

テキサスは、もともとはスペインの植民地でしたが、一八二一年に独立したメキシコの領土の一部になっていました。

しかし、テキサスには多数のアメリカ開拓民が入り込み、これらの人々は、メキシコからの独立を試みます。他国に入り込んでおいて、独立国家を築こうとしたのです。

それが、一八三六年の反乱です。それより前の一八三〇年、アメリカからの移民の増加に危機感を抱いたメキシコは、アメリカからの移民を禁止し、国境を守る守備隊を作ります。しかし、このときすでにテキサスの住民三万人のうち四分の三はアメリカ人だったのです。メキシコの統治に反感を持ったアメリカ人たちは、一八三五年一一月、「テキサス共和国」の樹立を宣言します。

これに対し、メキシコの独裁者サンタ・アナは、一八三六年二月、「独立」を宣言したアメリカ人たちが立てこもっていたアラモ砦（とりで）を攻撃します。「砦」と呼ばれますが、スペインがメキシコにキリスト教（カトリック）を広めるために建設した伝道所でした。

アラモ砦に立てこもったのは一八七人。司令官のトラヴィス大佐をはじめ、テネシー州選出の元下院議員のデヴィ・クロケットなども含まれていました。激しい戦闘の末、砦に立てこもったアメリカ人は全員戦死しました。これが「アラモの戦い」です。

コラム

デヴィ・クロケット

Davy Crockett（1786～1836）

日本人にもなじみ深いのは、昔、小坂一也が歌ってヒットしたカントリー・ソングのせいかもしれません。「3歳で牛を殺した」と歌詞にあるように、歴史上の偉人というより、フロンティア時代に広がった民間伝承から生まれたヒーローでした。

映画も多く作られていますが、超人的な逸話に比べて、正史に残っている彼の人物像は地味なものです。

1786年、テネシーの開拓民の子として生まれ、狩猟の名人となりますが、学業の大事さに目覚め、半年間苦学して学校に通った後、アンドリュー・ジャクソン将軍（のちの第七代大統領）の配下で、「クリーク戦争」を戦い、1818年に大佐に昇進します。人望があった彼は、政治家を志し、1827年には下院議員にまでのぼりつめますが、ジャクソンとソリが合わず2年で離職。「アラモ」に馳せ参じるのは、復帰の夢も破れ、テキサスか、オレゴンに流れようかという失意のときでした。開拓民精神に殉じた悲劇のヒーローとして名を残したのです。

この戦闘結果を聞いた反乱軍のアメリカ人たちは、「アラモを忘れるな」を合言葉に、メキシコ軍を攻撃。メキシコ軍を打ち破って、「テキサス共和国」を成立させたのです。

その後、「テキサス共和国」は一〇年間、独立国として存在しますが、一八四五年、アメリカに併合されます。アメリカの一部であるテキサス州になったのです。

テキサスがメキシコから独立し、やがてはアメリカの一部になるきっかけとなった「アラモ砦」は、その後、アメリカの愛国心のシンボルに祭り上げられます。テキサス州サンアントニオにある砦の跡には、アメリカ人観光客が絶えません。

他国にアメリカ人開拓者が多数移り住み、やがて反乱を起こして、アメリカの一部にしてしまう。テキサスで行われたこの手法は、やがてカリフォルニアでも、ハワイでも行われます。これが、アメリカ式領土拡大法なのです。いや、アメリカ固有というよりも、これがそもそも典型的な帝国主義的領土拡大法なのかも知れません。

★カリフォルニアも奪い取った

テキサスがアメリカに併合されてしまったことに、メキシコは怒ります。テキサスの併合に抗議してアメリカとの国交を絶ち、メキシコとアメリカの対立は決定的になります。

そして一八四六年五月。アメリカは、当時メキシコ領だったリオグランデ川をアメリカとメキシコの国境にすべきだと主張して、リオグランデ川の北岸にアメリカ軍を配置します。

アメリカ合衆国の領土拡大・変遷図

この部隊を、メキシコ軍が攻撃。アメリカ軍に犠牲が出たことからアメリカとメキシコは全面戦争に突入します。メキシコ領内で戦争が始まったのに、「アメリカが攻撃された」というキャンペーンが行われました。

戦争の最中、メキシコ領だったカリフォルニアでは、アメリカ人たちが、「カリフォルニア共和国」の樹立を宣言します。当時のカリフォルニアは、アメリカ人開拓民とメキシコ人との比率が、ほぼ五分五分になっていました。アメリカ人開拓民が入り込んで独立を宣言するという、テキサスのときと同じような構図が作られたのです。

一八四八年二月、メキシコの敗北で戦争は終わり、メキシコは、リオグランデ川を両国の国境とすることを承認させられました。カリフォルニアとニューメキシコがアメリカのものになったのです。アメリカは、カリフォルニアの譲渡を受ける見返りに、メキシコに一五〇〇万ドルを支払いました。

アメリカは、遂に太平洋に達する地域までを自国の領土としたのです。

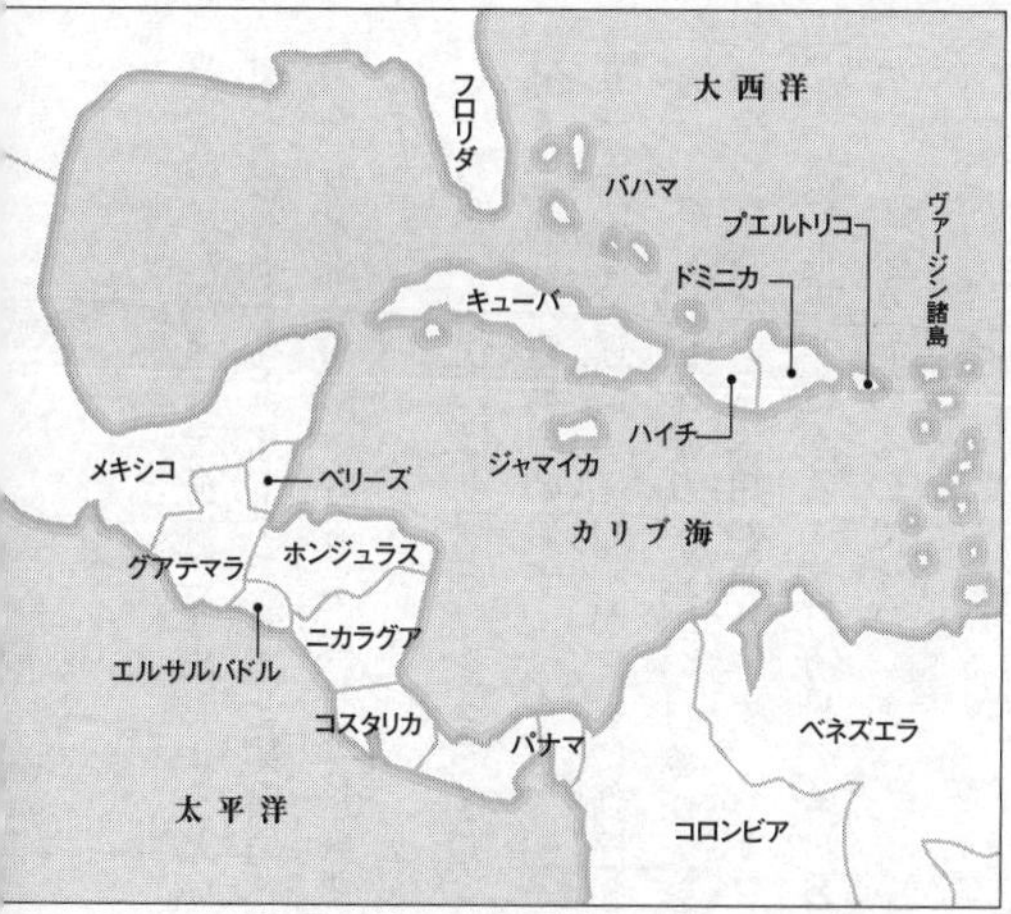

アメリカにとって魅力的なカリブの島々

★「フロンティア」は海外へ

東部の一三州から始まったアメリカは、「明白なる使命」に導かれて西へ、西へと進み、遂には北米大陸全体を支配するまでになりました。西部の「フロンティア」を開拓していたのに、とうとう北米大陸には「フロンティア」が存在しなくなってしまったのです。

では、どうするか。アメリカは、海を越えて拡大を続けるのです。

西海岸に達してしまうと、そこから太平洋を渡って西へ、アジアへ。一方、東海岸からは、カリブ海、南米へ。さらに東へ向かってアジアまで。

アメリカ国内では生産力が拡大し、工業製

品や余った農産物を海外に輸出しようという国内の要求も高まります。開拓と輸出先。その両方を求めて、アメリカは世界に膨脹を続けます。

一八四〇年代には中国までやってきて、上海で中国との貿易を始めます。そして、一八五三年には、遂に「黒船」が日本に到達します。日本に開国を迫り、鎖国の日本が大騒ぎになったのは、ご承知の通りです。

海外に進出をはかるアメリカは、今度は海外での戦争を始めるのです。

スペインと戦争へ

海外での最初の戦争は、スペインが相手でした。

アメリカのフロリダの南にカリブ海があります。アメリカにとって、手近な外国は、このカリブ海の島々。とりわけキューバは、アメリカにとって魅力的なフロンティアでした。

このキューバはスペインの植民地。植民地支配に反対するキューバの人々の独立運動が盛り上がっていました。アメリカ人にとって、植民地支配からの独立を求める人々の運動は、自らの過去の歴史と重なります。アメリカ国内でスペインの圧政と戦うキューバの人々への同情が高まるのです。

「スペインの男にいじめられる弱い女性キューバ、それを助けようとする勇気ある男性アメリカ」という構図ができあがります。アメリカの当時の新聞が、このイメージを広めます。

アメリカとスペインは一触即発の状態まで緊張状態が高まります。爆発は、マッチ一本

米西戦争の導火線となった「メイン号」爆発事件（1898年2月）

の火で起きる状態になっていました。そこに、大爆発が発生。一八九八年二月一五日、キューバのハバナを訪問していたアメリカ海軍の軍艦「メイン号」が、原因不明の爆発を起こして沈没したのです。乗組員三六〇人のうち二六六人が死亡するという大惨事でした。

現在では、エンジン室の故障が原因とみられていますが、当時は「機雷によって爆破された」と発表され、アメリカ国内では「スペインの仕業」と見る世論が盛り上がり、新聞は「メイン号を忘れるな（リメンバー・メイン）」のキャンペーンを開始します。「アラモを忘れるな」の手法が、再び使われたのです。

アメリカはスペインに対して、キューバからスペイン軍を撤退させるように要求しますが、スペインはこれを拒否。沈没から二ヵ月後の四月二五日、アメリカ議会はスペインに宣戦布告。アメリカはスペインと戦争に入ります。「米西戦争」です。

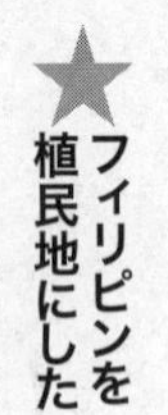

フィリピンを植民地にした

アメリカ海軍は、キューバに駐留するスペイン軍を攻撃。難なくスペイン軍を打ち破りました。

一方でアメリカ軍は、はるか太平洋の西のフィリピンにも海軍を派遣します。当時のフィリピンもスペインの植民地だったからです。

しかし、フィリピンに関しては、スペイン軍を追い出してフィリピンの独立を認めるのではなく、アメリカが代わって植民地にしてしまいます。

スペインの植民地であるフィリピンを自国の植民地にしてしまうことについて、当時のアメリカのマッキンリー大統領は、こう語っています。

「フィリピンをフィリピン人にまかすことはどうか。彼らは自己統治に適しておらず、すぐに現在のスペインの統治よりもさらに悪い状態である無政府状態に陥るだろう。残されている道は、フィリピン人を教育し、高め、文明化し、キリスト教化するために、アメリカがフィリピンを統治することである」（森孝一『宗教から読む「アメリカ」』）

ここにも、「神から与えられた神聖な使命」にもとづいて、「アメリカの理想」を世界に広めようという発想がわかります。当時のフィリピンは、実はすでにスペインによって「キリスト教化」されていたのに（ただし、カトリックでしたが）。

スペインとの戦争はわずか四ヵ月でアメリ

カの圧勝に終わり、アメリカでは「素晴らしい短い戦争」と呼ばれました。

この戦争で、アメリカはカリブ海のプエルトリコ、太平洋のグアム島も自国のものにし、さらにフィリピンを植民地にしたのです。

しかし、当時のフィリピンでは、スペインからの独立を求める運動が続いていました。いったんはアメリカの勝利に期待した人々は、アメリカが新たな支配者になったことに失望。今度はアメリカに対して独立闘争を挑みます。

激しい戦いは一八九九年から一九〇二年まで続き、アメリカ軍は独立運動派を押さえ込みました。この戦争でアメリカ軍は四三〇〇人が死亡しましたが、一方のフィリピン側には二〇万人もの犠牲者が出ました。

「アメリカの理想」を広げるために、何の罪もない人々を大量に虐殺することになったのです。

一方、キューバでは、スペイン軍を追い出したアメリカ軍が駐留を続け、一九〇二年、アメリカは形式的にキューバの独立を認めます。しかし、事実上アメリカの植民地状態が続くことになるのです。キューバが正式に独立を果たすのは、一九五九年一月、カストロによるキューバ革命が起きてからのことです。

コラム

その後のフィリピン

アメリカの植民地になったフィリピンは、太平洋戦争勃発（ぼっぱつ）と共に日本軍がアメリカ軍を追い出して占領します。フィリピンが完全独立を勝ち取ったのは、太平洋戦争が終わった翌年1946年7月でした。

アメリカ軍が占領中に、アメリカは英語教育を進め、フィリピンの公用語が英語になる下地を作りました。アメリカ軍基地も建設されましたが、1992年、フィリピン議会がアメリカ軍を撤退させ、広大な基地の跡地は、現在フィリピン政府によって再開発が進められています。

カストロのキューバ革命については、拙著『そうだったのか！現代史』参照。

ハワイも自国のものに

スペインとの戦争の最中に、アメリカはさらに自国の領土を広げます。ハワイを併合したのです。

ハワイは一七九五年にカメハメハ大王によって統一された王国でしたが、一八〇〇年代の後半には、アメリカ本土から大勢の開拓者が入り込み、砂糖産業で財をなし、王国の領土を買い占めていきます。

一八九三年一月には、リリウオカラニ女王が、親米的な白人勢力のクーデターで王位から引きずり下ろされました。

コラム

キューバにはいまもアメリカ軍基地がある

キューバを事実上の植民地にしたアメリカは、キューバ国内にアメリカ軍基地を建設します。これが、いまもある「グアンタナモ基地」です。アメリカと厳しく敵対するキューバの中にアメリカ軍基地が存在するという不思議な状態がいまも続いているのです。

アメリカ軍は、9・11の同時多発テロ事件後、同2001年、アフガニスタンを攻撃しましたが、この戦争で捕らえたアルカイダやタリバンの「テロリスト容疑者」を、グアンタナモ基地に収容しました。

リリウオカラニ女王

Liliuokalani（1838～1917）

ハワイ王国第7代のカラカウア王の妹で、1891年、兄の死去に伴い女王に就任しました。日本で有名な「アロハ・オエ」の作者としても知られています。

ハワイ王国の始祖、カメハメハ大王（1782年?～1819年）の立像

クーデターを起こした勢力は「ハワイ臨時政府」を設立し、アメリカ軍の出動を要請。アメリカ軍は、「ハワイに住むアメリカ人の生命と財産の保護」を名目にして、ハワイのオアフ島ホノルルに上陸します。そして七月四日（アメリカ独立記念日！）に、「ハワイ共和国」設立が宣言されました。

「ハワイ共和国」はアメリカへの併合を求め、米西戦争の最中の一八九八年八月、ハワイはアメリカに併合されました。

植民してきたアメリカの白人たちが力を持って権力を握り、アメリカへの併合を求める、というパターンは、テキサスがメキシコから独立した後、アメリカに併合された例や、カリフォルニアがメキシコからの独立を宣言してアメリカに併合されたケースと、極めてよく似たパターンです。

ハワイがアメリカに併合されることについて、ハワイの住民の意見を聞く住民投票は、行われませんでした。

★中南米は「アメリカの裏庭」に

中南米は、よく「アメリカの裏庭」と呼ばれることがあります。アメリカは中南米を自国の勢力圏とみなしていて、親米政権を樹立して維持するという体制をとってきたからです。

アメリカにとって、とりわけ魅力的な存在だったのが、パナマです。地図を見るとわかりますが、南北アメリカ大陸を結ぶ中米は、大西洋と太平洋を隔てる細い回廊のようになっています。とりわけパナマのあたりは細く、ここに運河を掘れば、太平洋と大西洋がつな

パナマ運河を航行する貨物船

がることがわかります。船の運行にとって絶好のコースです。

このため、フランスが運河の掘削に乗り出しましたが、失敗。その後をアメリカが引き

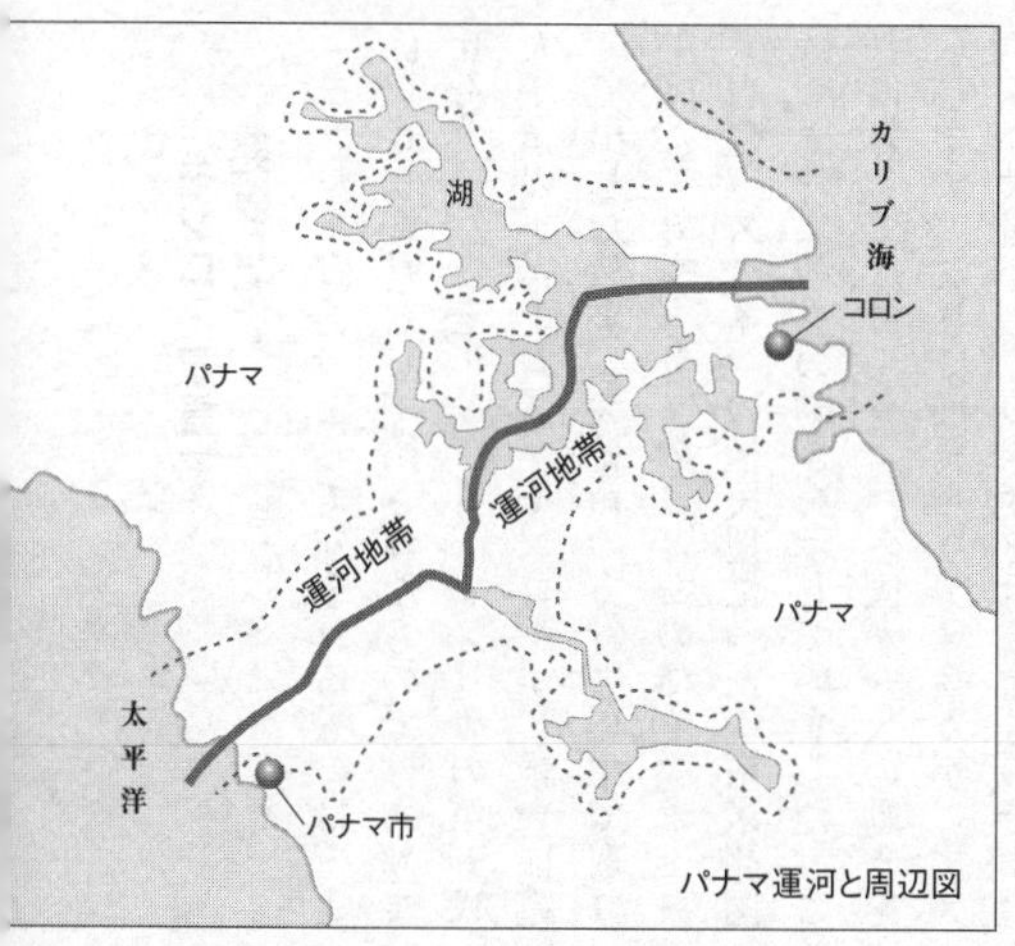

パナマ運河と周辺図

受けようと画策を始めます。

当時、パナマはコロンビアの一部でしたが、一九〇三年、パナマ独立派が旗揚げすると、アメリカのセオドア・ローズベルト大統領は、「独立政権の保護」を名目に海軍の軍艦を派遣します。アメリカ軍に守られて「独立」を達成した勢力は、すぐにアメリカと交渉を始め、一九〇四年、アメリカから一〇〇〇万ドルを受け取るのと引き換えに、パナマ運河の管理権をアメリカに永久譲渡してしまいます。

これを受けてアメリカは運河の建設工事を開始し、工事開始から一〇年後の一九一四年八月、パナマ運河が開通したのです。

アメリカは、これ以降も、中南米を自己の勢力圏として維持し続けます。そして、その根拠になったのが、「モンロー宣言」でした。

★「モンロー宣言」を発表した

「モンロー宣言」として知られるものは、実は正式な宣言として出されたものではありません。一八二三年一二月、アメリカの第五代大統領のジェームズ・モンローが、議会に宛てて出した教書（大統領の方針）の中で取り上げた「外交方針」のことなのです。

当時、スペインの植民地だった中南米諸国は、一斉に独立の動きを示していました。これに対して、ヨーロッパ各国が介入の動きを示します。これに反発したアメリカが、アメリカ合衆国としての態度を示したものです。

その内容は次の四点に絞られます。

1　アメリカ合衆国は、すでに存在しているヨーロッパの植民地に干渉しない。

2　合衆国は、ヨーロッパ諸国の同盟や戦争に関与しない。

3 南北アメリカ大陸はヨーロッパ列強の植民地の対象と考えられるべきではない。

4 ヨーロッパ諸国が西半球（つまり南北アメリカ）に自己の政治制度を持ち込む試みは、平和と安全を脅かすものだ。

つまり、「アメリカはヨーロッパのことに口を出さないから、ヨーロッパ諸国は中南米に手を出すな。南北アメリカはアメリカ合衆国の勢力圏だ」と宣言したのです。

「モンロー宣言」の内容は、その後「モンロー主義」と呼ばれるようになり、よく「孤立主義」と説明されます。私も高校生のときにそう習った記憶があります。アメリカがヨーロッパのことに関心を持たないことを宣言したというわけです。

しかし、これは正確ではありません。「モンロー主義」の本質とは、「西半球（南北アメリカ）に手を出すな」というものだったのです。

「モンロー宣言」でアメリカ合衆国は、東のヨーロッパには目を向けないことを宣言する一方、南の中南米や、西の太平洋へ目を向け、進出していくようになります。その意味で「モンロー宣言」は、「東半球はヨーロッパのもの。西半球はアメリカのもの」という、世界を二つの勢力圏に分割するものでもあったのです。

★アメリカは東西冷戦を戦った

「モンロー宣言」でいったんはヨーロッパへの不介入を宣言したアメリカですが、やがては、ヨーロッパと関わらざるを得なくなります。それが、第一次、第二次の世界大戦への参戦です。どちらも当初アメリカは参戦に消極的でした。

一九一四年に第一次世界大戦が始まると、ウッドロー・ウィルソン大統領は「中立宣言」を出します。ヨーロッパでの戦争に巻き込まれたくなかったからです。「モンロー主義」の意識も残っていました。

しかし、ドイツ軍の潜水艦による無差別攻撃の結果、アメリカの客船や貨物船が次々に沈没させられる事件が引き金になって、アメリカはイギリス側について参戦します。

また、第二次世界大戦も、当初は消極的でしたが、真珠湾が日本軍に攻撃されたことで参戦に踏み切りました。「自由と民主主義を守る」が旗印となりました。

第二次世界大戦でアメリカは勝利。戦場となったヨーロッパは廃墟となりました。アメリカだけが無傷でした。

「アメリカの理想を世界に広めよう」という使命感に燃えたアメリカ。いわば、「世界のアメリカ化」をめざしたアメリカにとって、第二次世界大戦の勝利は、そんなアメリカの「理想」の勝利でもありました。

しかし、そこに立ちはだかったのがソ連です。そして次々にソ連の勢力圏に落ちていく東ヨーロッパ、東アジア。

「自らの理想」とはかけ離れた世界観によって、東欧の国々やアジアの国が染め上げられていくことに、アメリカは我慢なりませんでした。恐怖さえ覚えたのです。

かくてアメリカは、「自らの理想」を守るため、東西冷戦を戦うことになります。東西冷戦に関しては、拙著『そうだったのか！現代史』参照。

★アメリカの「理想」は変質する

しかし、アメリカの「理想」は、やがて次のようなプロセスを経て変質していきます。

アメリカの理想を守る→アメリカを守る→アメリカの権益を守る→アメリカ陣営につけば独裁国家でも許容する

アメリカの「理想」を守るはずの東西冷戦は、いつしかアメリカの権益を守るためのものになり、アメリカの陣営にさえつけば、その国の政権の内実は問わないものになりました。

韓国にしろ、南ベトナムにしろ、南米の国々にしろ、たとえ独裁政権でも腐敗した政権であっても、「親米政権」であれば守ったのです。

朝鮮戦争で韓国の側に立って戦ったアメリカは、独裁を続けて国内の言論の自由を認めない韓国政府を支持し続けました。

ベトナム戦争でも、腐敗しきった南ベトナム政府を守り続け、それが結果的にベトナム国民の反米感情を育てることになりました。

アメリカの二枚舌、建前と本音の使い分けが明白となったのが、東西冷戦だったのです。

★中南米の反米政権を認めなかった

東西冷戦を戦う中で、アメリカとソ連は、互いの勢力圏を認め合い、勢力圏には手を出さないという暗黙の了解を結びます。

東ヨーロッパはソ連の勢力圏、中南米はアメリカの勢力圏、というわけです。キューバ

1983年、グレナダに侵攻した米軍

だけはアメリカにとって目の上のコブのような存在でした。一九六二年、キューバにソ連のミサイルが運び込まれたことがわかると、ジョン・F・ケネディ大統領は激しく反発し、米ソの直接対決を辞さない態度で臨んで、ミサイルを撤去させました。これがキューバ危機です。それ以来、アメリカとソ連は、ますます互いの勢力圏を認め合うようになります。

一九七九年七月、中米のニカラグアで、アメリカ企業と密接な関係を維持してきたソモサ政権が、腐敗に対する国民の批判を受けて崩壊します。それに代わって左派の「サンディニスタ」政権が成立すると、アメリカは、政権に反対する右派（コントラ）への援助を開始します。

露骨な内政干渉を平然と行うのです。やがて「サンディニスタ政権」は崩壊します。

麻薬不法取引容疑で、アメリカに押送されるノリエガ将軍（1989年12月）

　一九八三年一〇月、カリブ海に浮かぶグレナダで親ソ連派の軍事政権がクーデターで成立すると、ロナルド・レーガン大統領は、直ちに「グレナダ在留のアメリカ人の安全確保」を名目に、大規模な軍事侵攻に踏み切ります。

　アメリカ軍は、一気に軍事政権を崩壊させ、親米派の暫定（ざんてい）政権を樹立します。翌年には正式な選挙を実施して親米派政権を確立させました。

　一九八九年一二月、中米のパナマで、パナマ運河警備のために駐留していたアメリカ軍兵士がパナマ国軍の兵士によって射殺される事件が発生すると、ブッシュ大統領（父）は、即座に軍事介入します。そして、パナマを実質的に支配していた国防相のノリエガ将軍を逮捕し、アメリカに連行します。

「麻薬の不法取引」が逮捕の理由でした。実際に麻薬取引に手を染めていたノリエガ将軍でしたが、アメリカは、自国の法律に違反したという疑いで他国の閣僚を逮捕するために軍隊を出したのです。明らかな内政干渉ですが、それを阻止できる勢力は国際社会にもありませんでした。

このアメリカ軍の攻撃でパナマ国軍は崩壊します。パナマ運河の管理権は、一九九九年一二月三一日をもってアメリカからパナマに引き渡されましたが、運河を管理・警備する能力を失ってしまっていたパナマ政府は、管理権の返還後も、アメリカ軍が運河を警備することを認めざるを得ませんでした。アメリカの権益にとって重要なパナマ運河は、いまもアメリカ軍が駐留して警備しているのです。

★アメリカは国連も利用する

第二次世界大戦終了に伴って、国連（国際連合）が発足します。アメリカが中心になって、第二次世界大戦を戦った連合国が中心メンバーでした。

発足当初は第二次世界大戦後の世界秩序を維持するためのものでしたが、やがて加盟国に社会主義諸国、非同盟諸国が増えるにつれ、アメリカの言い分が認められない場面が増加します。アメリカは、これに強く反発。

アメリカにとって国連は、アメリカ中心の世界秩序を維持するために必要な組織であって、アメリカの判断や行動の手足を縛るものであってはならなかったのです。

アメリカは、自国にとって都合のいいことであれば国連を利用しますが、意に沿わない

国際刑事裁判所の裁判官たち。
写真は、コンゴ民主共和国の紛争審理のために開かれた法廷（2005年3月）

場合は、公然と無視します。イラク戦争に踏み切ったアメリカの行動が、そのいい例でしょう。

特にアメリカの身勝手さが世界の多くの非難を浴びたのが、国際刑事裁判所（ＩＣＣ）を拒否したことです。

国際刑事裁判所は、初の常設戦争犯罪法廷です。そもそも「戦争犯罪法廷」は、戦争が終わった後、その戦争での「戦争犯罪人」を裁くために創設されるものです。第二次世界大戦後に日本の戦争指導者を裁くために開かれた「東京裁判」もそのひとつでした。旧ユーゴスラビアの内戦でもセルビアのミロシェビッチ元大統領が裁判にかけられています。

この「戦争犯罪法廷」を常設にして、いつでも裁判が開けるようにしようというものです。

一九九八年に世界一二〇ヵ国の賛成で、裁

判所を設立する条約が認められました。アメリカは、この案に反対しましたが、裁判所は二〇〇三年三月、オランダのハーグで正式に活動を開始しています。

この裁判所の設立について、二〇〇〇年一二月三一日、当時のアメリカのビル・クリントン大統領は、創設する条約に署名しました。

しかし後任のジョージ・ブッシュ大統領(息子)は、議会に条約の批准(議会として承認すること)を求めないばかりか、さかのぼって条約への署名を取り消すという手段に出たのです。

今後の戦争で、アメリカ政府関係者やアメリカ軍兵士が戦争犯罪に問われる恐れがあるから、というのが、その理由でした。

アメリカは、他国の指導者を「戦争犯罪人」として裁くことはあるけれど、アメリカ人が裁かれることには我慢ならない、というものです。

「世界で何が悪いことでいいことかは、アメリカが決める」という傲慢(ごうまん)さ。アメリカだけが「正義」を持っているという発想です。ここにもアメリカの「理想」を掲げる「帝国主義」が顔を出しているのです。

★アメリカ軍は世界に広がる

世界を自国の「理想」によって支配するためには、それだけの力の裏づけが必要になります。それが、世界最強のアメリカ軍です。

アメリカ軍は、一三七万人もの兵士を擁し、世界七〇ヵ国以上に基地を確保して、二五万人の米兵が駐在しています。アメリカの国の軍隊なのに、世界各地にいるのです。

これだけの軍隊を維持するには膨大な資金が必要です。アメリカの二〇〇四年度の国防予算は三七九九億ドル（約四〇兆円）。アメリカの軍事支出は世界全体の三七％をも占めています。世界の軍事支出上位国の二位から一一位までの総計より多いのです。

東西冷戦が終わってから、いったんは軍事予算が削減の方向に進んでいましたが、九・一一の同時多発テロ事件以来、「テロとの戦い」のために予算は激増します。

アメリカ軍は、陸軍、海軍、空軍、海兵隊の四軍に分かれています。このうちわかりにくいのは海兵隊ではないでしょうか。この名前を聞くと海軍のようにも思えるけれど、イラク戦争では陸軍と共に陸で戦っていたからです。

コラム

徴兵制は撤廃された

世界に展開するアメリカ軍は、志願制で成り立っています。

第一次、第二次両世界大戦のときに一時的に徴兵制が布かれ、ベトナム戦争のときも徴兵制が布かれました。しかし、ベトナム戦争では戦場に送り込まれることを嫌って多くの若者が軍隊を逃げ出し、問題になりました。ベトナムからアメリカ軍が撤退した後、1973年に徴兵制は撤廃されています。

アメリカのマイケル・ムーア監督が制作した映画『華氏911』には、学歴がなく就職口にも困る貧困世帯の若者たちにとって、軍が最高の就職口であることが描かれています。

マイケル・ムーア

Michael Francis Moor（1954〜）

ムーアが生まれたミシガン州フリントは、ゼネラルモーターズの生産拠点として知られる町ですが、彼はその故郷を題材にしたドキュメンタリー映画『ロジャー&ミー』（1989年）で、デビューを飾っています。自動車工場が閉鎖され、失業者があふれた町を描いた作品ですが、この作品でもムーアは、当時のゼネラルモーターズの会長に、アポイントなしのインタビューを敢行、人々をびっくりさせています。『ボウリング・フォー・コロンバイン』（2002年）の突撃手法の萌芽はすでにあったのです。

ムーアは、アイルランド系の生まれ↙

↘で、豪快なユーモア精神の持ち主ですが、高校卒業後、校長と副校長の解雇を求めて、教育委員会選挙に出馬、辞任に追い込んだりと、武勇伝にはことかきません。銃器問題に大胆に挑んだ「コロンバイン」は、カンヌ映画祭55周年特別賞を受賞。最も注目を集める映画監督のひとりです。

海兵隊は、一言で言えば「斬り込み隊」です。「敵」に対して真っ先に飛び込んでいく精鋭部隊のことです。戦前の日本軍には「海軍陸戦隊」という組織がありましたが、これとよく似ています。

陸軍や海軍、空軍は、「自国を守る」ためにも戦いますが、海兵隊は敵を攻撃する部隊。「敵国」を攻撃することを前提とした戦闘部隊なのです。日本では沖縄に駐留しています。

沖縄で野戦訓練を行う米海兵隊の兵士たち（2002年2月）

ちなみに、日本の自衛隊に「海兵隊」のような組織はありません。日本の自衛隊は専守

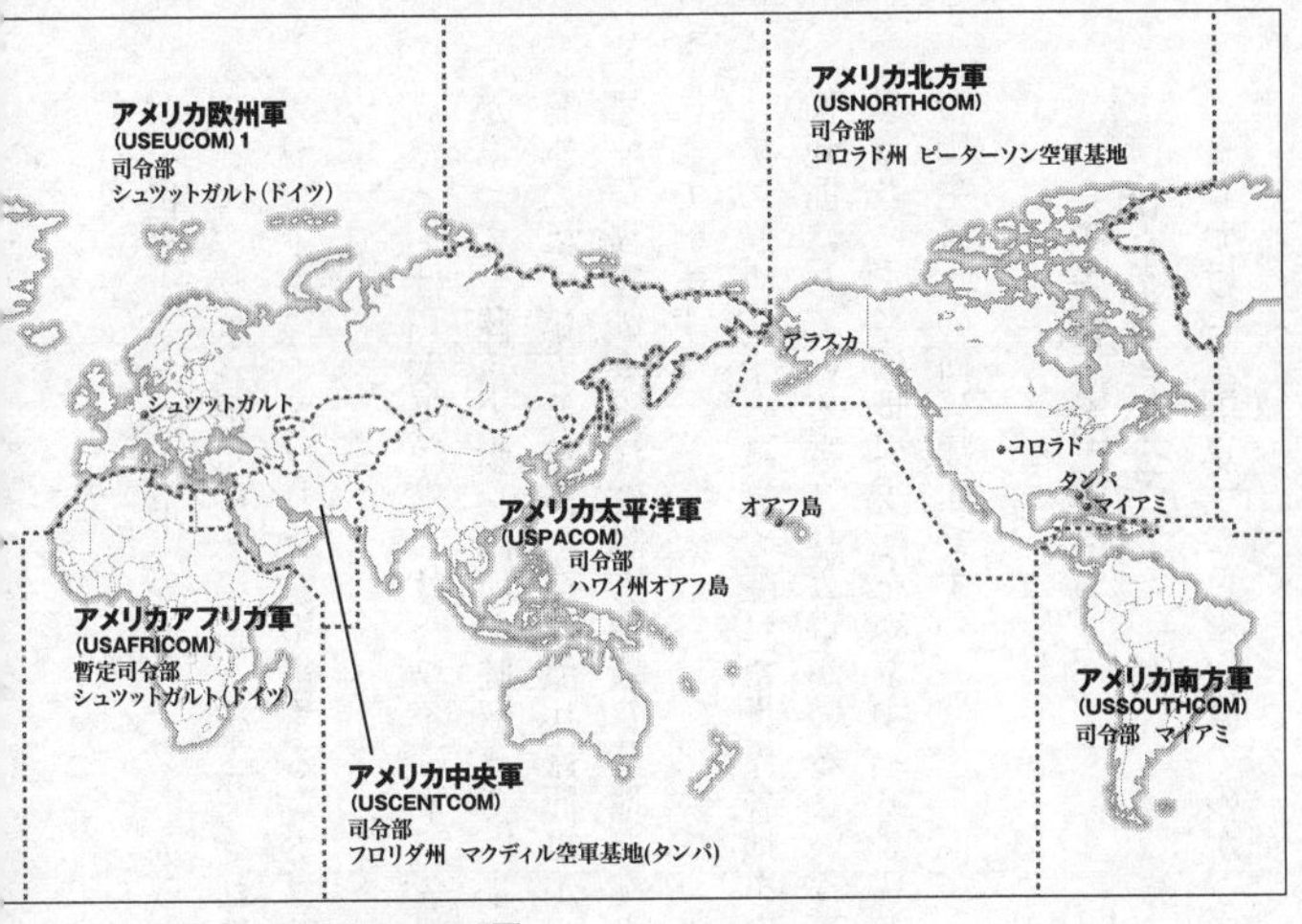

世界中に展開するアメリカ軍

防衛。自国を守るだけの組織ですから、「敵国」まで出かけていって攻撃する部隊はありえないのです。

★世界中に六つの「統合軍」を配置

これらの四つの軍隊が、地域ごとに分かれて統合し、六つの「統合軍」を結成しています。この概念がわかりにくいですね。

軍隊の機能としては、陸軍や空軍に分かれているけれど、それぞれの地域に司令部があって、その司令部の下に、陸軍や空軍、海兵隊などがある、という構図です。

六つは、次のようになっています。アメリカ本土を守備範囲とする「北方軍」と、南米を担当する「南方軍」、日本を含むアジア太平洋地域を担当する「太平洋軍」、ヨーロッパを担当する「欧州軍」、中央アジアから中東、エジプトを担当する「中央軍」、それにエジプトを除くアフリカを担当する「アフリカ軍」です。

たとえば「太平洋軍」はハワイに軍司令部があって、陸軍の歩兵師団が駐留しています。日本には、第五航空軍、第三海兵遠征軍がいます。海軍の太平洋艦隊も横須賀基地を拠点にしています。

アメリカ本土とは遠く離れた世界各地を守備範囲にしているアメリカ軍がいるという不思議さ。まさに世界支配をめざす「アメリカ帝国主義」の面目躍如（めんもくやくじょ）です。

★「中央軍」は中東ににらみをきかす

とりわけ「帝国軍」の色彩が濃いのが、中東を守備範囲にしている「中央軍」です。

中央軍が編成されたのは、ソ連のアフガニスタン侵略がきっかけでした。

一九七九年一二月、ソ連がアフガニスタンに侵略すると、翌八〇年一月、ジミー・カーター大統領は、「ペルシャ湾地域を支配しようとするいかなる外部勢力の試みも、アメリカの死活的に重大な国益に対する攻撃とみなす」という「カーター・ドクトリン（基本原則）」を発表します。「ペルシャ湾地域」つまり中東は、「アメリカにとっての国益」に関わる場所だと宣言したのです。「中東は我々にとって大事な場所だから、よその国の勝手な振る舞いは許さない」と、遠く離れたアメリカが宣言したのです。よく考えてみると、実に身勝手な宣言です。大事な石油のためなら軍事力を使うという宣言でもあったからです。

「カーター・ドクトリン」にもとづいて、いざというときにアメリカ軍が中東に出動できるように「緊急展開部隊」を編成します。

その後、政権を引き継いだロナルド・レーガン大統領が、これを「中央軍」に再編成しました。中東地域を担当する軍が完成したのです。

この軍が威力を発揮したのが、湾岸戦争のとき。クウェートに侵攻したイラク軍を追い出すためにアメリカ軍を中心に多国籍軍が結成され、イラクを攻撃しました。中心になったアメリカ軍は、「中央軍」をベースに組織されています。イラク戦争でも、この「中央軍」を基盤にして、アメリカ軍の攻撃部隊が編成されました。

中央軍の司令部はアメリカ・フロリダ州タンパにあります。ふだんは配下に戦闘部隊をほとんど持たず、司令部機能だけなのですが、いざというときは、アメリカ国内を含め世界各地から部隊が集められて戦闘態勢を組みます。イラク戦争の際には、中東のカタールに前線司令部を設置しました。

★州兵も連邦軍を補完する

前にも取り上げましたが、アメリカ合衆国には、各州にも陸軍と空軍の州兵がいます。各州の兵士を合計すると、陸軍三八万七〇〇〇人、空軍一一万五六〇〇人の計五〇万二六〇〇人という大規模な兵員数です。

もともとはアメリカ合衆国を構成する各州が、「連邦政府が万一、州の権利を侵害するようなことがあったらいつでも対抗できるように」という趣旨から生まれました。

事実、かつてアメリカ南部で黒人差別がひどかったころ、黒人学生が大学に通学するのを阻止しようとした州知事が州兵を動員すると、それをやめさせようとする大統領が連邦政府軍を派遣して、連邦軍と州兵がにらみ合う、という事態も起きました。

しかし現在では、現実問題として州兵が連邦軍と戦争をすることはありえません。いまはアメリカ連邦軍を補完する立場になっているのです。

通常、州兵は州知事の管轄(かんかつ)の下で、災害や緊急事態が発生したときに出動します。しかし、アメリカ連邦軍だけでは人数が足りなくなったとき、アメリカ大統領の命令で州兵も連邦軍に編入されます。

イラク戦争でも大統領命令によって各地の州兵が連邦軍に編入され、イラクに送り込まれています。州兵は、連邦軍ほどの訓練を積んでいませんから、戦場では多くの犠牲者を出し続けています。

★アメリカは核兵器大国だ

第二次世界大戦後のアメリカが世界に君臨できたのは、大規模な軍組織もさることながら、核兵器大国だったことも大きな要因です。

第二次世界大戦末期、広島と長崎に原爆を投下して核兵器開発競争のトップに躍り出たアメリカは、東西冷戦が始まると共に、宿敵ソ連に対抗するため、核兵器を生産し続けました。核実験も繰り返しました。

ソ連もこれに対抗して核兵器を増産したため、両国を合わせると数万発もの核兵器が生産され、地球上のすべての人間を何度でも全滅させることができるほどの核兵器が作られました。核兵器開発競争については、拙著『そうだったのか！現代史パート2』参照。

しかし、東西冷戦の終結と共に、世界は核兵器を減らしていく方向に動き出しました。二〇〇二年にはアメリカとロシアの間で「戦略攻撃戦力削減条約」（モスクワ条約）が結ばれました。このときアメリカは約七六〇〇発、ロシアは八三〇〇発もの核弾頭を持っていましたが、両国は、このうちの戦略核弾頭を二〇一二年末までに一七〇〇発ないし二二〇〇発まで減らすことを約束したのです。

ところが、アメリカのブッシュ（息子）政権は、二〇〇三年から「使える核兵器」の開発を始めました。

コラム

インターネットも軍事研究から始まった

すっかり定着したインターネット。これはもともとアメリカ軍の研究から生まれました。

東西冷戦時代には、もしソ連との間で核戦争になって、ソ連から核ミサイルがアメリカ本土に撃ち込まれたら……、という恐れが常にあり、さまざまな対策が検討されました。コンピューターシステムの安全対策もそのひとつ。もし司令部にある中央のコンピューターが破壊されたら、アメリカ軍は壊滅的な打撃を受ける恐れがあります。そこで、全米各地にコンピューターを置いて、「中心」が存在しない網の目のネットワークを考案しました。どこか1ヵ所が破壊されても、別のコンピューターのネットワークを使って常に連絡がとれるシステムにしておく。これがインターネットの母体でした。

東西冷戦が終わって、この軍事技術が一般にも開放された結果、インターネットが発展したのです。

世界を盗聴するアメリカ

世界を「支配」するためには、情報の収集が欠かせません。アメリカにはそのためにCIA（中央情報局）などの諜報組織がいくつもあります。中でもNSA（国家安全保障局）は、世界中の通信を盗聴しています。これを「エシュロン」（Echelon）といいます。「エシュロン」とは軍事用語で「梯団」の↙

↘こと。軍隊の大部隊が移動するとき、分かれて行動する軍団のことです。

　アメリカを中心に、イギリス、カナダ、オーストラリア、ニュージーランドの情報組織が協力し合って盗聴と分析をしています。電話、ファックス、インターネットのメールをすべて盗聴しているといわれています。

　日本の三沢基地にも盗聴用の巨大なアンテナがあり、日本国内の通信情報を収集しています。集められた情報はニュージーランドのGCSB（政府安全通信部）に送られて解読され、大事な情報はアメリカに送られています。


　核兵器はとてつもない威力を持っていて、現実問題としては戦場で使えるものではありません。そこで、「敵」の拠点をピンポイントで爆撃できる威力の小さな核兵器を開発しようというものです。

たとえば北朝鮮は、主な軍事施設をすべて地下や山岳地帯の山の中に建設しています。これらは通常のミサイルでは破壊できないため、破壊できる核兵器を開発しようというわけです。

　第二次世界大戦後、ヒロシマ、ナガサキの悲劇を見た世界は、「もし核兵器を使ったら、取り返しのつかないことになる」と認識し、核兵器は実際問題として「使えない兵器」になっていました。それを、「使える」ようにしようというものなのです。

　戦後積み重ねられてきた核兵器廃絶・削減への努力が、ブッシュ政権によって葬られようとしているのです。

★アメリカは軍産複合体国家だ

　アメリカのブッシュ政権は、「使える核兵器」の開発と共に、「ミサイル防衛計画」にも力を入れました。他国がアメリカ本土をね

イスラエルと共同開発した
弾道ミサイル迎撃ミサイルの実験（カリフォルニア、2004年7月）

らってミサイルを発射しても、近づく前に別のミサイルで撃ち落としてしまおうという計画です。技術的には大変むずかしく、実験もたびたび失敗しています。

しかし、この技術開発に巨額の資金を注ぎ込むことで、ミサイル技術は進歩し、軍需産業は多額の売上げを記録します。「自国の防衛」は、「軍需産業の防衛」に役立っているというわけです。

アメリカ国防総省の付属機関の「国防高等研究計画庁」（DARPA）は、次世代の軍事技術を研究し、外部にも開発を委託しています。この研究所に全米のさまざまな企業から研究者が雇われ、やがて元の職場に戻っていきます。年間予算は約二〇億ドル（日本円で二一〇〇億円）。ここで研究開発されたハイテク技術は、アメリカの民間企業で民生用に移転されます。巨額の予算を惜しげもなく注ぎ込んで新技術を開発し、それが民間企業でも利用できるようになっているのです。

アメリカの軍事予算は、こうした形で「役立っている」というわけです。

アメリカの政府は、大統領が交代するたびに幹部約五〇〇〇人が入れ代わり、政治的に任命された人たちが政策作りに携わります。このとき、軍需産業の幹部が国防総省の高官に任命されます。また、国防総省の高官が軍需産業の経営陣に迎え入れられるのです。政府と軍需産業の間の人的交流が常に行われているのです。

こうなると、両者の境界線は次第に曖昧なものになっていきます。軍需産業のトップ経営者が、軍の方針を立案する立場になれば、どうしても古巣の企業に有利な方針を打ち出したくなるでしょう。少なくとも、不利になる方針は絶対にとらないはずです。

また、軍の方針を決めた後で軍を辞め、軍需産業に就職すれば、自分が決めた方針に沿って仕事を受注することも可能になります。

例えばジョージ・ブッシュ大統領（息子）の一期目の政権では、軍需産業から大勢の幹部が国防総省の役職に就任しています。ロッキード・マーチン社の元社長は空軍次官に、ゼネラル・ダイナミックス社の副社長は海軍長官に、そして、ノースロップ・グラマン社の幹部が空軍長官に就任しました。

あるいは、チェイニー副大統領の古巣のハリバートン社は、さまざまな軍事物資の供給をアメリカ政府から請け負っています。

このように、政府と軍需産業の一体化が進んでいるのです。これが「軍産複合体」という概念です。ドワイト・アイゼンハワー大統領が初めて使った言葉でした。

一九六一年一月一七日の大統領退任演説で、アイゼンハワー大統領は、大規模な軍需産業に三五〇万人が雇用され、巨額の軍事費が使われるようになった結果、大規模な軍事組織と巨大な軍需産業との結合が生まれたと指摘しました。これが「軍産複合体」です。軍産複合体は、それ自身が脅威を探し出して必要のない武器を作り出す。それは民主主義にとって危険であると警告したのです。

軍需産業が発展すると、それ自体がひとり歩きする。兵器の需要が減ってしまったら、新しい「脅威」を探し出す。そして、その「脅威」に対処する新兵器を開発するように政府に働きかけ、予算を獲得して新しい商売にする。

軍需産業が新しい脅威を作り出してしまう恐ろしさを「予言」したのです。

しかし、アイゼンハワーの警告にもかかわらず、アメリカの「軍産複合体」は成長を続けました。

ブッシュ大統領（息子）はイラク戦争最中の二〇〇三年四月、「米国は創造的な戦略と優れた技術を組み合わせて軍事力を再構築している。米国の強さは、その起業家精神にある」（毎日新聞取材班『民主帝国』）と演説しました。そこにはアイゼンハワーのような洞察力はありません。いや、それどころかブッシュ政権は、軍需産業からの巨額の政治資金を受けて大統領選挙を勝ち抜きました。政権にも軍需産業出身者が多く、「軍需産業お抱え政権」の感すらあります。軍産複合体は民主主義にとって危険どころか、もはや軍需産業が民主主義を乗っ取ってしまったのかも知れません。アイゼンハワーの「予言」が不幸にも的中してしまったのです。

★アメリカの「公共事業」は軍事産業だ

長年にわたって巨額の軍事支出が続いた結果、軍事がアメリカの政治経済の基盤にしっかりと根を張りました。

アメリカ議会のほとんどすべての議員の地元には、アメリカ軍基地か、軍事関連企業が存在するようになっています。議員にとって、地元の雇用確保には、基地を引っ張って来たり、軍事産業を誘致したりすることが大切になっています。軍を批判することなどもってのほか、というムードが蔓延しています。

アメリカ経済が国防支出にあまりに頼りす

米潜水艦が引き起こした「えひめ丸事件」。
写真は、沿岸警備艇に収容された生存者たち（2001年2月）

ぎるようになってしまった結果、軍事支出が削減されると、その地域の経済が不景気になってしまうという所も出るようになりました。とりわけ南カリフォルニア地域は軍需産業が集中しているため、その傾向が顕著です。

日本の地域経済は公共事業によって支えられ、地方議会の議員の多くが建設会社の経営者であるという状態になっています。アメリカでは、それが軍事関連産業です。アメリカにとっての「公共事業」とは、軍事産業なのです。

アメリカ軍としては、それぞれの基地がある地元の政治家と良好な関係を保っておくと、軍に有利な働きをしてくれます。そのため、地元の有力者に対してサービスに精を出します。二〇〇一年二月、ハワイ沖で、愛媛県の宇和島水産高校の実習船「えひめ丸」が、急浮上してきたアメリカ海軍の潜水艦に衝突されて沈没し、引率の教師と生徒の計九人が死亡する事故が起きました。この潜水艦は、地元の有力者を乗せて、「体験航海」の途中でした。軍の宣伝活動の一環で、民間人に潜水艦の舵を握らせるといった乗船体験中に事故が起きたのです。

★アメリカは巨大な兵器輸出国だ

最新兵器の開発には莫大(ばくだい)な資金がかかります。かかった資金を回収して利益が上がるようにするには、大量に兵器が売れなければなりません。そのためには、アメリカ国内で売るだけでは不十分ということになります。大量に輸出する必要があるのです。

アメリカの兵器輸出は、世界全体の兵器輸出の七割近くを占めています。世界各地で起きている戦争や紛争の当事者双方に兵器を売っている例もいくらでもあります。「死の商人」という言葉が思い出されます。

兵器を輸出することは、アメリカにとって、金銭的な利益だけにとどまりません。世界各国との関係を緊密化する効果があります。他国の軍事装備をアメリカ製で統一することで、他国の政策に影響力を持つこともできるようになるのです。たとえば東欧のポーランドは、二〇〇三年、アメリカからF—16戦闘機を四八機購入しました。今後ポーランドは、空軍の航空機の部品をアメリカから調達することになります。もしアメリカ政府を怒らせるようなことをすれば、部品の調達ができなくなる恐れがあります。それはポーランドにとって困ること。つまり、アメリカ製の兵器を購入することで、アメリカ政府の意向に逆らえなくなっていく構造が出来上がっていくのです。ここでもアメリカの支配強化の構造が生まれています。

そして、中東へ

「アメリカの理想」を世界へ。北米大陸の東海岸で生まれたアメリカ合衆国は、自らの「理想」を広げるために南北アメリカ大陸への支配を広げ、やがて西海岸から世界へと展開していきます。

「理想を広めるためにもアメリカの権益の拡大が必要だ」——こうしてアメリカ帝国は、石油を求めて遂に中東へ行き着きます。

中東でのアメリカの友好国はイスラエル。そこでイスラエルを支援します。イスラエルがパレスチナを不法に占拠し、パレスチナ住民を弾圧して、パレスチナに「自由と民主主義」を認めていなくても、アメリカは、中東での権益を重視して黙認します。

たとえサウジアラビア政府が腐敗していても、王室が親米で石油をアメリカに売ってくれるのであれば、政治腐敗も民主主義の不在も黙認します。友好関係を維持するのです。

イスラエルやサウジアラビアに脅威を及ぼす存在があれば、それはアメリカにとっても悪いこと。かくしてアメリカの標的は、イラクのフセイン政権になりました。イラク戦争の始まりです。

しかし、フセイン大統領の圧政から解放されて喜んだはずのイラクの民衆は、アメリカ軍の駐留が長引くにつれ、敵意を持つようになります。

ベトナム戦争で、ベトナムの人々の気持ちや考え方に思いやることなく、自分たちの考えを押しつけて、ベトナムから撤退に追い込まれたアメリカ。

そしてまた、アラブの人々の気持ち・考え方を尊重することなく、アメリカ流を貫き通して、イラクに、そして中東地域全体に反米勢力を育成しつつあるのです。

歴史は繰り返すのか。イラクはアメリカにとっての「第二のベトナム」になってしまうのか。毎日のようにイラクから届く犠牲者のニュースを見聞きするたびに、私にはベトナム戦争の悪夢がよみがえるのです。

この章のまとめ

「理想」に燃えて建国されたアメリカは、次第に領土を広げ、海外に植民地を持つまでに「帝国主義化」した。その過程で多くの戦争を経験した。

その野望はやがて「世界支配」へと進み、世界規模で支配力を拡大した。

しかし、イラク戦争により、アメリカ軍は泥沼にはまってしまった。

第四章 アメリカは「銃を持つ自由の国」だ

★日本の高校生が殺された

ハロウィーン。それは、アメリカの子どもたちにとって、クリスマスと並んで楽しい行事。アメリカで生活することになった日本人の若者にとって、ハロウィーンに参加することは、「アメリカ」そのものに触れることのできる楽しい機会です。

ハロウィーンは、日本のお盆のようなもの。もともとヨーロッパのケルト人の収穫感謝祭がキリスト教に取り入れられたといわれています。毎年一〇月三一日の夜は、死者の霊が家族を訪ねたり、悪霊や魔女がやってきたりすると信じられています。子どもたちにとっては楽しい行事となり、悪霊に扮して、家々を回り、「Ｔｒｉｃｋ ｏｒ ｔｒｅａｔ」（ごちそうしろ、でないと、いたずらするぞ）と言ってお菓子をせしめるのが習わしです。この日が近づくと、各家庭の軒先にはカボチャのお化けが飾られ、お祭りムードに包まれます。アメリカ人家庭の半数はハロウィーンを祝うと言われています。

こんな楽しいアメリカの祭りが、「もうひとつのアメリカ」が持つ側面によって、一転して悲劇に変わりました。

一九九二年一〇月一七日。ルイジアナ州バトンルージュ市。

本来の祭りより二週間早く開かれるハロウィーンを祝うパーティーに出席しようとした日本人留学生の服部剛丈（はっとりよしひろ）君（当時16歳）は、ホームステイ先の男の子と共に、夜八時ころ、パーティー会場を間違えて、近くの民家のドアを叩きます。ドアが開いたので、服部君が「パーティーに来ました」と言うと、ドアは

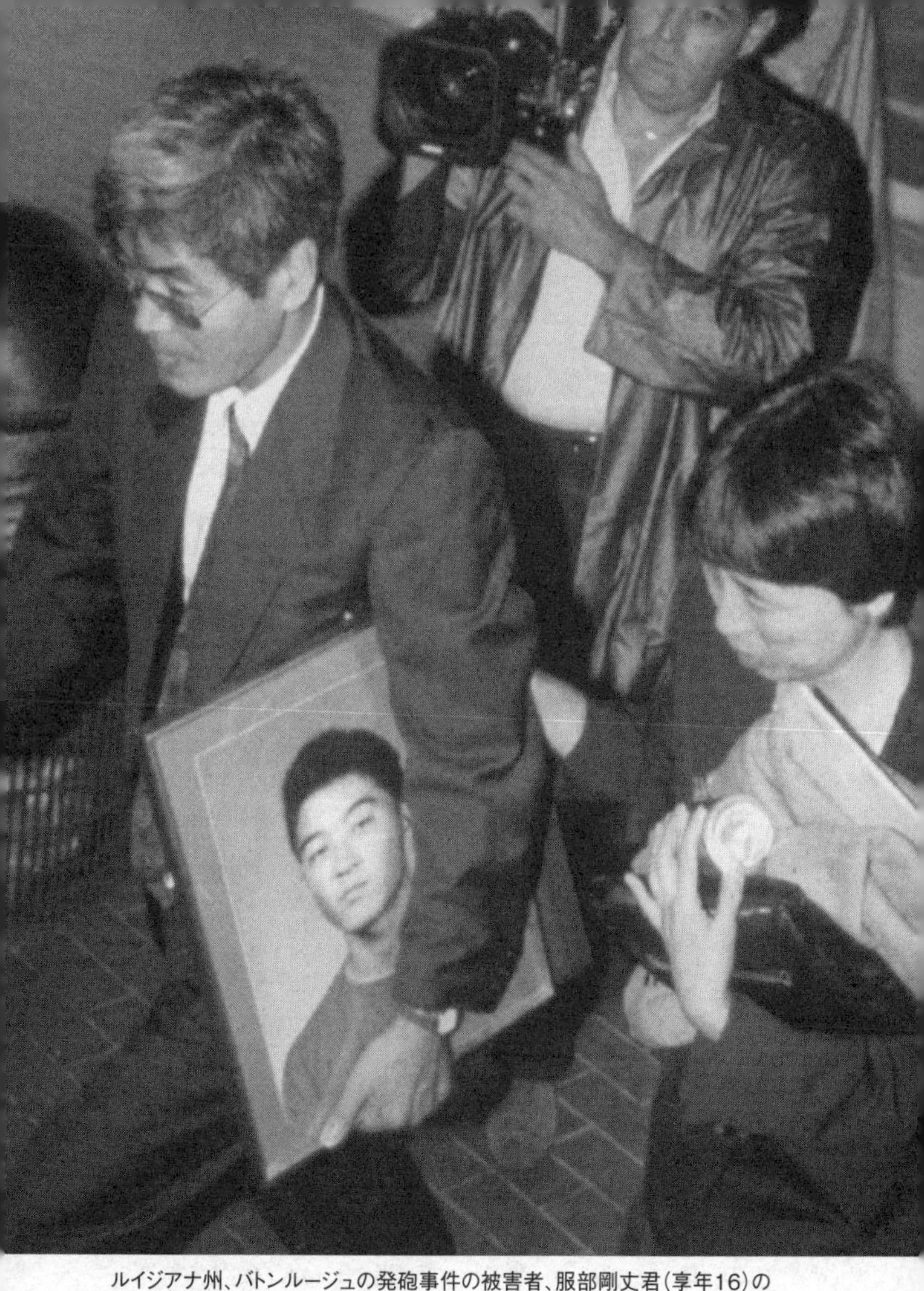

ルイジアナ州、バトンルージュの発砲事件の被害者、服部剛丈君(享年16)の
遺影を抱える遺族たち(1994年9月)

閉まります。家を間違えたことに気づかない服部君は、いったん道路に戻りますが、再びドアが開いたため、家に近づいた途端、家の中から発砲。住人に拳銃で胸を撃たれたのです。救急車で病院に運ばれる途中で、服部君は息を引き取りました。

この事件は、当時日本で大ニュースになりました。もはや歴史になったかのような事件ですが、服部君を殺した住人は、どうなった

事件の現場、
ルイジアナの州都バトンルージュ

か、ご存じでしょうか。

この事件を伝える地元のテレビニュースも新聞も、扱いは小さなものでした。バトンルージュ市では、銃撃による死亡事件はよくあることで、大したニュースではなかったからです。

バトンルージュ市は、ルイジアナ州の州都。ニューオーリンズに次ぐ人口第二の都市です。人口二二万人ですから、日本人の感覚だと大して大きくない町ですが、この年の殺人事件は計五九件でした。

この事件が地元でも大きく取り扱われるようになったのは、日本側で大ニュースになってからのことでした。「日本で大騒ぎになっている」ということがニュースになったのです。

服部君は、愛知県立旭丘高校の二年生で、

ＡＦＳ留学生として、この年の八月、アメリカに渡り、ルイジアナ州立大学教授の自宅にホームステイして、地元の高校に通っていました。

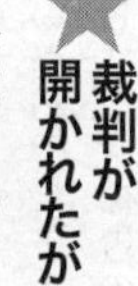

裁判が開かれたが

服部君を撃ったロドニー・ピアーズ（三一歳）は、逮捕されることもなく、警察の取り調べを受けると、その日のうちに帰宅を許されています。警察はそもそも事件にする気がなかったとも言われていますが、結局、検察官は日本の刑法で「傷害致死」にあたる殺人罪（故意による殺人よりは軽く、過失致死よりは重い罪）でピアーズ被告を起訴しました。

一二人の陪審員による裁判が行われましたが（アメリカの裁判制度に関しては次章で解説）、一九九三年五月に出た評決は、全員一致で「無罪」。

この結果に、日本人の多くがショックを受けました。何の罪もない高校生が問答無用の形で殺されたのに、「犯人」が無罪になるとは。衝撃が広がりまし

コラム

AFSとは

American Field Service。高校生の交換留学を主な活動としている非営利の民間国際教育交流機関。本部はアメリカ・ニューヨークにあり、日本にも財団法人があります。これまでにアメリカに派遣された日本人高校生は計1万人を超えています。

民事裁判では責任が認められた

刑事事件ではロドニー・ピアーズ被告は無罪になりましたが、服部君の両親はピアーズ被告を相手どって、別に損害賠償を求める民事訴訟を起こしました。

この裁判では1996年、ピアーズ被告の過失が認められ、服部君の両親に65万3000ドル（日本円にして約7000万円）を支払うように命じた判決が確定しています。

た。

アメリカの州は、それぞれが別の国家のようなものであり、独自の法律があります。ルイジアナ州の刑法では、住宅に誰かが侵入してこようとした場合、その人物に対する殺人は正当化されることになっています。誰かがやって来たら、銃で撃っても構わないというわけです。ピアーズ被告は、この規定で無罪になりました。

ルイジアナ州の刑法では検察側に控訴権がないため、ピアーズ被告の無罪は確定します。ピアーズ被告の弁護士は、評決の結果について、「アメリカには銃で身を守る基本的な権利が保障されて」いると語っています（賀茂美則『アメリカを愛した少年』）。

アメリカでは、家庭に銃があって、不審者が現れたように思えたら、いきなり銃を発砲してもいい。それで相手が死亡しても、故意でなければ罪に問われない。これがアメリカという国が持つ「もうひとつのアメリカ」の側面でした。アメリカは、なぜこんなにも「銃社会」なのか。日本人から見ると理解できない。そんな見方が日本で広がりました。

アメリカは、どうしてこのような銃社会なのでしょうか。

★相次ぐ学校内の銃撃事件

アメリカの銃社会の異常さは、学校内での銃発砲事件が発生するたびにクローズアップされます。

一九九九年四月二〇日午前一〇時過ぎ、コロラド州リトルトンという小さな町の公立高校であるコロンバイン高校に、黒いトレンチコートを着て、黒いスキー用の帽子で覆面をした男二人が押し入り、自動小銃を乱射しました。

二人は、一二人の生徒と一人の教師を射殺。さらに自分たちも銃で自殺しました。

リトルトンは、コロラド州の州都デンバー近郊の住宅地で、コロンバイン高校の生徒のほとんどは白人の中産階級の家庭の子です。二人はここの在学生で、ヒットラーを崇拝し、ヒットラーの誕生日のこの日、事件を起こしました。とはいえ、なぜこの二人がこのような事件を引き起こしたのか、二人が死亡したため、詳しいことはわかっていません。

生徒のひとりキャッシー・バーナルが校内の図書館で殺された瞬間について、すぐそばにいて助かった同級生は、こう証言していま す。

コロンバイン高校銃乱射事件で、保護された娘を抱く母親(1999年4月)

「やつらがキャッシーに近づいていったのは見えなかったけど、キャッシーの声はわかった。まるですぐとなりで話してるみたいに、一言一言はっきりと聞こえた。やつらの片方が、キャッシーに神を信じるかと聞いた。キャッシーは一瞬なんて答えたらいいのかわからないみたいに黙って、それから『イエス』と答えた。こわかったにちがいない。でも、声はしっかりしていた。はっきりと響いた。それからやつらがどうしてだと尋ねた。でもキャッシーに答える機会はなかった。やつらはそのまま銃をぶっ放したから」(ミスティ・バーナル著、三辺律子訳『その日、学校は戦場だった』より)

殺される直前に「神を信じている」と答えたことで、この少女はアメリカのマスコミから「殉教者」扱いされることになるのですが、問題は、ごく普通のアメリカ郊外の学校が、いとも簡単に戦場になってしまうということです。これがアメリカの現実です。

アメリカの都市部には、校舎の入口に金属探知機を据えつけてある学校がごく普通に存在しています。銃を学校に持ってくる生徒が後を絶たないからです。アメリカで、銃を持って登校し、退学になる生徒の数は平均して週に八八人にも上るといわれています。

服部君が殺されたバトンルージュの地元の公立中学・高校の正門には、「銃の持ち込みは五年以下の懲役刑」と表示してあるといいます。わざわざこう書かなければならないほど、中学生、高校生レベルでも銃を持ち歩くことが当たり前になっている社会が、ここにあるのです。

★銃による犯罪が多発するアメリカ

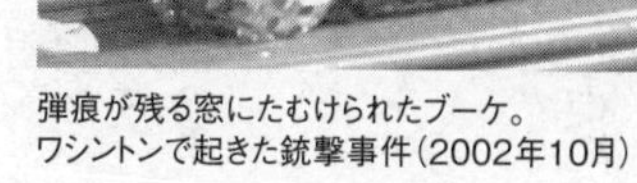

弾痕が残る窓にたむけられたブーケ。
ワシントンで起きた銃撃事件（2002年10月）

二〇〇二年一〇月。アメリカの首都ワシントン周辺で、無差別連続狙撃事件が発生しました。道路を歩いていた男性や、ショッピングセンターの駐車場にいた女性、中学校に登校した中学生。互いに何の関係もない人たちが、次々に遠くからライフル銃で狙撃（そげき）されたのです。

数百メートル遠方から動く人影を狙って一発で射殺する。その腕前は一流でした。

いつ、どこから銃弾が飛んでくるかわからない。人々は脅え、事件が起きたショッピングセンターやガソリンスタンドからは人影が消えました。

結局、一ヵ月間で九人が死亡し、四人が負傷したところで、容疑者として元陸軍兵士と義理の息子の計二人が逮捕されました。この男性は、一九九一年の湾岸戦争に陸軍兵士として従軍し、勲章を受けていました。

逮捕された容疑者は、あのバトンルージュ出身でした。服部君が撃たれた、あの町です。

アメリカには、二億二〇〇〇万丁を超える

銃があります。乳幼児から高齢者まですべてを平均して一人あたり一丁という計算です。スーパーマーケットでもごく当たり前のように銃が売られています。

多くの人が銃を持ち歩いているので、ちょっとしたいさかいでも銃撃事件に発展しやすくなります。

二〇〇五年三月から四月にかけて、南カリフォルニアの高速道路では、銃撃事件が相次ぎました。それぞれ別の日に別々の場所で計五人が銃撃され、このうち四人が死亡しています。

警察は、それぞれがまったく別の事件で、自動車の割込みなど自動車をめぐるトラブルから銃撃に至ったものとみています。日本なら怒鳴り合い程度で済んでしまう自動車の運転をめぐるトラブルが、簡単に銃の発砲事件に発展してしまうのです。

FBI（連邦捜査局）のまとめによると、銃器を使った殺人や強盗など凶悪事件の発生件数は、二〇〇三年のデータで、三四万七七〇五件。このうち殺人事件は一万一〇四一件にも上っています。

毎年一万人以上が銃で殺される社会。毎日三〇人が銃で撃ち殺される国。これがアメリカです。

これが日本だと、二〇〇二年に銃器を使った犯罪は、警察庁のまとめで、警察に検挙されたものが一二三件。このうち殺人事件の犠牲者は四二人。イギリス、カナダなどでも銃による殺人事件は二ケタにとどまっていますから、まさにケタが違うのです。

銃による犠牲者は犯罪に限りません。親が自宅に保管してある拳銃を持ち出した子どもが遊んでいるうちに暴発し、兄弟姉妹・友人を死なせてしまう事故も後を絶たないのです。

「銃を持つ権利」は憲法が保障している

どうしてこれほどまでにアメリカ人は銃を持つのでしょうか。それは、アメリカの憲法が、銃を持つ権利を保障しているからなのです。

アメリカ合衆国憲法修正第二条には、こう書いてあります。

「規律ある民兵は、自由な国家の安全にとって必要であるから、人民が武器を保有しまた携帯する権利は、これを侵してはならない」(駐日アメリカ大使館の訳による)

「人民が武器を持ち、携帯する権利」が保障されているのです。

一七世紀、アメリカに植民者が開拓に入ったときは、警察も軍隊もなく、自らの安全は自らが守らなければなりませんでした。そもそも北米大陸に「メイフラワー号」でピューリタンの人々が到着したとき、船には大砲をはじめ多くの武器が積み込まれていたのです。

その開拓者たちが町を作ると、そこに住む男たちは全員が武器を持って、いざというとき、その町を守る義務を負いました。「自分たちの安全は自分たちで守る」という精神が築き上げられたのです。

アメリカでは、都市部はともかく、一歩地方に出ると、猟銃を持った父親が息子を連れて狩猟に出かけ、銃の撃ち方を教えるというのが、当然の家庭教育となっています。アメリカの男の子たちにとって、自動車の運転と共に、銃の扱い方を知ることも一人前の男の証明になっているのです。

独立戦争（一七七五―八三年）のとき、よく訓練され武器も豊富に持ったイギリス軍と戦うため、アメリカの男たちは、自分たちが持っていた武器を持って戦場に駆けつけました。それが、憲法で言う「規律ある民兵」です。それ以来の伝統が根づいているのです。

そもそもアメリカという国自体が、イギリスとの革命戦争によって誕生した国家です。「武器によって我々の国は建国された」という思いがあります。いわば「アメリカという国のDNA」に武装思想は刻まれているのです。

★「民主主義には武装が必要」という発想だ

さらに、第二章で触れたように、アメリカは、各州がそれぞれ国家です。州を超えた存在である連邦政府が成立したとき、この政府に対して、各州の人々の抜きがたい不信感がありました。もし連邦政府が各州の権限を制限したり、人々に独裁政治を押しつけたりしてきたとき、武力を持って抵抗できる準備だけはしておこう。この考え方から、「民兵」は州兵に発展しました。自分たちの民主主義を守るためには、守る力が必要なのだ、という発想です。

さらに、建国当初のアメリカには、ヨーロッパでの圧政の歴史から得た「教訓」がありました。

ヨーロッパの封建社会では、武器を持っているのは独裁者である国王だけでした。独裁者の圧政に苦しむ市民たちが、もし武器を持って立ち上がったら……。

テネシーで、アンティークの小銃や拳銃を販売しているガン・ショップ

こんな恐怖から、市民に武器を持たせないようにするのが独裁者の手口でした。「市民の安全」を旗印に、市民から武器を奪い、圧政者の命令を聞く手兵だけに軍隊の名を与え、武装させる。市民から武器を奪い、武装する権利を奪うことは、人民を恐れる圧政者の発想である。

こんな歴史の教訓から、アメリカを建国した人々は、人民一人一人が武装する権利を大切に考え、憲法で保障したのです。

「市民の武装によって危険になるのは、政府であって、社会ではない」という思想でした（小熊英二『市民と武装』）。

しかし、誰もが武器を持てる社会は、「規律ある民兵」ばかりではないのですから、現実問題としては、「社会」も危険になるのですが。

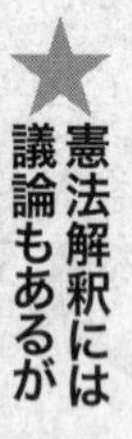

憲法解釈には議論もあるが

「市民が武装する権利」を保障したとされる憲法修正第二条に関しては、アメリカ国内で、銃の規制を推進すべきだと考える人たちと、銃規制に反対する人々の間で解釈をめぐって対立もあります。

銃規制推進派は、憲法修正第二条が成立した当時の民兵つまり現在の州兵の一員となる限りにおいて、市民の武器保持の権利が認められる、と解するべきだと主張します。憲法はアメリカの人民すべてが等しく武器を持つ権利を保障したものではなく、州兵に加わったときだけ銃を持つ権利が与えられる、という解釈なのです。

一方、銃規制反対派は、人民一人一人が銃を持つことは、連邦政府の権力が専制化するのを牽制(けんせい)し、市民の自由を守るために不可欠な権利だと考えます。

憲法修正第二条の条文を、狭く解釈するのが銃規制賛成派であり、広く解釈するのが銃規制反対派だという色分けです。

では、この条文をどう解釈すべきか。最高裁判所は二〇〇八年六月、解釈の対立に断を下しました。憲法は一般市民の武器保有も認めているというのです。

この裁判は、首都ワシントンの警備員が、自宅での拳銃所持の権利を求めて、「個人の拳銃所持を禁止しているワシントンの法律は、憲法修正第二条に違反している」として訴えていたものです。

連邦最高裁判所の判決は、五対四の小差で、「自己防衛目的での拳銃の所持を禁止することを憲法は認めていない」と判断しました。

全米ライフル協会の総会で演説する、
会長で元ハリウッド・スターのチャールトン・ヘストン（1999年1月）

つまり、憲法修正第二条は、一般市民の武装を認めていると判断したのです。

ただし、この判決で最高裁は、拳銃所持をある程度規制することは認めました。それでも、最高裁が個人の武装の権利を正式に認めたことで、銃の規制は一段と困難になったのです。

★「銃を持つ権利」を守るNRA

「もし言論や信仰の自由などを愛するなら、憲法修正第二条という永遠のボディガードをつけるべきだ。武器を保持するという個人の権利は、自由の保険証書のようなものだ。これはわれわれの子どもたちのみならず、今後永遠に続く世代のために必要だ」（松尾文夫『銃を持つ民主主義』）

コロンバイン高校の悲劇発生の一〇日後、現場から近いコロラド州デンバーで、NRA（National Rifle Association・全米ライフル協会）の年次大会が開かれました。そこで当時の会長である俳優のチャールトン・ヘストン（二〇〇八年四月五日死去）が演説した内容が、これです。

アメリカの「銃社会」を支える一番の組織が、このNRAです。会員数は三〇〇万人を超え、その年間予算は日本円にして一〇〇億円です。首都ワシントンの本部には四〇〇人ものスタッフが働いています。その豊富な資金力にものをいわせて、政治の世界に強い影響力を持っています。ブッシュ大統領（息子）もNRAの支援を受けましたし、父親の

コラム

チャールトン・ヘストン

Charlton Heston（1924～2008）

1924年、イリノイ州、エヴァンストンに生まれたヘストンは、大学で言語学を専攻。弁論大会などで、すでに弁舌の才覚を発揮していました。空軍除隊後、47年には、ローマ史劇で、ブロードウェイ・デビューを果たします。

その名を不動のものとしたのは、52年、巨匠セシル・B・デミルの『地上最大のショー』。さらに、56年の『十戒』、58年の『ベン・ハー』と大作に出演、『ベン・ハー』では、アカデミー主演男優賞を受けています。

全米ライフル協会の会長としてすっかり「保守派」の印象が強いのですが、ハリウッドから追放されたオーソン・ウェルズを擁護したり、黒人名優、シドニー・ポアチエをバック・アップしたり、60年代は、人権派として知られた人物でした。『ベン・ハー』でトップスターになった後、キング牧師の公民権運動デモにも彼は参加しています。当時の社会情勢からして、このような行動には大変な勇気が必要でした。

ブッシュ大統領は、かつてNRAの会長だったこともあります。

もともとNRAは、一八七一年、安全で責任ある銃砲の使用を推進することを目標にニューヨークで設立された団体です。設立当初は、射撃の競技会や銃の安全な取扱いの講習会を開く程度の活動をしていましたが、次第に「銃を持つ権利」を主張し、銃の規制に反対する活動に力を入れるようになります。

NRAは、銃砲メーカーによる大量の資金援助で支えられています。また、アメリカには銃砲販売業者が個人営業も含めて二五万社にも上っています。銃の製造・販売が、一大産業になっていて、NRAをしっかり支えているのです。

NRAは、銃規制の推進を求める議員がいると、その選挙区で反対派を支援し、豊富な資金を注ぎ込んで当選させ、銃規制派を落選させてしまいます。こうなると、落選を恐れる議員は、銃規制を推進できなくなります。

★銃規制の動きもあるが

それでも、アメリカの連邦レベルつまり全国一律に銃を規制する法律が成立したことがあります。それが「ブレディ法」です。

一九八一年三月、レーガン大統領の暗殺未遂事件が首都ワシントンで発生しました。レーガン大統領が負傷しましたが、一緒にいた大統領報道補佐官のジェームズ・ブレディも巻き込まれて負傷し、車椅子生活を余儀なくされる後遺症が残りました。このブレディ夫婦が、事件後、銃規制協会を設立して、銃の販売を規制する法律の成立を働きかけた結果、

レーガン大統領暗殺未遂事件(1981年3月)
写真手前は、被弾したジェームズ・ブレディ元ホワイトハウス報道補佐官

成立したものです。

法律はＮＲＡの妨害で三回も廃案になりましたが、クリントン大統領の尽力で、一九九三年にようやく法律が成立し、翌九四年から施行されました。

ただ、銃の規制といっても、日本から見れば、ごく簡単なものです。銃砲店で拳銃を購入しようとする際には、五日間の待機期間を設け、すぐには買えないようにするものです。この五日間に警察が購入希望者の素姓を調査することを義務づけ、重罪の犯罪歴がある者や、精神疾患のある者、麻薬中毒者、不法滞在の外国人、未成年者への販売を禁止しています。

その結果、最初の一年間で、拳銃の購入を申し込んだ四四万人のうちの四万一〇〇〇人が販売を拒否されています。

日本に住む者としては、極めて生ぬるい規制に思えますが、連邦レベルでの銃の規制法はこれが初めてだったのです。

しかし、この程度の規制でも、「銃購入者のプライバシーを侵すものだ」という反対論が巻き起こりました。

この法律は、期限切れを迎えた二〇〇四年、銃規制反対派のブッシュ大統領（息子）が延長の手続きをとらなかったため、失効してしまいました。全米レベルでの銃規制の法律は存在しなくなったのです（独自の銃規制法を持っている州はある）。

★「人を殺す」のは誰か

「銃が人を殺すのではない。人が人を殺すのだ」

これがNRAの主張です。主張自体は、その通りです。

しかし、実際には「銃が人を殺す」のです。銃を持っていなければ、簡単に発砲することはできませんから、そもそも事件にならなかったり、殺人にまでは至らなかったりするものです。アメリカと陸続きで、文化的にも似ているところが多いカナダと比べてみれば、それは明白です。カナダでの殺人事件がアメリカよりはるかに少ないのは、カナダが銃を厳しく規制しているからだ、というのは明らかなのですが。アメリカ・ワシントン州のシアトルと、カナダのバンクーバーは、国境をはさんで極めて近い距離にあります。文化的にも非常に似ているといわれています。一九八〇年から八六年まで、この二つの都市で発生した犯罪件数を調べた調査によると、暴力事件の発生率はほぼ同じでしたが、シアトルの殺人発生率は、バンクーバーの五倍でした。バンクーバーには銃入手の規制があるのに、シアトルにはほとんどなかったからです（エリック・ラーソン著、浜谷喜美子訳『アメリカ銃社会の恐怖』）。

銃を持つ権利が建国以来のDNAに刻み込まれ、民主主義を何よりも大事にしているため、「武器を持つことは民主主義だ」と主張されると、それを覆すことが困難になるというのが、アメリカという国なのです。

★「銃を持つ権利」を世界にまで広げる

アメリカは、自己の「理想」を世界に広げようとすることは、前にも書きましたが、「武器を持つ権利」についても、その主張を崩しません。それが、「小型武器」の国際取引規制反対論です。

世界各地の紛争地帯では、拳銃や小銃、機関銃など小型の武器を使った争いが絶えません。小型武器は安価で取扱いも容易なため、内戦でゲリラの主要な武器となります。とりわけアフリカでは、少年兵までが武装しています。

国連の推計では、世界に存在する小型兵器の数は五億を超え、その半数が不法取引されたものだといわれています。

国連では、こうした「事実上の大量破壊兵器」（アナン前国連事務総長の表現）を規制しようと、一九九五年から話合いが行われてきました。日本はその中心となり、国際的な意見の取りまとめに当たったのですが、ここで思わぬ「障害」に突き当たりました。アメリカです。

日本を含む世界の多くの国は、民間人が小型武器を持つことを制限し、政府以外の民間レベルで小型武器の輸出入が自由に行われないようにしようと考えたのですが、これにアメリカが反対したのです。

当時、アメリカ国務省の軍備管理・国際安全保障担当次官だったジョン・ボルトンは、「アメリカの憲法は、個人の武器保有と携帯の自由を保障している」と主張して、世界レベルで小型武器の個人保有を規制することに反対したのです。

小型武器が紛争を激化させているのだから、それを規制しようとしているのに、アメリカは、ここに自己の「理想」を持ち出すのです。

もちろん、その背景には、アメリカが、年間一〇億ドル（日本円にして一〇五〇億円）もの小型武器を輸出する武器大国であるという事情もあります。アメリカは、軍産複合体国家であると前の章に書きましたが、小型武器メーカーの利害も、「理想」の名の下に保護されてしまうのです。

結局、小型武器の規制をめぐっては、二〇〇一年七月、「国連小型武器会議」が初めて開かれ、小型武器の不法取引を防止するため、流通ルートを特定できるように製造元の刻印を義務づけることや、取引業者の登録・許可制度を各国が実現することを求める当面の行動計画をまとめました。

しかし、小型武器を個人が所有することの規制や、小型武器の輸出入を政府間に限定することを求める計画は認められませんでした。

これからも、世界各地の紛争地帯では、不法に入手した小型武器を使っての殺し合いが続きます。

★アメリカはどうなるのか

九・一一以来、アメリカでは個人が自衛のために銃などの武器を買って備える動きが加速しています。武器を放棄するどころか、「自分のことは自分で守る」という精神から、個人自衛のための武器が売れ続けているのです。

アメリカで銃の違法販売や密輸入を取り締まっているのは、専門の捜査機関であるATF（連邦アルコール・タバコ・火器取締局）です。

FBIと同じ連邦の捜査機関ですが、密造酒やタバコの密輸入の取締りと合わせて捜査しているだけです。銃砲の取締りが、酒やタバコの不法販売と同格の扱いなのです。職員の数も少なく、捜査員は全部で一〇〇〇人。そのうち銃犯罪の担当はわずか二五〇人。取締りには限界があるのですが、そんな非力な機関であっても、NRAは廃止を求める運動をしています。「銃を購入・保有する者のプライバシーを侵害している」というのが、その理由です。

「自由の国アメリカ」は、銃を持つ自由の国家でもあるのです。

家を間違えたことで射殺された服部君は、ロドニー・ピアーズ被告の住宅の前で、ドアを開けたピアーズに笑いかけました。ピアーズは裁判で、服部君が笑っていたことに気づいていたと証言しています。にもかかわらず、ピアーズ被告は発砲したのです。

服部君射殺事件を取材した賀茂美則氏は、こう分析しています。

護身のため、インストラクターから拳銃のレッスンを受ける女性

言葉が通じないとき、微笑して自分に敵意がないことを示すのは外国人にとって持って生まれた知恵だ。犯罪に脅えているピアーズ夫婦にとって、「この微笑が麻薬に脳を冒された人のものと見えたとしても、それほど驚くには当たるまい」「他人の笑顔を見て麻薬中毒患者を真っ先に思い浮かべるほどアメリカ社会が病んでいる」と。

服部夫婦と、地元のホストファミリーのヘイメイカー氏は、銃規制を求めて署名活動を始め、集めた署名を一九九三年一一月にクリントン大統領に提出しました。

しかし、アメリカは変わっていません。銃規制に比較的熱心だったクリントン大統領からブッシュ大統領（息子）に変わった途端、拡大した規制でもない「ブレディ法」ですら効力を失いました。

服部君の両親は、服部君の死亡で出た保険金と民間からの寄金を元に「YOSHI基金」を設立しました。銃がなくても安全に暮らせることを知ってもらうために、アメリカの高校生を毎年一人日本に招き、一年間ホームステイしてもらうプログラムを始めています。

しかし、その後も日本人がアメリカで銃で殺される事件は続いています。服部君の事件から二年後の一九九四年八月、今度はニューヨークのアパートで、二二歳の砂田敬君が、強盗に襲われて銃撃され、死亡しました。

父親の砂田さんは、「KEI基金」を設立し、アメリカの銃犯罪防止活動への支援や留学生の安全教育への支援に当たっています。

アメリカという国は、こういう悲劇を生み続けている国でもあるのです。

この章のまとめ

アメリカでは銃を使った犯罪が後を絶たない。アメリカの憲法修正第二条が個人の武器を持つ権利を保障していることを理由に、銃の規制は進まない。アメリカは、個人が武装することで専制政治を阻止することができるという「理想」を掲げているためである。

第五章
裁判から見えるアメリカ

★マイケルに無罪判決で全米が沸いた

二〇〇五年六月、カリフォルニア州サンタバーバラ郡地方裁判所で、世界的なスーパースター歌手マイケル・ジャクソンに無罪の評決が言い渡されました。

マイケルは、自宅で少年にいたずらをした疑いで二〇〇三年に逮捕され、陪審裁判にかけられていましたが、一二人の陪審員は、起訴された一〇件の罪すべてに関して、「証拠不十分」だとして無罪の評決を言い渡しました。

裁判所にはマイケルのファンが多数つめかけ、無罪の評決に歓声を上げました。マイケルも、ファンに手を振って応えました。この様子は全米で大きく報道されました。

アメリカでは、こうした「陪審裁判」が、たびたび大きな注目を浴びます。日本でも大きく報道されることがありますが、裁判の仕組みについては詳しく解説されることがないまま。ニュースに関して、いまひとつ理解できないままということが多いのです。

マイケルの場合は「刑事裁判」ですが、次のような「民事裁判」でも、「陪審裁判」が行われます。この章では、アメリカの裁判制度について考えることにしましょう。

★コーヒーこぼしたら訴える

一九九四年、ニューメキシコ州アルバカーキに住む八一歳の女性が、孫の運転する自動車に乗ってマクドナルドに立ち寄り、ドライブスルーの窓口でコーヒーを買いました。助手席に座りながらカップを股の間にはさんで、

児童虐待の容疑で、
被告となったマイケル・ジャクソン
(2005年4月)

コーヒーにミルクと砂糖を入れようと、フタを開けた途端、カップを引っ繰り返してしまいました。コーヒーがこぼれ、この女性は太股からお尻にかけてやけどを負いました。

日本なら自分の不注意を責めて終わりにするところでしょうが、この女性はマクドナルドを訴えました。「やけどしたのはコーヒーが熱すぎたからであり、熱すぎたコーヒーを売ったマクドナルドに責任がある」という主張でした。

結果は、訴えた女性の勝ち。アルバカーキ裁判所の陪審員たちは、マクドナルドに対して総額二九〇万ドル（日本円で約三億一〇〇〇万円）を支払うように命じたのです。内訳は、やけどに伴う損害賠償が二〇万ドル。安全性への配慮をしなかったマクドナルドに対する「懲罰的損害賠償」として二七〇万ドルでした。

「懲罰的損害賠償」というのは日本にない概念ですが、直接的な損害以外に、その企業への罰として、多額の賠償金を科すというものです。「罰」なのだから国家に対して支払うかといえばそうではなく、訴えた個人に支払うことになっています。

陪審員たちの評決による損害賠償の金額はこれだけの高額になりましたが、その後、裁判官が間に入って原告と被告の話合いがもたれ、マクドナルドは女性に六〇万ドル（日本円で約六四〇〇万円）を支払うことで和解が成立しました。

これ以降、アメリカのファストフード店のコーヒーカップには、「熱いのでやけどに注意」の注意書きが一段と目立つようになりました。

★なんでも裁判に訴えるわけ

このように、アメリカは「すぐに何でも訴える国」というイメージが日本で定着しています。どうしてなのでしょうか。基本的には、次のような理由からではないでしょうか。

アメリカは、多様な民族によって成立している国です。出身が異なる人同士が一緒に暮らしています。日本のような「国民としての常識」が、確立していないのです。「社会の常識」が存在しません。

そういう場合、個人交渉や個人の信頼関係でトラブルを解決することは大変むずかしくなります。それよりは、裁判で客観的な第三者に判断してもらったほうが簡単です。こうして、裁判に訴えることがごく普通の出来事

コラム

「電子レンジにネコ」は存在しなかった

「アメリカではすぐに訴える」という例として有名なのが、雨に濡れたネコを乾かそうと電子レンジに入れたためにネコが死んでしまった飼い主が、電子レンジに「ネコを乾かすために使ってはいけない」という警告がなかったのは電子レンジのメーカーの落ち度だと訴えた、という話です。

ところが、話としては有名ですが、実際にそんな裁判があったという記録は見つかっていません。アメリカ人の「訴訟好き」を誇張した作り話ではないか、とみられています。

弁護士になるには

アメリカで弁護士になるには、四年制の大学を卒業した後、「ロースクール」と呼ばれる法科大学院に3年間通って卒業し、各州で実施されている弁護士試験に合格する必要があります。

日本で弁護士になるには、司法試験に合格し、司法研修所で1年半の研修を受ける必要があります。最近ではアメリカの制度を見習って、大学卒業後、「法科大学院」を卒業して司法試験を受けるのが一般的なコースになりつつあります。

になりました。「トラブルは裁判で解決」という意識です。

また、アメリカが、イギリス流の法制度を導入したことも、その背景にあります。

世界には「大陸法」と「英米法」の二種類の法制度の流れがあります。「大陸」とはイギリスから見たヨーロッパのこと。まず法体系を作りあげ、その法律にもとづいて何事も判断するという方式です。日本の法制度も、この「大陸法」の流れを汲むものです。

これに対して「英米法」は、法典を作るのではなく、実際の裁判で判例を積み重ね、それが「慣習法」として守るべき規範になるという思想です。

「判例」を積み重ねていくわけですから、まずは裁判がなくてはなりません。裁判に訴えて判例を作ってもらおう、とするのです。

法の判断は、判例から生まれます。判例の積み重ねが法体系を形成していきます。裁判によって、具体的なケースに対する判断が生まれ、それが判例として蓄積されていくプロセスをたどるのです。「まず裁判に訴えてみて判断してもらおう」という発想。「はじめに訴訟ありき」なのです。

★弁護士が多いと……

裁判が必要だから弁護士の需要が増え、弁護士が増えることで弁護士たちが新しい仕事を作り出す、ということになり、アメリカには弁護士が急増しました。約一〇〇万人の弁護士が存在しています。人口がアメリカの半分の日本の弁護士は二万人ですから、その数の差がいかに大きいかわかると思います。

弁護士の卵が生まれる名門、ハーバード・ロー・スクールの卒業式

　ただ、弁護士資格を持っていても、誰もが裁判に関係する仕事をしているわけではありません。アメリカは「契約社会」ですから、何事にも契約はつきものです。契約をきちんと結ぶには、法律の詳しい知識が求められます。かくして、企業活動のさまざまな場面で弁護士が必要とされます。法廷に立つことなく、もっぱら会社の業務に携わる弁護士も多いのです。

　しかし、弁護士が増え過ぎると、需要と供給の関係で、弁護士の間で熾烈な競争が始まります。弁護士が「食っていく」ために、弁護士自身が仕事を作り出すという側面も登場します。

　そんな弁護士の生態を皮肉った言葉が、「アンビュランス・チェイサー」（救急車を追いかける人）です。救急車が出動したということは、目的地にケガ人や病人がいるだろう。そのケガ人や病人に働きかけて、誰かを訴えてもらおう。その代理を引き受けて、裁判に勝てば成功報酬が受け取れると考える弁護士がいるだろうという、悪徳弁護士の代名詞なのです。

★「法律万能国家」は「メイフラワー号」から始まった

アメリカは、どうしてこのような「裁判万能」「法律万能」社会なのでしょうか。その根源を、アメリカ建国にまでさかのぼる見方があります。

一六二〇年、アメリカ大陸に「メイフラワー号」が「ピューリタン」と呼ばれる植民者たちを運んできました。この人々がアメリカ建国の父と呼ばれることは前に触れた通りで

合衆国建国のシンボル、「メイフラワー号」が実物大に再現されたレプリカ(写真右)

す。この人たちは、上陸する直前、「各自が相互に契約し、契約にもとづいて、植民地の幸福のために公平な法を制定する」という「盟約」を結びました。すべては契約にもとづき、契約によって法制度が形作られることを事前に取り決めたのです。

こうして、アメリカという国は、「契約社会」として発足しました。「法律万能」という意識はここに根源を持っているというわけです。

アメリカは、植民者たちが作りあげた人工国家であり、法制度もまた、自分たちで作り出すものであったというわけです。

★訴訟乱発で医者が逃げ出す

しかし、こうした「訴訟万能主義」は、多大な弊害をもたらすようになりました。訴えられることを恐れて廃業する医者やメーカーが続出するようになったのです。

もし、医師が患者に訴えられたら……こう考える医師や病院は多く、もし訴えられたときのために「訴訟保険」に入ります。ところが、「医療過誤」をめぐる裁判が年々増え、損害賠償額もうなぎ上りになると、保険会社としては、保険料を引き上げないと採算がとれません。保険料も年々引き上げられ、とう、保険料をかけるだけの財力がない医師たちが、廃業に踏み切る例が出てきたのです。

特に患者数があまり多くなく財力に乏しい地方の医師の廃業が目立っています。その結果、「無医村」状態の地域が各地に生まれています。地方在住者は、病気になると、遠く離れた都会の医師のもとにまで通わなければ

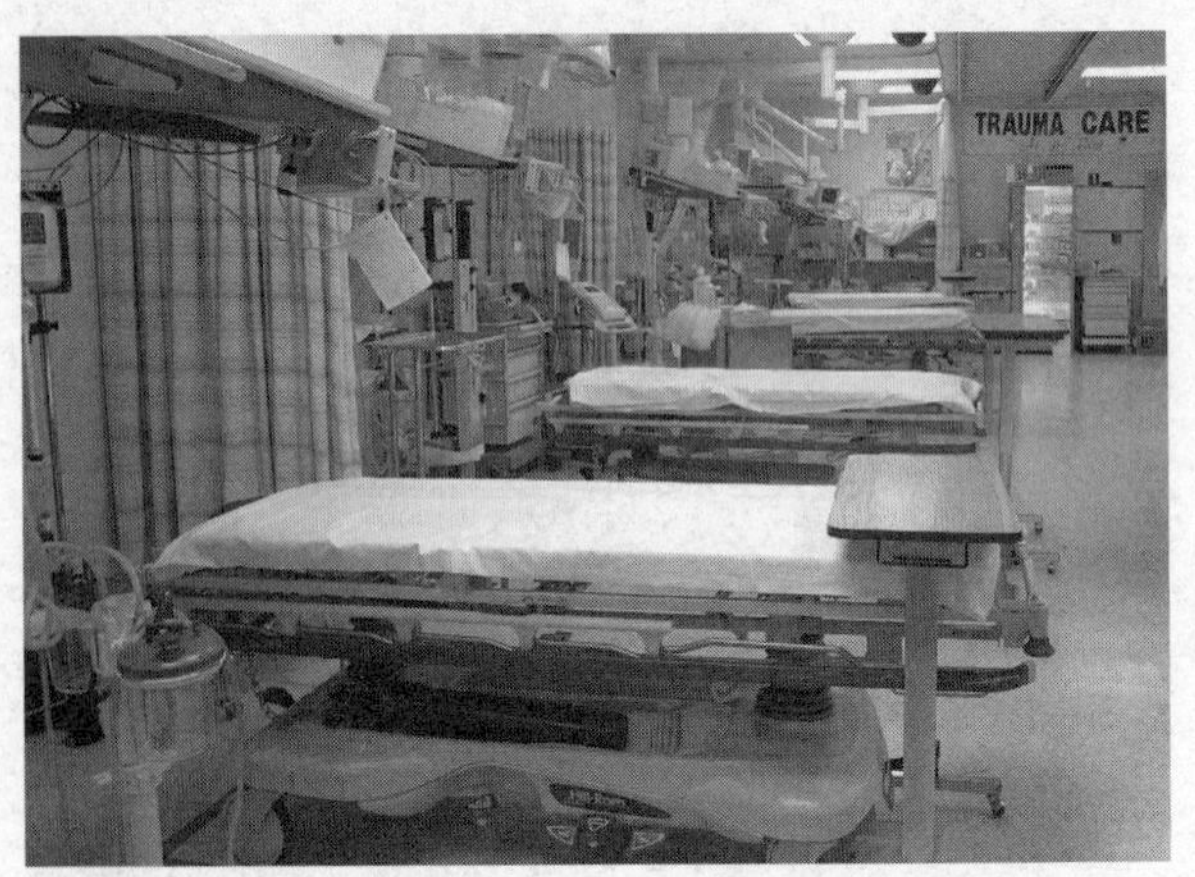

医療過誤保険料の増加で、医師たちがいなくなった大学のメディカル・センター

年々増加する医療訴訟の保険金に、危機を訴えるアメリカの医師

ならない状態も出現しています。「訴訟万能社会」は、思わぬ弊害を生み出しているのです。では、アメリカの裁判制度はどうなっているのでしょうか。アメリカ国内で注目を浴びた裁判を例にして、アメリカの裁判制度を概観しておきましょう。

★シンプソン裁判からアメリカが見えてくる

一九九四年六月一二日深夜、ロサンゼルス市内の高級住宅街。アメリカンフットボールの伝説的英雄だったO・J・シンプソンの別れた妻ニコル・ブラウンとそのボーイフレンドが、何者かにナイフで刺されて殺されているのが見つかりました。

警察は、シンプソンを容疑者とみて出頭を求めたところ、シンプソンは友人の運転する自動車で逃走。ロサンゼルス市警のパトカー二〇台がこれを追跡。テレビ局はヘリコプターからこの逃走劇を中継し、全米は騒然となりました。

結局、シンプソンは自宅に戻ったところを逮捕され、二時間に及ぶ追跡劇は幕を下ろしました。

ところが、シンプソンは殺人容疑について否認し、無罪を主張。かくして、「アメリカの英雄」は裁判にかけられることになったのです。

裁判では、シンプソンが事件の前にナイフを購入していたこと、シンプソンの当日夜のアリバイがないこと、シンプソン自身が怪我をしており、殺人現場から採取された血液がシンプソンのものとDNA鑑定で一致したこ

全米を揺るがせたシンプソン事件。
写真は、無罪評決決定の瞬間（1995年10月）

となどが次々と明らかになりました。

さらに、シンプソンがニコルと結婚中に、しばしば暴力を振るっていたこともわかり、裁判は圧倒的にシンプソン不利で進みました。

これに対してシンプソンは、五〇〇万ドルもの大金を使って優秀な弁護士チームを雇い、弁護に当たらせました。このチームは「ドリームチーム」と呼ばれたほどです。弁護士たちは、現場に最初に到着したロス市警の白人刑事が黒人に対する差別意識の持ち主であること、証拠の管理が杜撰であったことなど警察の捜査方法を批判。陪審員たちに、「シンプソンを有罪と決めつけるには十分ではない」という印象を与えることに成功しました。

その結果、シンプソンに対する評決は「無罪」でした。シンプソンは、法廷でガッツポーズをとって喜びを示しました。

冷静に判断すれば間違いなく有罪になる証拠ばかりだったのに無罪になったのは、シンプソンに同情的な黒人が陪審員に多かったためだとか、「アメリカの英雄」に対して陪審員は有罪を宣告できなかったのだとか、陪審

シンプソン裁判の評決に抗議する人々

裁判をめぐって賛否両論が渦巻きました。

アメリカの裁判では、冒頭のマイケル・ジャクソンの裁判でもあったように、「陪審」という方法がとられます。なぜこんな方式の裁判が行われているのか。シンプソン裁判に

無罪評決を喜ぶ黒人

即して考えてみましょう。

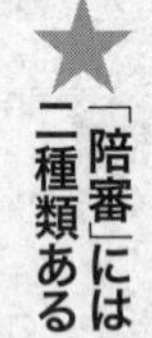

「陪審」には二種類ある

アメリカの裁判のニュースでよく登場する「陪審」という言葉。アメリカの裁判の「陪審」には、実は二種類あります。「大陪審」と「小陪審」です。まったく違う機能を果たします。大陪審は、陪審員の数が多いので名称に「大」がつくだけであって、重大な事件だから大陪審が審理するというわけではありません。

被告を起訴するかどうかを決めるのが大陪審です。そこで「起訴陪審」とも呼ばれます。一方、被告が有罪かどうかを決める「評決」を出すのが小陪審なので、こちらは「審理陪審」とも呼ばれます。

事件の容疑者が逮捕された後、裁判へと至るルートは、次のようになっています。

まず逮捕された容疑者は、裁判官の前に連れ出され、罪を認めるかどうかを尋ねられます。被告が罪を認めれば、陪審員のいない法廷で裁判官によって裁判が開かれ、直ちに判決が言い渡されます。実はアメリカでは、このルートが圧倒的に多く、逮捕された容疑者の八割は、こうして有罪判決を受けます。

アメリカの裁判はすべて陪審裁判で行われるというイメージがありますが、そうではないのです。

被告が罪を認めれば、裁判官による刑の言い渡しに進みますが、被告が無罪を主張すると、起訴するかどうかを判断することになります。このとき、「大陪審」と「予審」（予備審問）の二つのルートがあります。

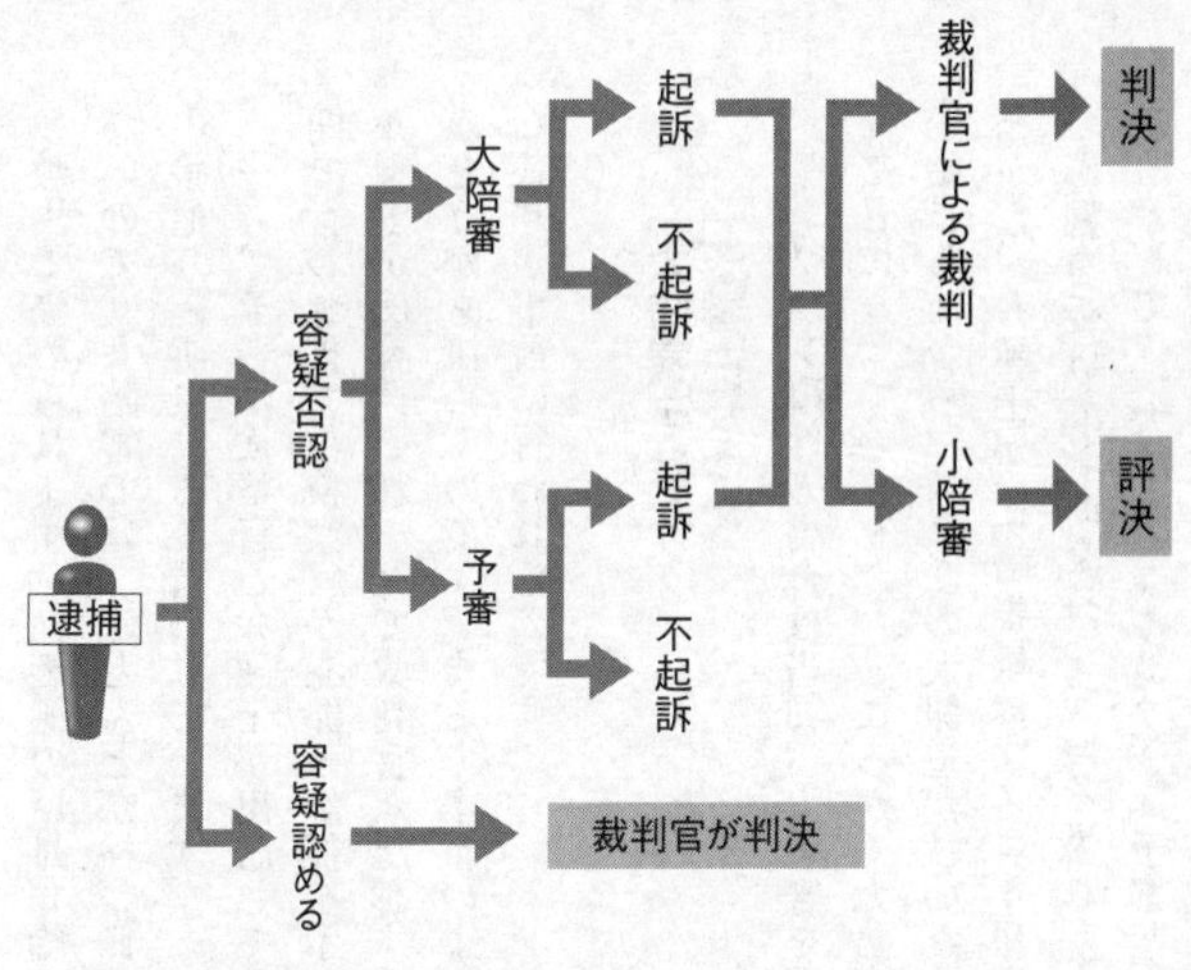

逮捕から判（評）決にいたるプロセス

起訴するかどうか陪審員が決めるのが大陪審であり、裁判官が決めるのが予審です。大陪審にかけるか予審にするか、どちらにするかは、検察官が選ぶことができます。

大陪審は、陪審員の数が一六人以上二三人以下となっています。小陪審は六人以上一二人以下です。大陪審は非公開で、被告の弁護士が出席できません。検察官が陪審員に証拠を示し、被告が罪を犯したと疑うに足ることを証明しようとします。

陪審員は、被告が有罪か無罪かを決めるわけではありません。検察官が示した証拠を見て、裁判にかけるかどうかだけを判断するのです。起訴された後は、まったく別の人たちが、新たに小陪審の陪審員として選ばれ、有罪か無罪かを判断することになります。

大陪審では、起訴するかどうか、陪審員の

多数決で決められます。弁護側の反対弁論もないので、大陪審では、ほとんどが検察側の主張通り起訴されると言われています。

一方、予審は検察官と弁護士が出席して公開で行われます。検察官が犯罪の証拠を示し、弁護士が反論。それを見て裁判官が起訴するかどうかを決めるのです。まるで本番のような裁判が事前に行われるのです。

★「大陪審」ではなく「予審」になった

シンプソン事件の場合は当初、大陪審を開くことになっていました。ところが、大陪審が始まる前からマスコミの大報道が続いたことから、弁護士が、「陪審員はマスコミ報道の影響を受けて予断を持っている恐れがある」として、「大陪審」ではなく、「予審」にすべきだと主張しました。裁判官はこれを認め、シンプソンを起訴するかどうかは「予審」に回されたのです。これは、弁護士の作戦勝ちでした。

というのも、大陪審でしたら非公開で弁護側が出席できないので、検察官がどんな証拠を持っているかわかりません。実際の本裁判が始まるまで弁論準備が整わないのです。

ところが予審では、検察官が証拠を示します。検察側がどのように裁判を進めようとしているのか、弁護側にあらかじめわかってしまうのです。

予審で検察側の証拠の全貌(ぜんぼう)がつかめ、検察側証人が誰なのかも知ることができた弁護側は、本裁判に向けて準備を十分に行うことができました。予審の結果、裁判官は、シンプソンが殺人を犯したと疑うに足る証拠が得ら

シンプソン事件で脚光をあびた日系人裁判官、ランス・イトウ

れたとして、シンプソンを起訴しました。こうして本裁判が始まったのです。

日本では、警察による捜査を受けて検察官が起訴するかどうかを決めますが、アメリカでは、一般市民の代表である陪審員や裁判官に、起訴するかどうかの判断を委ねるのです。

★なかなか裁判が始まらない

起訴された被告は、さらに陪審裁判を選ぶか、裁判官による裁判を選ぶかを決めることができます。陪審裁判を選ぶことができるのは、アメリカ合衆国憲法に定められた権利なのです。

シンプソンは陪審裁判を選択し、裁判官にはランス・イトウという日系人が決まりました。この事件は、被告が黒人で被害者が白人という構図です。どうしても人種問題が微妙に影を落とす裁判になってしまいます。そこで裁判官には、白人でも黒人でもないアジア系から日系人のイトウが選ばれたとみられています。

ここで、多くの日本人は、陪審員と裁判官の関係が理解できないのではないでしょうか。日本の裁判は裁判官が行います。アメリカの裁判は陪審員が裁くのなら、裁判官など何のためにいるのだろう、と思いたくなるところです。

アメリカの陪審裁判での裁判官の役割は、まずは「法律のプロ」として、裁判や法律の仕組みを素人の陪審員に説明して裁判を進めていく進行役です。同時に、検察官、弁護士という対立する立場の双方の主張を聞いて裁判の「交通整理」もします。

さらに、陪審員が「評決」で有罪と認定した場合、法律に照らしてどのくらいの刑を言い渡すかを決めるのは、原則として裁判官です（州によっては、有罪の評決をした陪審員が量刑も決める場合もある）。一般市民の代表には有罪か無罪かだけを判断してもらい、量刑はプロの裁判官が行うという役割分担があるのです。

こうして小陪審で裁判が始まることになったのですが、肝心の陪審員を決めるのに、大変時間がかかることになりました。

★陪審員選びが始まった

陪審員は、一般市民の中から選ばれます。とはいえ、アメリカには日本のような戸籍制度がなく住民票もないので、簡単にはいきません。結局、有権者名簿や納税者名簿、自動車運転免許所有者名簿などからコンピューターが候補者を選び出すことになります。

このうち大陪審の陪審員の任期は一年です。任期中にはいくつもの大陪審に出席します。

一方、小陪審は、その裁判限りに選ばれます。カリフォルニア州では、有権者名簿と自動車運転免許所有者名簿から選びます。

シンプソンの裁判では、陪審員一二人と補充陪審員一二人の計二四人を選びます。裁判が長引いた場合、陪審員の中には、病気になったり裁判所の命令に従わなかったりする人が出てくる可能性があります。そういう人が途中で抜けた場合、直ちに補充できるように、補充陪審員があらかじめ選ばれ、裁判を最初から傍聴するのです。補充陪審員の数は裁判

コラム

陪審員はなぜ12人なのか

小陪審は、陪審員の数がなぜ12人なのでしょうか。

725年、イギリスに統合される前のウェールズの王様が、「キリストと12人の弟子が、最終的にこの世を裁くことになっているように、人間の裁判は王と12人の賢人によって行われるべきだ」と宣言したのが起源だという説があります（宮本倫好『世紀の評決』）。

これには異論もあってはっきりしないのですが、14世紀のイギリスで確立した陪審裁判の陪審員が12人だったので、それが継承されているというのが実情のようです。

小陪審は12人というのが通常ですが、それより少ない人数でも構いません。アメリカ合衆国連邦裁判所は、「5人ではダメだが六人だったらOK」という基準を示しています。

「陪審員コンサルタント」までいる

検察官、弁護士が自分たちに有利な陪審員を選ぶために、「陪審員コンサルタント」を雇うことがあります。コンサルタントは、事件に関して、その地域で「ミニ世論調査」までして、どういうタイプの人が被告に同情するのか、あるいは反発するのかを探り出しておくのです。その上で、ひとりひとりの陪審員候補のタイプを分析し、質問への答え方で、陪審員として認め↙

↘てもいいかどうか、検察官や弁護士に助言します。

アメリカの陪審裁判は、こうした新しい職業まで生み出しているのです。

このコンサルタントの活躍で、検察側、弁護側に有利な陪審員が選ばれるので、「陪審員が決まった段階で裁判は終わったも同然」と言われることもあるほどです。

によって異なります。数日で裁判が終わってしまいそうなら補充陪審員は数人ですが、シンプソン裁判のように時間がかかりそうだと予測されるものは、人数が多くなるのです。

まずは、陪審員候補を選ぶために、一〇〇〇人以上の候補者に招集通知が送られました。同時に質問書が送られ、アメリカの市民権を持っているか、裁判所の管轄地域に住んでいるか、重罪を犯したことがないか、英語の理解力があるか、などの質問に答えます。自動車運転免許は外国人も取得できるのでアメリカの市民権がない人が選ばれてしまう可能性がありますし、アメリカ市民だからといっても英語が話せない人がいるからです。

外国人や英語が話せない人たちなどが除外され、八〇五人が裁判所に出頭しました。

出頭した陪審員候補者に「免除事由」があるかどうか裁判官が確認をとります。妊娠していたり、子育て中だったり、病気だったり、どうしても仕事を休めない人だったりすると、陪審員の役割を免除されるのです。

出頭した八〇五人のうち五〇一人が免除され、三〇四人が残りました。

この人たちは、新聞を読むこと、テレビを見ること、ラジオを聞くこと、書店に行くことが禁止されます。外部からの情報で裁判に先入観を持たないようにするためです。

でも、シンプソン事件のような大ニュースは、発生から各マスコミが大々的な報道を繰り広げていますから、「先入観」を持たないようにすることは実際問題としては不可能なのですが。

次いで、この人たちが順番に裁判所に呼び出され、裁判官、検察官、弁護士がさまざまな質問を投げかけて、陪審員として認めていいかどうかを判断します。陪審員候補の中から実際の陪審員を選ぶ手続きが始まるのです。

★「自分に不利そう」な人は拒否できる

陪審員候補から陪審員を選ぶ過程では、公平な判断ができるように、裁判や人種に関して偏見を持っている人を排除することができます。

裁判官が陪審員候補に質問をして、その答えによって除外する以外に、検察官、弁護士も、それぞれ質問を投げかけて、自分にとって不利な判断を下しそうな人物を一定の数まで拒否することができるようになっています。

これを「無条件忌避(きひ)」といいます。州によって、裁かれる罪の重さによって違いますが、一〇人から二五人の範囲内で「忌避」できます。カリフォルニア州では、重罪事件の裁判では検察側、弁護側がそれぞれ二〇人まで無条件で「忌避」できます。忌避する理由は説明しなくていいのです。

たとえば、被害者が白人女性で被告が黒人だったら、検察官はなるべく白人を陪審員にしようとするし、弁護士は白人をなるべく排除して黒人の比率を高くしようとします。

裁判が始まる前から、検察側と弁護側の戦いが始まっているのです。

こうした手続きに時間がかかった結果、シンプソンが起訴されたのは七月八日だったのに、陪審員選定手続きが始まったのが九月二六日。正式な陪審員一二人と、補充陪審員一二人が決まったのは、一二月八日になっていました。手続きだけで半年近くかかったのです。

★検察、弁護双方の戦いが始まった

ようやく裁判が始まったのは、一九九五年一月一一日でした。

裁判が始まる前に、検察官は、「シンプソンには死刑を求刑しない」と声明を出しました。この裁判では、「これだけの事件で有罪になれば死刑になるのが当然」とみられていました。それだけに、「有罪」の評決を下すと、「アメリカの英雄」を死刑に追いやることになるので、陪審員が「有罪」を言い渡すことをためらうのではないか。こう考えた検察官が、「死刑にはしないから有罪の評決を出してくれ」と呼びかけたのではないかとみられています。陪審員たちが、個人的な感情で判断をするのではないかと検察側が危惧していたことがうかがえます。

この裁判ではテレビ中継が認められました。日本では、被告が入廷する前の法廷の様子をテレビカメラが撮影するのが認められているだけですから、アメリカとはだいぶ異なります。アメリカでは、法廷の様子を中継するかどうかは、それぞれの裁判の裁判官の判断によります。イトウ判事は中継を認めました。

アメリカには「コート（法廷）テレビ」という裁判専門のケーブルテレビ局があり、そこが代表取材することになりました。

陪審員が画面に映らないように、陪審員の頭上に一台だけカメラが設置され、法廷の様子を映し出しました。これをCNNなどが放映しました。

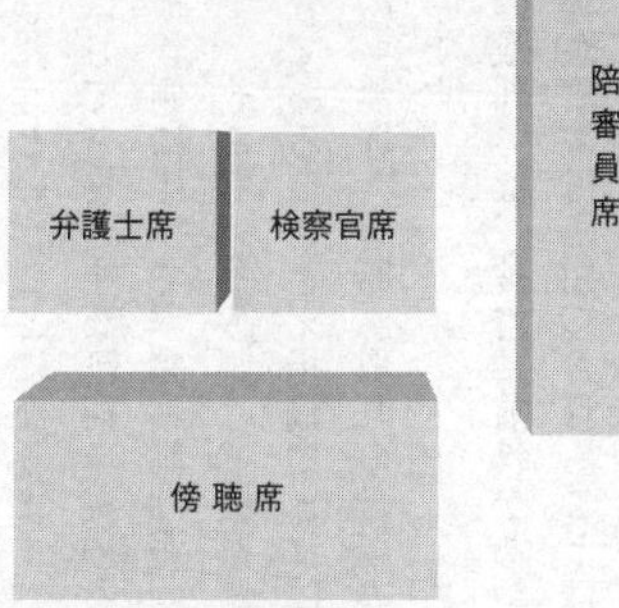

法定内部の見取り図

★無罪推定の原則と検察側の立証責任

日本でもそうですが、被告は判決が確定するまで無罪と推定されています。検察側が、「一点の合理的疑いも残さない程度」に有罪を立証して初めて、被告の有罪が認定されるのです。有罪を立証する責任は検察側にあります。弁護側は、無罪を立証しなくていいのです。

裁判では検察側が有罪を、弁護側が無罪をそれぞれ立証するもの、と考えている人がいるかも知れませんが、そうではないのです。

弁護側が、「検察側の立証には合理的な疑いが残る」ことさえ明らかにすれば、それで裁判では「無罪」ということになります。権力をバックにしてさまざまな証拠を集めることができる検察側に比べて、弁護側は弱い立場にあります。そこで、弁護側は、検察側の立証が不十分であることさえ指摘できれば、それで被告の「無罪」を勝ち取れる仕組みになっているのです。

アメリカの裁判では、被告に前科があっても、その事実が陪審員に知らされることはありません。陪審員に予断を与えないためなのです。被告の権利を守る仕掛けがいろいろあることがわかると思います。

★陪審員は「隔離」される場合もある

裁判中、陪審員は「隔離」されることがあります。アメリカでは殺人はありふれた事件なので、マスコミがまったく報じない事件はたくさんあります。そうした事件の裁判を担当することになった陪審員は、マスコミ報道によって「予断」を抱く心配も少ないので、特に隔離されることはありません。

しかし、シンプソン事件のようなマスコミ注目の事件では、あふれる報道から陪審員を遮断（しゃだん）するために、隔離が行われます。

陪審員は自宅に帰れず、裁判所が指定するホテルに宿泊することがあるのです。シンプソン裁判でも、陪審員たちは、ロサンゼルス市内のインターコンチネンタルホテルの一泊一八〇ドルの部屋が割り当てられました。通常の裁判での隔離といえば、モーテルが割り当てられることも多く、高級ホテルに隔離されるのは、破格の待遇でした。

しかし、外界との隔離は徹底していました。

部屋のテレビは映らず、部屋から外部への電話もかけられないようになっていました。

陪審員が別の陪審員の部屋に入ることも禁止されました。陪審員が泊まる五階には一般のエレベーターが停まらないようにされ、監視員が、陪審員が外部と連絡をとらないように監視しました。陪審員がインターコンチネンタルホテルに隔離されていたことも、裁判が終わってから初めて明らかにされました。

陪審員の日当は五ドル。長い裁判が始まったのです。

★「評決」は全員一致が原則

裁判では、検察側証人六九人、弁護側証人五三人が出廷しました。検察官九人、弁護士一一人。双方とも死力を尽くしての論戦が繰り広げられたのです。

当初は、シンプソン犯人説を裏づける証拠の山があると思われていましたが、弁護側の追及の結果、ロサンゼルス市警の証拠の取扱いの杜撰(ずさん)さが次々に明るみに出ました。事件現場の証拠保全の手続きにもミスが続出していたのです。

さらに、事件現場に最初に到着した白人刑事が、黒人に対する暴言を吐いたことのある人種差別主義者であることなども判明し、「黒人のシンプソンに対して、人種差別主義者の刑事が証拠をデッチ上げた」という疑惑すら浮上するほどの裁判になってしまいました。弁護側は、黒人が多い陪審員に対して、「シンプソンが犯人にされた背景には黒人差別がある」という印象を与えることに成功したのです。

一九九五年九月二九日金曜日。九ヵ月にもわたった裁判が終わりました。金曜日の夕方に終わったことから、陪審員による評議が週明けに持ち越されました。

一〇月一日、評議が始まってまもなく、陪審員たちの結論が出ます。しかし、裁判の関係者は誰もがそんなに早く評決に達するとは予想していなかったため、準備が整わず、イトウ判事は、翌二日の午前一〇時に評決を読み上げることにしました。

評決は全員一致が原則です。一二人の意見が合うまで評議は続けられます。意見が食い違うと、評議は長引くことになります。何日にも及ぶことすらあるのです。

どうしても全員一致が得られない場合は、「不一致陪審」と呼ばれ、改めて陪審員を選び直し、最初からやり直します。実に手のかかる、時間と根気と費用のかかる方法ですが、アメリカでは、この方法が守られています。刑事事件では、陪審裁判全体のうちの六%が不一致陪審になると言われています。

ただ、圧倒的な差がつけば多数決で決める州もごく一部に存在します。たとえばルイジアナ州は、一二人のうち九人以上の合意があれば評決は成立するというやり方をとっています。

評決で有罪になった場合、量刑は原則として裁判官が決めますが、量刑まで陪審員に決めてもらう州もあります。量刑を陪審員に決めてもらう段階になって、「被告には前科がある」と告げられる場合もあります。

被告が有罪か無罪かを判断する上では、前科の事実は陪審員に予断を与える恐れがあるので告げないけれど、量刑を決める段階では、前科のことも考慮して決めてほしい、というわけです。

被告が無罪の評決を受けると、検察は控訴できません。無罪が確定します。陪審の評決は、それだけの重みを持っているのです。

「無罪」とは、「有罪とは言えない」ということ

一九九五年一〇月二日午前一〇時。アメリカ中が息をのんで見守る中、評決を裁判所の書記官が読み上げました。

「シンプソンは無罪（ノット・ギルティ）」

気をつけなければいけないのは、日本語では「無罪」と表現しますが、英語の原文は「ノット・ギルティ」つまり「有罪ではない」という意味であることです。

「無罪」だから「無実」だとは言えないということなのです。

陪審員たちは、検察官の立証だけでは、「シンプソンが有罪だ」と判断するには「合理的な疑い」が残ったと考えたということなのです。

日本語にも「疑わしきは罰せず」という言葉があります。たとえ「疑わし」くても、疑わしいだけでは有罪にできない、という原則を表現しています。

シンプソン裁判で、陪審員たちは、シンプソンが「無実」だと言ったわけではありません。「有罪とは言えない」と言ったのです。

民事裁判では判断が逆になった

シンプソン裁判は、これで終わりになりませんでした。被害者の家族がシンプソンに損

害賠償を求める民事訴訟を起こしたからです。

損害賠償裁判も、もちろん陪審制です。こちらの裁判官は、ヒロシ・フジサキという、やはり日系人が担当しました。

フジサキ判事は、イトウ判事と異なり、法廷にテレビカメラを入れることは認めませんでした。

また、陪審員たちは、すでに刑事裁判の様子を知っているので隔離する意味はないとして、隔離されることもありませんでした。陪審員たちは、自宅から裁判所に通うことができたのです。

民事裁判では、訴えた原告の弁護士が、いわば検察官役を演じます。刑事裁判では、被告のシンプソンが証言に立つことはありませんでしたが、民事裁判では原告側弁護士の厳しい追及を受けました。しどろもどろになるシンプソンの様子を、陪審員たちが見ていたのです。

評決は、一九九七年二月に出ました。シンプソンに対して、被害者の遺族に補償賠償金として八五〇〇万ドル、さらに懲罰的賠償金として二五〇〇万ドルを支払うように命じました。

刑事裁判とは一転して逆の判断になったのです。どうしてか。

刑事裁判では陪審員の多くが黒人だったのに対して、民事裁判では白人が多かったことを理由にする人もいます。その因果関係ははっきりしませんが、少なくとも民事裁判では、原告側は、刑事裁判ほど厳密な立証は求められていないということがあります。原告と被告双方の言い分を聞いて、少しでも説得力のある方の言い分を認めれば、それでいいのです。原告側の言い分が被告より説得力があったということだったのです。

★陪審員の裁判には批判もあるが

このように大変な手間と費用のかかる陪審裁判。刑事裁判では、陪審員をホテルに隔離するだけでも多額の費用がかかりました。陪審裁判には、さまざまな視点から批判が浴びせられています。

たとえば、登録していない人が除外されてしまいます。陪審員候補者を有権者名簿から選ぶと、アメリカは、有権者として自ら登録しない限り、選挙で投票できません。黒人やヒスパニック（中南米系）など非白人には有権者登録をしていない人も多く、結果として、陪審員には白人が多く選ばれるという人種的片寄りを指摘する意見もあります。

その一方で、陪審員になると、裁判中は裁判にかかりっきりになるので、多忙なビジネスパーソンは何とか陪審員を免れようとします。結果として陪審員に選ばれるのは、「失業者とヒマな主婦や老人」ばかりになる、という批判もあります。とりわけ失業者にとっては、陪審員の間は手当が支給されるので、

コラム

白人と黒人で評価が正反対に

評決の結果について、アメリカでは黒人と白人で受け止め方にはっきりとした違いが出ました。

『ニューズウィーク』の調査によると、黒人の66%が、シンプソンは無実だと見ているのに対して、白人の74%は彼の犯行だと見ている、という結果が出ました。

この裁判には、人種問題が影を落としていたのです。

それが魅力だというわけです。

さらに、「素人(しろうと)には複雑な論点が理解できない」という指摘もあります。たとえばシンプソン事件でも争点になった血液のDNA鑑定。これが科学的に信頼できるものかどうかが裁判の重大な争点になったのですが、果たして陪審員たちは理解できたのだろうか、というわけです。今後、IT産業をめぐるトラブルなど最先端の科学の問題が裁判に持ち込まれる可能性があります。そういった問題に、陪審制度は耐えられるのだろうか、と危惧する声もあるのです。

マイケル・ジャクソン裁判での陪審員たち

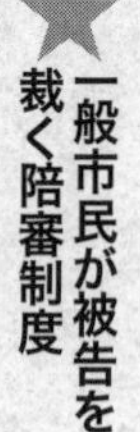

一般市民が被告を裁く陪審制度

しかし、それでも陪審制度はなくなりません。陪審裁判を受けることが、そもそも憲法で認められているからです。

「陪審制度」自体は、古代ギリシャからありました。それがイギリスに引き継がれ、イギリス人によって植民地化されたアメリカにも導入されました。

広大な土地のアメリカでは、建国当初、法律の専門家である裁判官が巡回してきて裁判を開くことを待っていられないという事情の地方もありました。それぞれの地域で発生した事件は、それぞれの地域の人々の代表によって裁かれたのです。これには、イギリスから導入した陪審裁判の方法がふさわしかったというわけです。

また、そもそも陪審裁判は民主主義にとって極めて重要だという考え方もあります。

政治制度を民主的に運営する上で大事なのは三権分立を維持することです。国家の権力を、立法、行政、司法と三つに分け、それぞれが互いにチェックしあうのが三権分立であることは、小学校の社会科で習った通りです。

三権分立のうち、立法、行政とも、国民が選挙で選んだ代表が権力を行使します。だったら、司法に関しても国民の代表が関わるべきだというのが、アメリカの民主主義の考え方なのです。

日本では、立法、行政に関しては国民の代表の行為を国民が監視し、ときには批判します。

しかし、こと司法となると、専門家にお任せして、一切口を出しません。それでは本当の民主主義とは言えないのではないか、というのがアメリカの陪審裁判の精神なのです。
権力は信用できない。権力はすぐに人民を不当に抑圧しようとする。司法も同じことだ。という意識がアメリカ人の多くに存在していて、その意識をもとにして、さまざまな制度が確立しているのです。

★「素人の叡知」を信頼する

陪審制度は、言ってみれば、裁判のような専門的な事柄でも「素人の叡知」を信頼して尊重するという考え方です。
アメリカには、この「素人の叡知」への信頼が、ほかにもあります。教育委員会制度です。

コラム

日本にも陪審制度があった

日本でも、大正デモクラシーの只中にあった1923年に陪審法が制定され、1928年から刑事事件の一部で陪審裁判が実施されました。日本の陪審裁判では、裁判官が評決の結果に不満のときは陪審員を入れ替えて裁判をやり直させることができたり、評決は多数決であったりするなどアメリカとは方式に違いがありました。

日本が戦時体制に入ると共に、「陪審裁判をやっているヒマはない」という意見が主流になり、1943年、「陪審法の停止に関する法律」が成立して、陪審裁判は休眠状態となりました。戦後、復活することもありませんでしたが、陪審制度に代わって、一般市民が「裁判員」として審理に加わる「裁判員制度」が2009年から始まりました。

日本の教育委員会制度は、戦後、アメリカから導入しました。一般市民の代表が教育委員として、学校や先生、教育委員会事務局を監督する、という制度です。教育委員は一般市民から選挙で選ばれました。

この方式は、アメリカとまったく同じでした。アメリカでは、それぞれの地域で地域住民の代表が選挙で教育委員に選ばれ、自分たちの子どもたちがどんな教育を受けるべきか決定します。教育への「素人の叡知」を信頼した方法です。

ところが日本では、教育委員を選挙で選ぶ仕組みは、「教育委員選挙が政争の道具になっている」という批判が出て、都道府県知事、市町村長が任命する仕組みになってしまいました。「素人の叡知」を信用できず、「お上(かみ)」が決定する、という方法になったのです。

「素人の叡知」に対するアメリカと日本の考え方の違いが明らかです。

アメリカが、陪審制度という、ときとして実に手間がかかって非効率な制度を、あえて残している背景には、こんな思想が存在しているのです。

この章のまとめ

アメリカでは、「裁判至上主義」とも言うべき考え方があって、すぐに裁判に持ち込まれる。

しかし、その背景には、司法も国民の代表が権利を行使しなければいけないという民主主義思想が存在している。

第六章 アメリカは「移民の国」だ

36歳で初めて米国籍をとり、カリフォルニア州知事に当選を果たしたアーノルド・シュワルツェネッガー

★外国出身者でも知事になれる

二〇〇三年一〇月、映画『ターミネーター』などで知られる人気映画俳優のアーノルド・シュワルツェネッガーが、カリフォルニア州の知事に当選しました。

州知事選挙には実に一三五人もが立候補したのですが、知名度に勝る「シュワちゃん」が圧勝したのです。

「シュワちゃん」のしゃべりには、ドイツ語なまりがあります。それもそのはず、オーストリア（ドイツ語が公用語）で生まれ育ち、一九六八年、二一歳のときにアメリカに渡ってきたからです。

オーストリア陸軍を除隊後、ボディビルディングのためにアメリカに単身渡った当時は、英語の読み書きもできない状態でしたが、英語学校に通って勉強し、三二歳でウィスコンシン州立大学を卒業。三六歳でアメリカ国籍を取得しました。

外国で生まれ育っていても、比較的たやすくアメリカ国籍がとれ、アメリカ国籍があれば知事選挙に立候補できて、当選までしてしまうというのが、アメリカなのです。

アメリカは、「移民の国」でもあります。

コラム

大統領にはなれないが

かつてアメリカ大統領だったロナルド・レーガンも、映画俳優からカリフォルニア州知事に当選し、政治経験を積んで大統領になりました。しかし、シュワちゃんは、大統領にはなれません。州知事はアメリカ国籍があれば立候補できますが、大統領は、そもそもアメリカ生まれでなくてはいけないという条件がついているからです。

外国で生まれた人々が移住してきてアメリカ国民になり、アメリカという国を作りあげてきたのです。

アメリカが受け入れた移民の数は、これまでに合計五〇〇〇万人を超えます。いまも年間七〇万人近くを受け入れてきているのです。

しかし、そこにはさまざまなドラマがありました。移民によって、アメリカの文化の多様性も生まれました。アメリカという国を理解する上で、移民のことは欠かせません。アメリカの移民の歴史をみることにしましょう。

★移民が国を作った

ニューヨーク港に立つ自由の女神。ヨーロッパからアメリカにやってきた移民たちは、まずは、この女神の歓迎を受けます。

The New Colossus

by Emma Lazarus

Not like the brazen giant of Greek fame,
With conquering limbs astride from land to land;
Here at our sea-washed, sunset gates shall stand
A mighty woman with a torch,
whose flame Is the imprisoned lightning,
and her name Mother of Exiles.
From her beacon-hand
Glows world-wide welcome;
her mild eyes command
The air-bridged harbor that twin cities frame.
“Keep, ancient lands, your storied pomp!”
cries she With silent lips.
“Give me your tired, your poor,
Your huddled masses yearning to breathe free,
The wretched refuse of your teeming shore.
Send these, the homeless, tempest-tost to me,
I lift my lamp beside the golden door!”

「自由の女神像」に刻まれたエマ・ラザルスの詩（原文）

移民の国、アメリカのシンボル、「自由の女神」（左ページ写真）

コラム
移民とは？

最初に新大陸アメリカにやってきた人々は植民者でした。やがてイギリスとの独立戦争に勝ってアメリカ合衆国が成立して以降、アメリカに移り住んで来た人たちが「移民」と呼ばれます。

自由の女神像はフランスからアメリカに贈られ、一八八六年、現在の場所に設置されました。女神像の台座には、ユダヤ系アメリカ人の女流詩人エマ・ラザルスによる一節が刻まれています。その一部を紹介しましょう。

「私に与えなさい、
自由に生きたいと請い願う、
貴国の疲れた人々、貧しい人々の群れを、
人間が溢れんばかりの貴国ではくずともみなされる、惨めな人々を。
家もなく、嵐に弄ばれる、これらの人々を、私のもとに送りなさい。
黄金の扉のかたわらに、私は灯をかかげましょう」
（明石紀雄・飯野正子『エスニック・アメリカ』より）

故国では惨めな暮らしをし、「自由の国アメリカ」を目ざしてきた移民たちを、こうして自由の女神は迎えました。しかし、台座の言葉とは裏腹に、アメリカは移民すべてを大歓迎したわけでもなかったのです。

アメリカを建国したのがイギリスからの植民者たちであったように、当初はイギリスからの移民が圧倒的でした。しかし、まもなくヨーロッパ各国からの移民がやってくるようになります。

最初の移民の波は一八四〇年から六〇年にかけてです。ヨーロッパ全土に及ぶ天候不順による飢饉、政治の混乱から、毎年一〇〇万人が祖国を捨て、新天地アメリカをめざしました。

「新移民」の波が押し寄せた

大量の移民の大西洋越えを可能にしたのは、一八五〇年代に大西洋航路に就航した蒸気船でした。それまでの帆船に比べてはるかに早く、安く大量の人員を運べるようになって、貧しい移民たちも運賃を払えるようになりました。

まずは、アイルランドからの移民の波が押し寄せました。第三章でも触れたように、当時のアイルランドで主食のジャガイモが病害のためにほぼ全滅し、大飢饉が発生したためです。一八二〇年から一九〇〇年までの八〇年間に、実に四〇〇万人がアメリカに渡ったといわれています。現在のアメリカのアイルランド系住民は四〇〇〇万人で、アイルランド本国の人口の一〇倍以上に達しています。

貧しいアイルランド移民は、教育もなく、工業労働者としての技術も持っていなかったため、アメリカ産業社会の底辺に入り込み、都市にスラムを形成しました。

アイルランド人はカトリック教徒だったため、プロテスタント主流のアメリカでは差別と迫害を受けたのです。

それでも、真面目で団結心の強いアイルランド系は、ゆっくりと社会の階層の階段を上り、やがてニューヨーク市の警察官や消防士の多数を占めるようになりました。その傾向はいまも変わりません。

一九九七年に公開されたハリウッド映画『デビル』は、ハリソン・フォード演じるニューヨーク市警の警察官の家に、祖先の地アイルランドからやってきた青年（ブラッド・ピット）が同居するという設定です。その青年が、実はテロリストだった……というストーリーですが、これも「ニューヨーク市警にはアイルランド系が多い」というアメリカ人の常識があればこそ、ごく自然な設定になっているのです。

一八四八年から九年にかけては、ドイツでの革命の失敗から、大勢のドイツ人が祖国を逃げ出し、アメリカにやってきました。

一八八〇年代になると、東ヨーロッパでのユダヤ人迫害を逃れようと、ユダヤ人が大挙してアメリカに渡ります。その後の四五年間で二〇〇万人のユダヤ人がアメリカに移住しました。現在のアメリカ国内のユダヤ人は五〇〇万人を超えています。

やがて、アメリカへの移住を目ざす人々の出身国は、北西ヨーロッパから南ヨーロッパ、東ヨーロッパ、ロシアへと広がります。

この人たちは、それまでの北西ヨーロッパ出身の移民とはまったく異なる文化を持っていたため、「新移民」と呼ばれます。

とりわけイタリアからは、一八八〇年からの四〇年間に四〇〇万人の移民が入国しました。イタリア人が集まったコミュニティが形成され、そこには本国からやってきたマフィアの集団も成長したのです。

世界各地からの移民は、それぞれの文化も一緒に持ち込み、アメリカを多様な国にしました。ロシアからの移民は、厳冬にも耐えられる品種の小麦を持ち込み、サウスダコタ、ノースダコタの両州を世界有数の小麦産地に仕立てあげました。

スイスからの移民は、ウィスコンシン州に乳業を発展させました。

フランスからの移民は、カリフォルニアでワイン用のぶどうの栽培を始め、カリフォルニアを、世界でも有数のワイン産地に育てました。

★新移民は社会の最下層に位置した

アメリカは、新しい移民の波が押し寄せるたびに、社会階層が大きく変動しました。

当初、アメリカ合衆国を建国したのは、WASP（ワスプ）と呼ばれる人々です。White Anglo-Saxon Protestantの頭文字を並べたもので、アングロサクソン系の白人のプロテスタントを意味します。この人たちが、アメリカの指導層を占めます。

そこに、ヨーロッパ各地から移民がやってきます。アイルランド人は英語を話しますが、カトリック教徒であることを理由にして差別されます。それでも次第にアメリカ国内に地歩を築くようになると、その後には、英語を話せない地域から、何の技術も持っていない人々がやってきます。この移民たちは、まずはアメリカ国内の最下層に位置します。スラム街にまとまって住み、互いに助け合いながら、低賃金の肉体労働に甘んじるしかありません。

しかし、やがて英語を話せるようになり、

子どもたちに教育を受けさせることができるようになると、子ども世代は、ゆっくりとアメリカ社会の階層を登り始めます。

そこに、また別の移民たちが入ってくると、それまでの移民より下の階層に入って、一から生活を築いていきます。自分たちより下の階層が生まれたことで、これまでの移民たちは、一段高い階層に上昇します。この繰り返しが続いてきたのです。

ニューヨークの黒人街として知られるハーレムの移り変わりについて、黒人解放運動の指導者だったマルコムXは、こう書いています(マルコムXについては、次の章で)。移民の順番に関しては、これまでの本文とは異なっていますが、これはハーレムという地域での話です。

「ハーレムは最初、オランダの居留地だったということを私は知った。それから、貧しく、なかば飢え、ぼろ着のヨーロッパからの移民がどっと何度も押し寄せてくるようになった。彼らはこの世で所有している一切合切(いっさいがっさい)をバッグや袋につめこんだり、背中にしょってやってきた。まずドイツ人がやってきた。するとオランダ人がそれを嫌がってしだいにいなくなり、ハーレムはドイツ一色になった。

それからアイルランド人がきた。ジャガイモの飢饉から逃げ出して来たのだ。ドイツ人はアイルランド人を軽蔑して逃げてしまい、アイルランド人がハーレムを受け継いだ。次はイタリア人だった。同じことが起こり、アイルランド人は彼らから逃げ出した。ユダヤ人が船のタラップから降りてきたときは、ハーレムはイタリア人のものだったが、やがてイタリア人も去っていった。

今では、これらすべての移民の子孫たちは、移民船の荷おろしを手伝った黒人の子孫たちからなんとしてでも逃げようとしている」（マルコムX著、濱本武雄訳『完訳マルコムX自伝（上）』）

最下層に入った人々は、同じ民族同士、団結して助け合い、自らのコミュニティを形成しました。各地に出身国別のエスニック・コミュニティが生まれたのです。

★アメリカは「自由放任」だった

この移民の波に対して、アメリカ政府は「自由放任」で応じました。要するに、移民の誘致も抑制もしなかったのです。当初は、とにかくアメリカにやってくればアメリカ人になれたのですが、一八〇二年になってようやく「帰化法」が整備され、アメリカに帰化する、つまりアメリカ国民になれる条件が明示されました。次の二点です。

①アメリカに五年以上住み、帰化を申請する州に一年以上住んでいること。

②合衆国憲法を支持し、出身国への忠誠の放棄を宣言すること。

この二つの条件で、アメリカ国民になれたのです。実に簡明な条件でした。こうして、アメリカへの移民の波は、新しいアメリカ国民を次々に生み出していったのです。

★エリス島がゲートになった

一九世紀末にはアメリカへの移民があまりに増えたため、アメリカ政府は一八九二年、ニューヨーク湾内のエリス島に、移民を審査する入国管理事務所を設置しました。一九五四年に廃止されるまで、ここから一二〇〇万人の移民がアメリカに上陸したのです。

エリス島に上陸した人々は、まずは医師の健康診断を受けます。診断の結果、トラコーマや皮膚病など伝染性の病気と診断されると、本土への上陸を拒否され、追い返されてしまいました。

健康診断をパスすると、次は入国審査官のチェックです。出身国や名前、職業などを聞かれますが、審査官の中には、発音がむずかしい外国人の名前を勝手にアメリカ風に変えてしまう者もいて、アメリカに来て名前が変わってしまったという人たちも多いのです。また、ヨーロッパでのユダヤ人差別から逃げてきた人の中には、ユダヤ人風の名前を変えてしまう人たちもいました。

このエリス島は、いまでは観光名所として整備され、自分たちの祖先の入国記録を見ようと訪れるアメリカ人の姿も見られます。

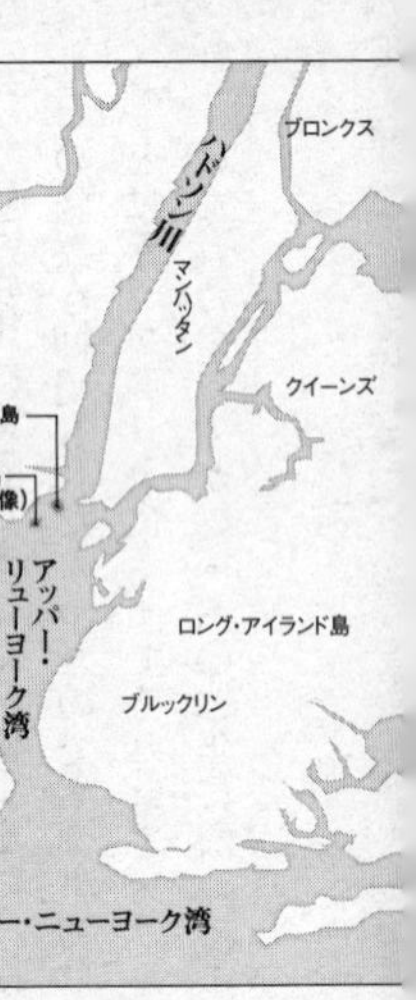

エリス島とリバティ島の位置

★ネイティブ・アメリカンを弾圧してきた

しかし、大勢の移民が入ってくる一方で、もともと住んでいた先住民（ネイティブ・アメリカン）は、次々に大陸の奥地へと追いやられていきました。

エリス島の「連邦移民局」(現在は移民博物館)

夢を抱き、世界の国々から移住してきた人々

コラム

ネイティブ・アメリカン

インドを目ざして出発したコロンブスは、アメリカ大陸をインドだと思い込み、そこに住んでいた人たちを「インディアン」（インド人）と呼びました。ここからアメリカ先住民のことも「インディアン」と呼ぶようになったのですが、現在は、「先住アメリカ人」という意味の「ネイティブ・アメリカン」と呼びます。

ヨーロッパからの植民者がやってくる前に、北米大陸には約一〇〇〇万人の先住民が住んでいたと推定されています。先住民の部族は、主なものだけでも一〇〇はありました。

アメリカ合衆国政府は、ネイティブ・アメリカンの諸部族をそれぞれ国家とみなし、無理やり外交条約を結び、土地を開拓していきます。

さらに土地が必要になると、ネイティブ・アメリカンを追い出し、「居留地」に押し込みました。土地はやせて農耕には適さない（つまり植民者が欲しがらない）地域ばかりでした。

現在もアメリカには約二五〇もの居留地が存在しています。辺鄙（へんぴ）な場所にあり、土地もやせているので、居留地の失業率は高く、生活水準は低いままです。

アメリカ政府は、こうした先住民に対して、特例としてカジノ経営を認めていて、アメリカ各地にネイティブ・アメリカン経営のカジノがあります。

また、自らアメリカにやって来た移民とは異なり、自らの意思に反して、大勢のアフリカの人々が、奴隷として連れてこられました。黒人奴隷です。一六一九年から合計で五〇万

居留地のアメリカ先住民たち。
写真は、テキサス州で暮す「キカプー族」の人々

人にも上ります。黒人の差別の歴史については、次の章で取り上げます。

★移民を制限する動きが始まった

新移民が大量に流入するようになると、アメリカ社会に摩擦が広がるようになります。以前の移民たちが、やっと落ち着く場所と仕事を見つけ、安定した生活を送り始めたところに、貧しい新移民たちがどっと入ってきます。この新移民労働者たちは、低賃金も厭(いと)わず働くため、それまで働いていた人たちの給料が引き下げられてしまうことも起こります。まったく異なる文化を持った集団が近くに住み着くことで、異文化間の衝突も発生します。

こうなると、古くからの移民たちが、新移民を排斥(はいせき)するようになります。社会的上昇を果たした旧移民たちが、新しい移民たちを排斥するという構造が出現するのです。

新移民排斥の最初の標的になったのは、中国人でした。一八八二年、連邦議会は「中国人排斥法」を成立させ、中国人移民の入国が一切禁止されたのです。

初期の中国からの移民は、ゴールドラッシュの時代にカリフォルニアにやってきた金の採掘者たちでした。一八五〇年代には四万人もの中国人が太平洋を渡ってアメリカに入国しました。彼らの多くは、その後、大陸横断鉄道の建設に雇われます。建設労働者一万人のうちの九割が中国人でした。

一八六九年、大陸横断鉄道が完成すると、中国人労働者は失業しますが、そのほとんどは、そのままアメリカに定住しました。農場の日雇い労働者や、都市の下層労働者になったのです。

特に農場労働者たちは、低賃金でも働いたため、白人の農場労働者たちが激しく反発し、人種差別意識もあって、中国人排斥の動きは広がります。連邦議会は、中国人に的を絞って、アメリカ入国を禁止する法律を制定したのです。

新しく移民することは禁止されたものの、それまでにアメリカに入国して定住していた中国人たちは、差別と排斥の動きの中で、自衛のために寄り集まって生活するようになり、各地に「チャイナ・タウン」が形成されました。

★中国人移民に代わって日本人が

中国人の移民が禁止されると、代わって日

本人の移民が急増することになります。

西海岸の農場経営者は、中国人が入ってこなくなると、日本人労働者に目を向けました。一八九〇年にアメリカに二〇〇〇人しかいなかった日本人は、一九二四年には本土に一八万人、ハワイに二〇万人にもなりました。

この日本人の多くは、当初は移民というよりは、出稼ぎ目的でした。豊かなアメリカで稼いで故郷に錦を飾ろうという若者たちが渡米したのです。つらい農作業でも熱心に働いたため、農家として成功する人たちが続出しました。

こうなると、アメリカでは今度は日本人に対する反発も強まり、一九〇七年と翌八年に、「日米紳士協約」が結ばれました。日米政府間の話合いで、日本側が移民を送り出すのを自粛(じしゅく)することになったのです。

しかし、すでにアメリカに住んでいる日本人移民と結婚する日本人女性たちは、その後もアメリカ入国が認められました。この女性たちは、アメリカから送られてきた日本人男性の写真だけを見て結婚を決め、アメリカに渡りました。「写真花嫁」です。

いまではとても考えられないことですが、当時の日本では、国内でも写真だけで婚約を決め、結婚式で初めて本人に会うという例がありました。アメリカに渡った男性たちが結婚できないでいることを心配した故郷の家族や親戚が、知り合いを通じて女性を探し、婚約させたのです。

アメリカに着いて実物を見たところ、事前に日本に送られてきた写真とは似ても似つかぬ人物だったためショックを受けたという女性もいたといいます。

★移民を「割当制」にした

一九二〇年、アメリカの人口が一億人を超えると、アメリカの移民制限が強化されます。

一九二一年、連邦議会が「緊急移民割当法（暫定移民法）」を制定し、一九二四年、その内容をさらに強化しました。移民として受け入れる人数を国別に定めたのです。一八九〇年の国勢調査の数字をもとに、外国生まれの人口を国別に分け、その人口の二%に相当する人数を、その国からの年間の移民許可数としました。

この計算の結果、移民許可数が一〇〇人以下となった国に関しては、最小限度数として一〇〇人が認められました。移民許可数の合計は一六万五〇〇〇人と制限されます。

いわゆる「新移民」が増えたのは一八九〇年の国勢調査より後のことです。そこで、移民許可数の基準となる年を一八九〇年と定めることで、「新移民」の数を制限することが目的でした。

中国人ばかりでなく、世界各地からやってくる貧しい移民たちを、極力受け入れないようにしたのです。「移民の国」アメリカを自己否定するような動きでした。それだけ社会的な摩擦が大きくなっていたのです。

★日本人も排斥された

一九二四年に制定された「割当法」は、「排日移民法」と呼ばれることもあります。日本人の移民を認めない内容だったからです。

この法律の条文に、日本人移民を禁止する文言が入っていたわけではありません。しか

アイダホの収容所から我が家に戻った日系人の一家。
「ジャップは出ていけ!」というペンキ文字が……(1945年5月)

し、「帰化不能外国人の入国を禁ずる」という条項がありました。「帰化不能外国人」とは、アメリカ人になれない外国人という意味です。日本人は、この「帰化不能外国人」に含まれるので、実質的に日本人は入国できないことになりました。

「帰化不能外国人」とは、何か。一九〇六年に成立した新帰化法では、アメリカへの帰化、つまりアメリカ人になれるのは、「白人およびアフリカ人ならびにその子孫」と規定されていました。

アジア系は、白人でもアフリカ人でもないので、アメリカ人にはなれない、というわけです。中国人は既に入国禁止になっていますから、この条項でいう「帰化不能外国人」とは、要するに日本人のことでした。そこで、日本人が名指しされているわけではないけれど、実質的に日本人移民を排除することが目的でもあったので、「排日移民法」とも呼ばれるのです。

なお、中国からの移民に関しては、一九四三年に、移民を禁止する法律が廃止され、移民が認められるようになりました。第二次世界大戦で、中国（中華民国）がアメリカの同盟国となったからでした。

★日系人は強制収容所に入れられた

日本人の移民は認められなくなっても、それまでにアメリカに住み着いた日本人がいました。また、これらの日本人から生まれた子孫は、アメリカ国民になれました。「帰化不能外国人」とは、新たにアメリカにやってきても帰化できないという意味であって、アメリカで生まれた子どもは自動的にアメリカ国籍が取得できる制度になっているからです。

しかし、こうした日系アメリカ人たちは、一九四一年に太平洋戦争が始まると共に、つらい立場に追い込まれます。親たちの祖国である日本と、自分たちの祖国であるアメリカが戦争をしたのですから。「二つの祖国」の間で苦悩することになったのです。

日本軍による真珠湾攻撃が行われると、日本国籍を持つ者もアメリカ国籍を持つ者も、全部まとめて「敵性外国人」に分類され、人里離れた場所に建設された「キャンプ」（強制収容所）に収容されました。日本人の預金は凍結されました。

日系人が強制収容される根拠になったのは、一九四二年二月一九日に出された大統領行政命令第九〇六六号です。

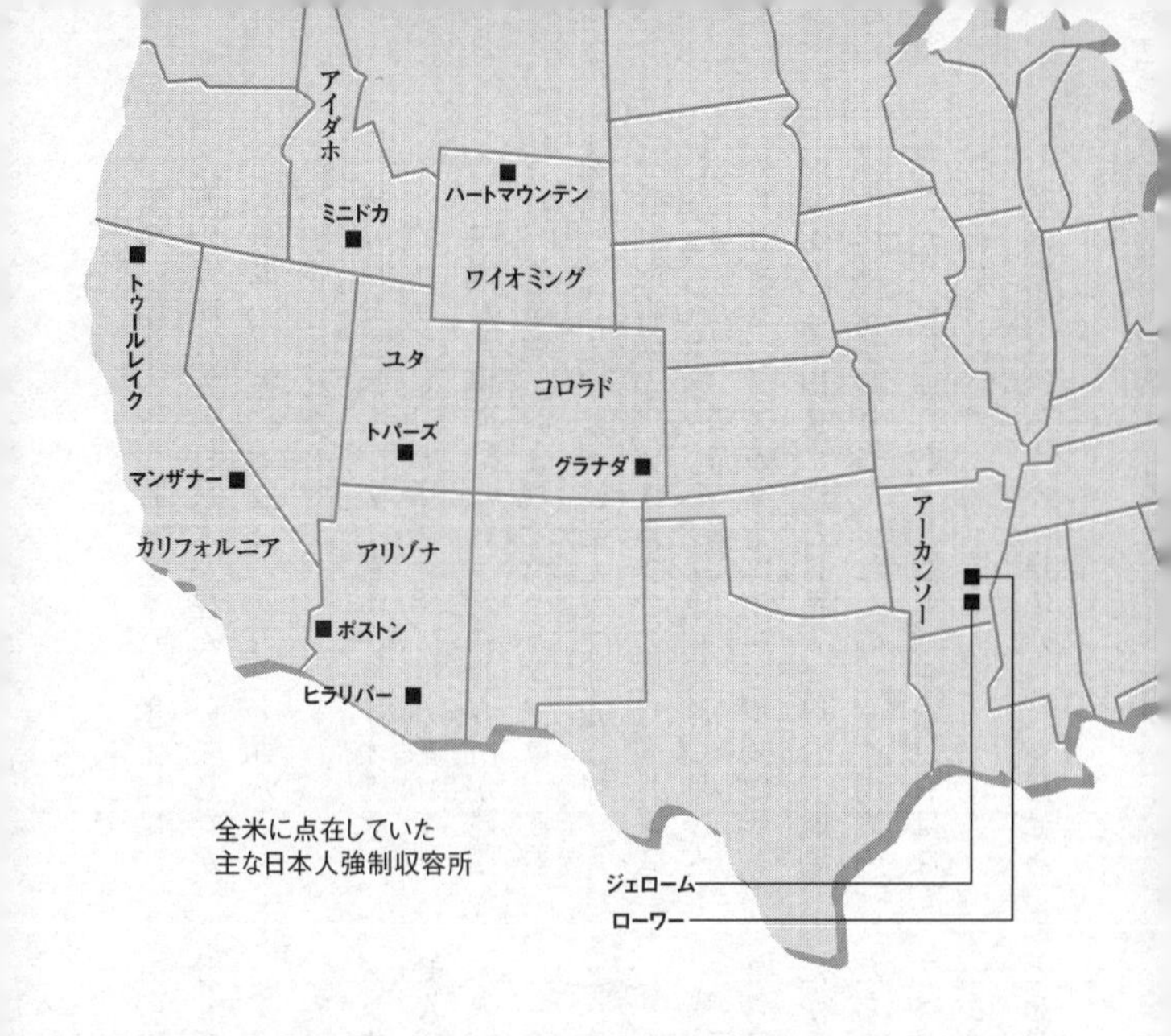

全米に点在していた
主な日本人強制収容所

強制収容所の鉄条網と、日系人の少年たち

戦争が始まった当時、アメリカ本土には一二万六九四八人の日系人が住んでいましたが、このうち約九割にも及ぶ一一万三七九八人もが強制収容されたのです。

カリフォルニア、アイダホ、ワイオミング、ユタ、コロラド、アリゾナ、アーカンソー州の人里離れた場所計一五ヵ所に収容所が建設され、鉄条網に囲まれたバラックでは、武器を持った兵士が監視に当たりました。

強制収容所が完成するまでの間は、日系人たちは、いったん近くの臨時集合所に押し込められました。このうちロサンゼルスやサンフランシスコ周辺に住む日系人の場合、競馬場の馬小屋が割り当てられたのです。馬糞の臭いが漂う小屋に数ヵ月間も住まなければなりませんでした。

強制収容される人々が自宅から持ち出せるものは、手に持てる物だけで、家財道具は処分して家を離れなければなりませんでした。

アメリカは、ドイツ、イタリアとも戦争をしていましたが、ドイツ系やイタリア系のアメリカ人がまとめて収容されることはありませんでした。日系人の強制収容には、明らかに人種差別が背景にあったのです。

★「アメリカ人」を証明するために戦った

戦争が始まる前に軍隊に入っていた日系人たちは、除隊させられます。「敵性外国人」だからです。徴兵年齢に達した日系人の若者たちも徴兵されることはありませんでしたが、アメリカ生まれでアメリカ国籍を持つ若者たちは、「自分たちはアメリカ国民である」ことを身をもって示そうと、次々に軍に志願し

米軍兵として欧州に送られた日系「第四四二部隊」

ます。

その結果、日系人ばかりによる第一〇〇歩兵大隊と、第四四二部隊が結成されました。彼らは、ヨーロッパ戦線に送られます。日本人の顔をしている兵士を太平洋戦線に送り込むと、敵味方の区別がつかなくなることや、日本を敵に回して戦えるかどうか疑われたからです。

それでも、日本語の通訳を担当する兵士たちは、太平洋戦線に派遣され、日本兵の捕虜の訊問（じんもん）や、日本兵が残した日記や作戦計画書の分析に当たりました。

ヨーロッパ戦線で戦った日系人部隊は、「Go for Broke」（当たって砕けろ）を合言葉に、勇猛果敢に戦いました。自分たちの名誉がかかっていたからです。

しかし、一九四三年、イタリア戦線で戦い

続け、ローマまで進撃した日系人部隊の第一〇〇大隊は、ローマ市内を目前にして、突然待機命令を受けました。

どうしたのかと兵士たちがいぶかっていると、別の白人の部隊が、ローマ市内に入り、「ローマ解放」の凱旋(がいせん)行進を行ったという連絡が入るではありませんか。

実際にイタリアでドイツ軍と戦い、ローマまで進撃したのは日系人部隊だったのに、勝利の栄誉は、白人部隊に与えられたのです。これが日系人差別の現実でした。

★白人兵部隊の救出に駆り出された

あまりに勇敢な戦いぶりから、日系人部隊は大きな被害を出し、遂には別々の部隊としては存立できなくなり、第一〇〇歩兵大隊と第四四二部隊は合流して再編成され、第四四二連隊となりました。

第四四二連隊は、「アメリカ史上最も多くの勲章を受けた部隊」になります。

この第四四二連隊に対して、一九四四年一〇月二六日、フランスのボージュの森で、突然命令が下ります。ドイツ軍部隊に包囲されたテキサス第一四一連隊第一大隊を救出するように、というものでした。二〇七人の白人兵を救出しろという命令でした。

駆けつけた日系人部隊は、ドイツ軍の激しい反撃を受けます。一進一退の激戦を繰り広げた結果、第四四二連隊は、二〇七人全員を無事救出しました。

しかし、その代償は、日系米兵八〇〇人の死傷者でした。二〇七人の白人を救うために、八〇〇人の日系人が死傷したのです。

白人と日系人の命の重さの違いを痛感させられる扱いでした。

しかし、これ以来、日系人部隊の戦いぶりは、アメリカ本国でも大きく報道され、日系人に対するアメリカ国民の見る目を大きく変えるきっかけとなりました。日系人たちは、自らの血で贖って、アメリカ国民であることの証を立てたのです。

★四六年後に謝罪が行われた

日系人が強制収容所に入れられたことに対して、戦後、日系人の間から、アメリカ政府に謝罪と補償を求める運動が起こります。その要求が実ったのは、実に強制収容が行われてから四六年後のことでした。

一九八八年、ロナルド・レーガン大統領は、強制立退き・収容を経験した日系アメリカ人に謝罪し、補償をする法案に署名しました。生存している日系アメリカ人全員に二万ドルの補償金が支払われたのです。

これを遅すぎたと見るのか、アメリカ政府が自らの誤りを認めた潔さを評価するのか。いずれにせよ、アメリカに暮らす日系人の名誉回復が行われたことは確かでした。

二〇〇〇年の国勢調査で、日系アメリカ人

コラム

自分の身を犠牲にした

日系人部隊の戦いは、さまざまなドラマも生みました。

1945年4月、イタリア戦線で戦っていたサダオ・ムネモリ上等兵の部隊に、ドイツ軍兵士から投げつけられた手榴弾が飛んできます。

「爆発すれば仲間が死んでしまう」と考えたムネモリ上等兵は、とっさに自分の体を手榴弾の上に投げ出し、自らを犠牲にして仲間の命を救いました。

の数は七九万六七〇〇人。多くの日系人が、アメリカ各地で活躍し、要職を占めるようになっています。

第四四二連隊で戦い、右腕を失ったダニエル・イノウエは、その後、上院議員になりました。

アメリカの九・一一テロ事件の直後、全米中の航空機の飛行を禁止するなど、水際立った行政手腕を見せたミネタ運輸長官も、日系人です。

イラク戦争開戦時に陸軍参謀総長だったエリック・シンセキも日系人です。イラク戦争を目前にして、少ない軍勢でイラクを攻撃しようと計画していたラムズフェルド国防長官に対して、シンセキ参謀総長は、「もしイラクを攻撃するのであれば、戦後のイラクを安定化させるためには五〇万人の兵士が必要だ」と主張したため、参謀総長を辞めさせられました。その後のイラクの混乱を見れば、シンセキの判断が的確だったことがわかります。

シンセキはその後、オバマ政権のもとで退役軍人長官（閣僚）に任命されました。

★アメリカ、門戸開放へ

第二次世界大戦後、アメリカは、再び移民を受け入れるようになります。その背景には、黒人差別撤廃の運動の盛り上がりがありました。この動きを受けて、少数民族への差別もなくしていこうと、アメリカ政府の政策が変わり始めたのです。移民受け入れの国別割り当てが続く限り、少数民族はいつまでたっても少数にとどまり、アメリカ国内で差別の対象になってしまいがちです。差別をなくすためにも、多様な人種・民族を受け入れていこうということになったのです。これを推進したのが、民主党のジョンソン大統領でした。差別撤廃を求める運動（公民権運動）については、次の章で取り上げます。

一九六五年には、出身国別割当制度がなくなり、アメリカは移民ビザを申請順に発行するようになりました。これを決めた大統領の名前をとって、「ジョンソン移民法」と呼ばれます。

ただし、年間に受け入れる移民の数は、東半球（ヨーロッパ、アジア、アフリカ）から一七万人、西半球（南北アメリカ）から一二万人という上限を定めました。一国の上限は二万人でした。

ジョンソン大統領は、自由の女神像が立つリバティ島で、新しい移民法に署名し、こう声明しました。

「この偉大な女性の掲げる灯は、今日いっそう明るく、彼女が守る黄金の扉は、世界中の国々からの人々のために増した自由の光のなかでいっそう輝いている、とわれわれは信じることができるのです」（明石紀雄・飯野正子『エスニック・アメリカ』）

★白人の比率が減っていく

新しい移民法で門戸開放をした結果起きたことは、極めて多様な人種・民族の流入でした。

アメリカに住む移民の出身国上位五ヵ国は、一九六〇年と二〇〇〇年では、表のように変化しています。

とりわけメキシコ、キューバのように、ヒ

1960年
移民出身国の上位5ヵ国

	人数（人）
イタリア	1,257,000
ドイツ	990,000
カナダ	953,000
イギリス	833,000
ポーランド	748,000

2000年
移民出身国の上位5ヵ国

	人数（人）
メキシコ	7,841,000
中国	1,391,000
フィリピン	1,222,000
インド	1,007,000
キューバ	952,000

移民出身国の移り変わり

スパニックと呼ばれるスペイン語を母語とする人々が急激に増加しています。

正規の移民として入ってくる以外に、不法入国者も多数含まれています。メキシコ系の人々は、メキシコに近いアメリカ南部のカリフォルニアやテキサス、ニューメキシコなどに多く住んでいます。

また、キューバ出身者の多くは、移民ではなく、難民として入国しています。キューバの対岸にあたるフロリダ州にコミュニティができています。

さらに、プエルトリコ出身者は、ニューヨークに多く住んでいます。プエルトリコ島は中米に位置しますが、米西戦争（アメリカ・スペイン戦争）の結果、アメリカの領土となり、住民は一九一七年にアメリカ国籍を与えられています。このため移民の扱いにはなりませんが、職を求めてニューヨークに流入するようになっています。

アメリカのニューヨークでもカリフォルニ

アでも、街角にはスペイン語が氾濫していま す。スペイン語圏出身者は、今日では二七〇〇万人に達しています。

ヒスパニックの人々の多くはカトリックで、避妊が認められていないこともあって出生率が高く、これが人口増大の原因となっています。このままだと、二〇一〇年にはヒスパニック人口が六八〇〇万人に達し、黒人人口を追い抜いて、白人に次ぐ多数派になる見通しです。

二〇〇二年の白人の出生率は一・八なのに対して、黒人は二・一、ヒスパニックは三・〇です。

このため、雑誌『タイム』は、二〇五六年に白人は総人口の半分を割ると予測しています。白人によって建国された国アメリカは、二一世紀なかばに、白人が少数派になるのです。

スペイン語の看板が並ぶ
ロサンゼルスの市街

★ヒスパニック増大で新たな摩擦も

新たな移民が入ってくるたびに社会的な摩擦が起きてきたアメリカ。現在では、増大するヒスパニック人口が、摩擦を生んでいます。

とりわけメキシコ系ヒスパニックは、アメリカ南部に集中して住み、しっかりとしたコミュニティを形成しています。特にカリフォルニア州などは、もともとメキシコのものだったのを、アメリカが戦争で自国の領土にしたところです。この「先祖の土地」に、メキシコ系ヒスパニックが大挙して住み着き、独自の世界を作りあげています。

さらにメキシコ系ヒスパニックに関しては、不法入国者が多いという特徴もあります。アメリカとメキシコの間には、全長三二〇〇キロにもわたる陸続きの国境線があります。簡単にアメリカに入国できてしまうのです。貧しくて仕事のないメキシコの人たちは、「歩いて入れる」アメリカに仕事を求めてやって来ます。アメリカに入ってしまえば、すでに住み着いている知人や親戚を頼れるというわけです。

アメリカに不法入国したメキシコ人のことを「ウエット・バック」(濡れた背中)と呼ぶことがあります。アメリカとの国境を流れるリオ・グランデ川を泳いで渡ってきた人のことでした。しかし、いまでは川を渡らなくても、車で不法入国させる「商売」まで生まれ、アメリカの国境警備員の目を盗んで、大量の不法入国者が流入し続けています。

コラム

母国語と母語

ヒスパニックの人々の母語はスペイン語ですが、これを「母国語」と表現すると、問題が起こります。「母国語」とは生まれた国の言葉のことを指すので、アメリカ国内で生まれた人の場合は、本来の母国語は英語のはずだからです。そこで、「生まれたときに最初に身につけた言葉」という意味で「母語」と表現するのです。

たとえば日本で生まれ育った在日韓国・朝鮮人の場合も、母語は韓国語や朝鮮語ですが、最初に話せるようになった言葉が日本語なら、母国語は日本語ということになります。

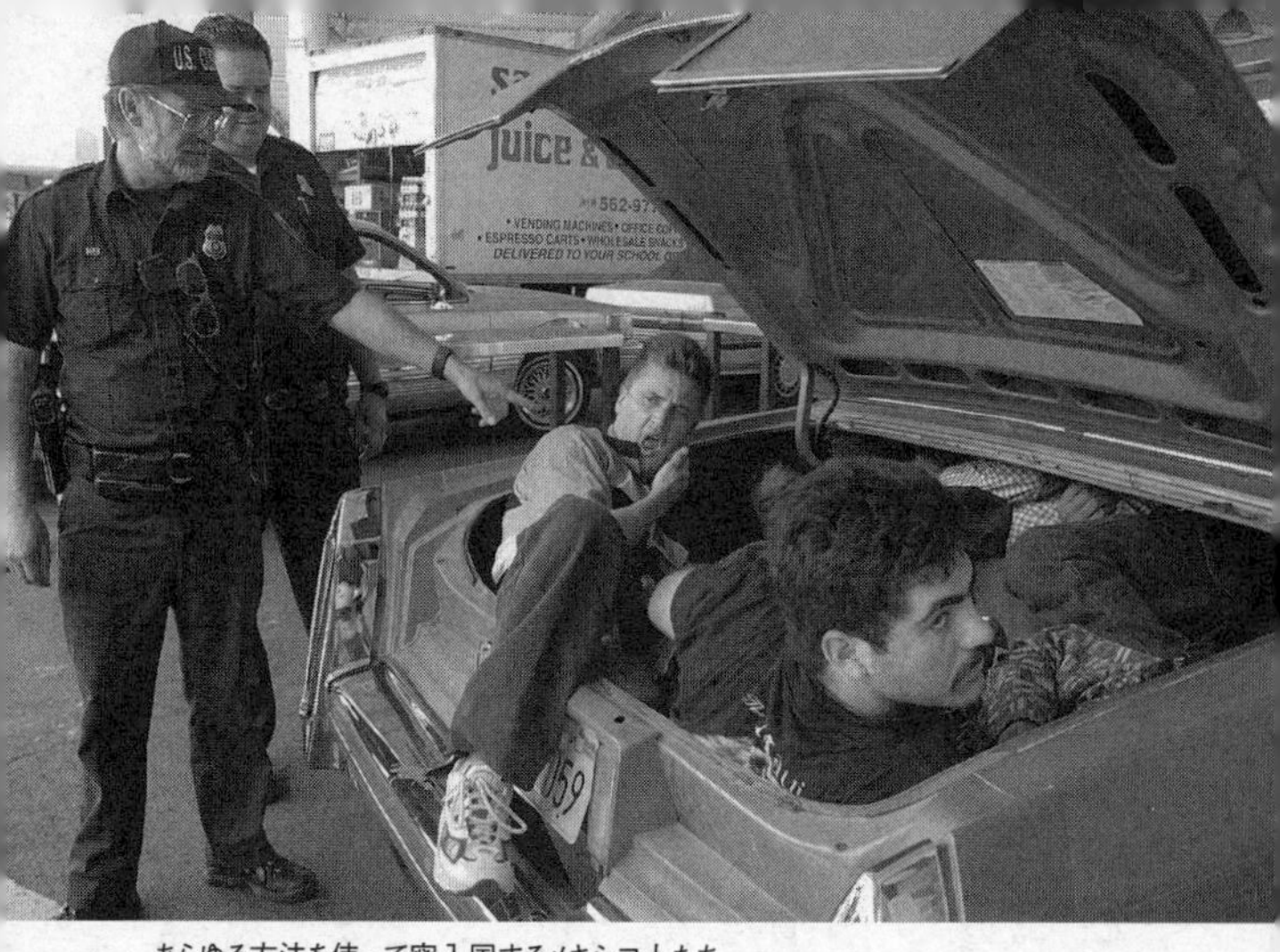

あらゆる方法を使って密入国するメキシコ人たち

アメリカ移民・帰化局の推定では、現在アメリカには約五〇〇万人の外国人が不法滞在していて、さらに毎年二七万五〇〇〇人の割合で増えているといいます。

これらのコミュニティではスペイン語ですべてが事足りるため、英語を話せない人々や、そもそも英語を学ぼうとしない人々が増大しています。

この状況に危機感を抱いたハーバード大学のサミュエル・ハンチントン教授は、こう述べています。

「かつての移民とは異なり、いまの移民の多くは二重の忠誠心と二重国籍を保ちつづける、いわばかけもち状態にある。大量のヒスパニック系の流入は、アメリカの言語および文化的な統一に疑問を投げかけた」

こう書いた上で、さらにこう主張します。

「過去三世紀半にわたってあらゆる人種、民族、宗教のアメリカ人によって受け入れられてきたアングロ－プロテスタントの文化と伝統および価値観に、アメリカ人はもう一度立ち返るべきなのだ」（サミュエル・ハンチントン著、鈴木主税訳『分断されるアメリカ』）

ここには、アメリカの新たな亀裂に対する強烈な危機感がうかがえます。これまでアメリカに入ってきた移民たちは、当初はアメリカ社会に溶け込むことに苦労したが、やがては自らの努力によって、「アメリカの一員」になってきた。ヒスパニックはその努力をしていない、という叫びなのです。

多くの移民を受け入れることで発展してきたアメリカ。しかし、新たな移民が入るたびにさまざまな摩擦が生まれたアメリカ。そのアメリカは、再び新たな移民問題を抱えているのです。

★「人種のるつぼ」から「サラダ・ボウル」へ

移民はさまざまな社会的摩擦を引き起こしますが、その移民たちによって、アメリカには多彩な文化が花開きました。世界中から集まったさまざまな移民たちが織り成す文化を見て、二〇世紀初頭のアメリカでは、この様子を「メルティング・ポット」（るつぼ）と見る考え方が広がりました。

「るつぼ」とは、金属を溶かすのに使う容器のことです。さまざまな金属が一緒に溶け合います。アメリカという国家を、その「るつぼ」にたとえ、さまざまな金属＝人種・民族が溶け合う場だと考えたのです。

しかし、人種・民族の違いによる社会的な

人種の「るつぼ」から、近年は「サラダ・ボウル」と呼ばれるようになったアメリカ

摩擦が発生することで、「メルティング・ポット」は幻想ではないか、という声が高まります。それぞれの金属が自己を主張して、溶け合わない、というわけです。

そこで現在では、「サラダ・ボウル」という表現が使われるようになりました。サラダは、キュウリやトマト、レタスなど、サラダを構成する野菜が、それぞれ自らの姿・味を失うことなく自己を主張しながら、それでも全体としてはサラダになっています。こういうサラダを入れる容器である「サラダ・ボウル」こそが、アメリカの姿である、という考え方です。

アメリカは磁力を持っている

移民はアメリカ社会でさまざまな摩擦を引

き起こしますが、それでも世界中からアメリカに移民がやってきます。アメリカは、いまも世界の多くの人にとって、魅力的な存在なのです。

豊かさ、自由を求めて、世界中から人々がアメリカにやってきました。祖国で貧しくて生活できない人、民族・宗教が理由で迫害された人々、政治的な理由で弾圧された人々が、「唯一の光」としてのアメリカをめざしてきたのです。

最初はヨーロッパから。やがて自らの意思に反する形で奴隷としてアフリカの人々。そして、アジア、中南米。最近は中東からの移民も増えています。ヒスパニックばかりでなく、イスラム教徒である中東からの移民は、キリスト教社会であるアメリカに、また別の形の摩擦を引き起こしつつあります。

それでも、アメリカをめざす人々がいます。アメリカは、いまも世界の人々を引き寄せる磁力を持っているのです。

この章のまとめ

世界中からやってきた移民によって作られた国アメリカ。多様な文化は、移民たちによって形成された。

しかし、「先に来た移民が後から来た移民を差別する」という構造が続き、移民を制限した歴史もあった。

第七章 アメリカは差別と戦ってきた

★四一年たって ようやく有罪判決

二〇〇五年六月二三日、アメリカ・ミシシッピー州の裁判所で、エドガー・キレンという八〇歳の男性が、殺人の罪で有罪判決を受けました。殺人事件発生からちょうど四一年後のことでした。

事件は、一九六四年六月、アメリカ南部での黒人の権利を守る運動に参加するため、ミシシッピー州に入った三人の若者が消息を絶ち、まもなく殺されているのが見つかったというものです。三人の若者のうち、二人は白人で一人が黒人。三人とも拳銃で射殺され、地中に埋められていたのが発見されました。とりわけ黒人は、全身をめった打ちにされて殺されていました。

三人は、白人暴徒による黒人教会焼き討ちの調査の帰り、白人の警察官にスピード違反の言いがかりをつけられて逮捕され、深夜になって解放された後、消息を絶っていました。

この事件では、一九六七年になって、キレン被告を含む一九人が「被害者の公民権を侵害した」などとして裁判にかけられ、七人が有罪になりましたが、キレン被告は、白人だけで構成された陪審員による裁判で、「評決不成立」で釈放されていました。殺人事件だったのに、殺人罪に問われた者はいなかったという不思議な裁判でした。

その後、一九九九年になって、別の事件で服役中のKKK（クー・クラックス・クラン。黒人差別の白人団体）幹部が殺人事件への関与を認めたため捜査が再開され、キレン被告は、二〇〇五年一月になって逮捕されました。

今回は、白人九人、黒人三人による陪審員に

SCHWERNER

CHANEY

GOODMAN

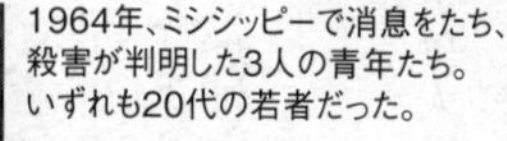

1964年、ミシシッピーで消息をたち、
殺害が判明した3人の青年たち。
いずれも20代の若者だった。

事件から41年目に、
有罪判決を受けたエドガー・キレン
(2005年6月)

よって有罪評決を受け、二〇〇五年六月、裁判官が禁固六〇年の判決を言い渡したのです。

　この事件は、一九八八年にハリウッド映画『ミシシッピー・バーニング』の題材となりました。黒人解放運動に取り組んだことで命をねらわれ、犯人の中には警察官までが含まれていたという事件です。アメリカ南部の黒人差別の闇を象徴する事件でした。それから四一年。ようやく裁判でのケリがついたのです。長い長い道程（みちのり）でした。

白人警官による黒人暴行が撮影されたが

一九九一年三月、ロサンゼルス市内で多数の白人警察官が黒人を集団でなぐったりけったりするシーンが、テレビで全米向けに流れました。たまたま近くに住む人がホームビデオで撮影したものでした。白人警察官による黒人差別がいまも厳然としてあることを如実に示す映像でした。しかも、裁判にかけられた四人の警察官全員に、翌年の四月、無罪の評決が下ったのです。

その直後、ロサンゼルスの黒人居住地区サウス・セントラルで、黒人による暴動が発生しました。黒人を暴行しても白人は無罪になってしまうことへの黒人の怒りが爆発したのです。暴動は三日間続き、死者五二人、負傷者二〇七七人を出す大暴動になってしまいました。

アメリカの黒人差別はいまも続き、差別に対する不満が暴動に発展する現実。アメリカは、いまも黒人差別に苦しんでいます。アメリカの歴史は、黒人を差別する体制と、それ

20人もの警官から
暴行を受けたと訴える黒人青年、
ロドニー・キング

暴行現場を記録したこの映像が放映されたことが、暴動の引き金になった

ロサンゼルスで発生した史上最大の黒人暴動

に抗議し差別を撤廃しようという人々との戦いの歴史でもあったのです。その歴史を振り返ってみましょう。

★アメリカ建国は奴隷制度を前提にしていた

アメリカ合衆国憲法の第一条第二節には、各州選出の下院議員の数は各州の人口に比例すると定めてあります。ところが、その人口について、次のような規定があります。

「各州の人口は、(中略)自由人の総数に、自由人以外のすべての者の数の五分の三を加えたものとする」(駐日大使館の訳による)

「自由人以外」とは、要するに黒人奴隷のことです。下院議員の数の基準になる各州の人口は、白人の数と、黒人奴隷の数の五分の三を加えた数であると規定しているのです。憲法制定当時のアメリカでは、選挙権は白人にしかありませんでしたが、黒人奴隷の多く住む南部からの議員の数を増やすため、黒人奴隷の数も、実際の五分の三の数だけ基準値に加算することにしていたのです。

この条文はその後、修正第一四条で改正され、現在は効力を失っていますが、かつてアメリカ合衆国は、奴隷の存在を前提にして憲法が作られたことを示しています。

アメリカの独立革命当時、植民地全体の総人口約二五〇万人のうち、約五〇万人が黒人でした。黒人たちは、アフリカから「運ばれて」きたのです。

★アフリカから黒人が「輸入」された

一六一九年八月二〇日、オランダ船が、バ

ージニア入植地のジェームズタウンにやってきて、二〇人のアフリカ黒人を売り渡しました。これ以来、アメリカには、アフリカから黒人が「運び込まれる」ようになるのです。

黒人奴隷の貿易は、一五世紀半ば、ポルトガルによって開始され、続いてスペイン、オランダ、イギリスが参入しました。

アフリカから「輸出」された人々は、アフリカの西海岸から「積み出された」のです。現在のアフリカで言えば、ギニア、シエラレオネ、リベリア、コートジボワール、ガーナ、トーゴ、ベナン、ナイジェリアのあたりからです。

アフリカ内部の部族同士の戦争で獲得した奴隷を、アフリカの奴隷商人がヨーロッパの商人に売り、ヨーロッパの商人がアメリカに連れてきました。

イギリスからの貿易船は、アフリカにラム酒などの物資を運び、奴隷と引き換え、黒人奴隷は西インド諸島（中米カリブ海）に「運ばれ」ました。ここで今度はラム酒製造に使われる糖蜜と引き換えられ、再びイギリスに戻ってきます。黒人奴隷の「三角貿易」が行われたのです。

「積み出された」黒人たちは、狭い船内に詰め込まれました。「運ばれる」途中で死亡する奴隷も多かったのですが、死亡すると、途中で海に捨てられました。奴隷にされても、そもそも目的地までたどりつかなかった人たちも多かったのです。

一五世紀からの四〇〇年間にアフリカから南北アメリカ大陸に「輸出」された奴隷の数は、一〇〇〇万人とも一五〇〇万人とも言われています。その多くは中南米に「運ばれ」、現在のアメリカ合衆国の地域には、一八〇八年に奴隷輸入が法律で禁止されるまでに、約五〇万人が入ったと推定されています。

南部経済は黒人奴隷に支えられた

一六〇〇年代に、アメリカでは各州が相次いで黒人奴隷制度を法律で認めるようになります。黒人奴隷は、家畜や家財道具と同等に持ち主の財産として扱われることになったのです。

アメリカ建国の父ジョージ・ワシントンですら、黒人奴隷を所有していました。ただしワシントンは、遺言で自分の奴隷を解放するように言い残したのですが。

アメリカ南部では、温暖な気候を利用して、

コラム

アフリカに帰す運動も

奴隷から解放された自由黒人を、「故郷アフリカに送り返そう」という白人の運動も生まれました。その結果、1819年には、アフリカ西海岸の一部がアメリカからの黒人植民者のために用意され、入植が始まりました。

ここが、「自由」という意味の国名「リベリア」になりました。首都は、当時のアメリカのモンロー大統領の名にちなんで「モンロヴィア」と名づけられました。

ギニア
シエラネオレ
リベリア
コートジボワール
ガーナ
トーゴ
ベナン
ナイジェリア
(ギニア湾)
グレンコースト
(胡椒海岸)
アイボリーコースト
(象牙海岸)
ゴールドコースト
(黄金海岸)
大西洋

黒人奴隷の主な出身国

ミシシッピーの綿花畑で、炎天下裸足で働く黒人たち(1936年1月)

ヨーロッパでの需要が強いタバコ、砂糖、藍(あい)、米などを大量に生産しました。そのために大農場（プランテーション）が作られ、多数の人手が必要となり、黒人奴隷が労働力として使われました。

やがて、タバコや藍の生産に代わって、綿花の栽培が中心になっていきます。一九世紀、産業革命により、大量の綿花を短時間に木綿にすることができるようになり、綿花の需要が急速に伸びたからです。南部の暑い気候の中、綿花のつみとりという労働集約的なつらい仕事に、黒人奴隷が従事させられました。

サウスカロライナやジョージア、テネシー、アラバマ、ミシシッピー、アーカンソー、ルイジアナ、テキサス州を中心に、「綿花王国」と呼ばれるようにまでなりました。

★アメリカ北部で黒人奴隷反対の意識高まる

一方、アメリカ北部では、気候が涼しくヨーロッパとあまり変わりがないため、ヨーロッパ向けに農作物を売ることもなく、家族経営が基本の小農がほとんどでした。大農場は発展しなかったのです。したがって、黒人奴隷を必要としませんでした。

独立戦争でアメリカ国内で人権意識が高まると、黒人奴隷がほとんどいなかった北部を中心に、奴隷制度反対の意識が広がり始めます。

一七七五年には、フィラデルフィアに「奴隷制反対協会」が設立され、やがて全国大会が開かれるようになります。

一七七七年には、バーモント州が、最初に奴隷制度を廃止しました。黒人は奴隷の身分から解放され、自由黒人となったのです。

白人たちによる奴隷解放運動の高まりの中から一八五四年には共和党が結成されました。いまのアメリカでは、民主党に「人権派」が多く、共和党はブッシュ大統領に代表されるような「保守派」が多いのですが、当時は、奴隷制度を擁護する民主党と、奴隷制度を否定する共和党という色分けになっていました。

★アメリカは南北に分かれて戦った

北部では、産業革命の結果、工業化が進み、「自由な労働者」による資本主義経済が発展しました。資本主義経済の発展と共に、人々の民主主義意識や人権意識も高まり、アメリカ合衆国というひとつの国家の中に奴隷制度を認めることに反発を持つ人が増えていきま

南北戦争当時、南北両軍の勢力図

す。「資本主義経済・自由労働者の北部」対「前近代的農業・奴隷労働の南部」という対立構造が出来上がっていくのです。

一八六〇年、奴隷制度廃止を求める共和党からエイブラハム・リンカーンが大統領に当選すると、奴隷制度の廃止を求められることを恐れた南部の州が、アメリカ合衆国からの離脱を図ります。

サウスカロライナ、ミシシッピー、フロリダ、アラバマ、ジョージア、ルイジアナ、テキサスの計七州が合衆国から離脱して、「アメリカ連合」（通称・南部連合）を結成し、奴隷制度を認める憲法を制定します。

一八六一年四月には、南部連合の軍隊が連邦政府の要塞を攻撃し、南北戦争が始まりました。

戦争が始まると、南部連合にはバージニア、ノースカロライナ、アーカンソー、テネシーの四州も加わり、南部一一州対北部二三州の戦争になります。ただし、奴隷制度をとっていたウエストバージニア、ケンタッキー、ミズーリの三州は北部の連邦にとどまりました。

南北合わせて六〇万人もの死者を出す悲惨な内戦が始まったのです。

南北戦争中、南部では黒人奴隷が次々に農場から逃亡します。これにより、南部の農業の生産力は低下しました。また、奴隷の逃亡を防ぐために軍隊の一部を割かざるを得なくなり、南軍の勢力は分散します。

一方、北軍には二五万人もの黒人が参加しました。勝てば奴隷制度がなくなるからです。「自分たちの戦争」を戦ったのです。

★リンカーン、奴隷解放を宣言

リンカーンは、奴隷制度廃止を求める共和党の大統領でしたが、本人はそれほど奴隷解放に熱心だったわけではありません。むしろ奴隷制を容認し、黒人に対する根強い偏見を持つことで知られていました。

しかし、共和党の主流が奴隷制度廃止論者であったことや、南北戦争を有利に進めるためには南部の黒人たちを味方につける必要があったことから、南北戦争最中の一八六三年一月一日、奴隷解放宣言を発表します。合衆国を脱退した州（つまり南部連合）での奴隷制度の廃止を宣言したのです。

一八六五年四月、北軍の勝利で南北戦争が終わります。その直後、リンカーンはワシントンの劇場で暗殺されてしまいますが、同じ年、合衆国憲法修正第一三条が承認され、合衆国全体で奴隷制度が廃止されました。

南北戦争後、南部諸州で黒人奴隷が解放され、自由黒人となった人々には、選挙権も与えられました。大勢の黒人たちが選挙で投票し、黒人の代表が各地の議会に進出したのです。

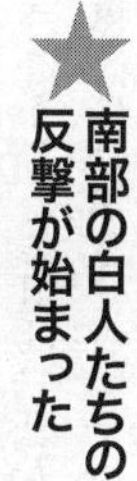

南部の白人たちの反撃が始まった

しかし、やがてかつての黒人奴隷の所有者たちの反撃が始まります。

一九世紀終わりから二〇世紀初頭にかけて、南部各州では黒人から選挙権を取り上げる動きが広がります。表向き黒人差別はできなくなったので、実質的に黒人が選挙権を行使できなくする条件をつけたのです。

それが、投票にあたっての「投票税」（人頭税）、「読み書き試験」、「父祖条項」などでした。

「投票税」（人頭税）は、投票にあたって税金を納めることを義務づけたものです。所得が低い黒人たちは税金を納めることができず、投票できなくなってしまいます。

「読み書き試験」は、州憲法を読んで理解できる能力があるかどうかを試験しました。条文を読んで試験官の質問に答え、理解しているかどうかを試されます。これに合格しないと、投票できなかったのです。教育を満足に受けられず、読み書きできなかった黒人たちは投票から除外されました。

しかし、こうした条件は、貧しくて教育のない白人にとっても投票の障害となります。そこで白人の場合は、投票できる例外規定を設けました。それが、「父祖条項」です。

この条項は、「投票税」を払えず、「読み書き試験」に受からなくても、かつて投票資格を有していた者やその子孫は投票できる、というものでした。「かつて投票資格を有していた者」といえば、白人しかいません。要するに白人は投票できる、という条項でした。

こうした条項は、黒人を名指しにしないで黒人に投票させないという巧妙な方法でした。これにより、黒人のほとんどが、選挙から締め出されたのです。

白人と黒人の結婚を禁止する法律も各州で制定されました。

さらに、民間レベルでは、黒人差別を主張する団体が次々に結成されました。特に有名なのが、ＫＫＫ（クー・クラックス・クラン）という秘密結社です。

白のフードとローブ。不気味な儀式で黒人たちを恐怖におとしいれた「クー・クラックス・クラン」（フロリダ州、タンパ、1939年1月）

一八六五年、テネシー州で、旧南軍の士官を中心にして、黒人を排斥するために結成されると、この組織はまたたく間に南部各地に広がりました。頭から真っ白なマントをまとい、十字架に火をつけて集会を開いたり、馬にまたがって黒人を襲ったりしたのです。この奇抜な格好は、迷信深い黒人を脅えさせるために考え出されたものでした。

KKKは、黒人ばかりでなく、黒人を支援する白人も襲い、その行動は、しばしば殺人にまでエスカレートしました。

★「隔離すれど平等」と宣言された

この黒人差別を、差別を防ぐはずの連邦最高裁判所が後押ししました。「黒人を白人から隔離しても差別ではない」という判決を出したのです。

一八九〇年、南部のルイジアナ州では、鉄道会社に対して、白人と黒人の乗る列車を分けたり客席を分けたりすることを法律で義務づけました。南部各州がそれぞれ法律で定めていたことでした。これに対して一八九六年、白人の座席から立ち退きを求められた黒人が、州法は差別を禁じた憲法に違反するとして裁判に訴えました。

これに対して連邦最高裁は、「単に白人と黒人を法的に区分けしているからといって、それが直ちに両人種間の法的平等を否定しているわけではない」と述べ、ルイジアナ州の法律は憲法違反ではないと断定したのです。

この判決は、「隔離すれど平等」という原則を打ち出したものと受け取られました。つまり、公共施設でも公共交通機関でも、白人と黒人がまったく分離され、隔離されていても、それ自体では差別には当たらない、ということだったのです。これ以来、特に南部では、学校や交通機関など、さまざまな公共施設が、白人用と黒人用に分けられることになりました。差別そのものが広がったのです。

この判決は、その後、半世紀にわたってアメリカの人種差別を支え続けます。この差別を撤廃するきっかけを作ったのは、ひとりの黒人女性の抵抗でした。

★座席を譲らなかった女性が逮捕された

一九五五年一二月一日、アラバマ州の州都モントゴメリーで、デパートに勤めていたローザ・パークス（四二歳）は、仕事帰りに乗ったバスで、白人用座席のすぐ後ろに座りました。

アラバマ州のバスは、バスの前部四列（一〇人分）が白人用で、後部が黒人用に分けられていました。ただし、白人用座席がいっぱいになると、後部座席の黒人が席を立って、白人に席を譲る決まりになっていたのです。

ローザ・パークスが席に座ってまもなく、後から乗ってきた白人乗客が座る席がなかったため、バスの運転手は、ローザ・パークスを含む四人の黒人乗客に対して、席を譲るように命令しました。三人の黒人乗客は運転手の命令に従いましたが、疲れ切っていたローザ・パークスは、運転手の命令を拒否しました。座席に座り続け、逮捕されてしまったのです。白人に席を譲らなかっただけで逮捕される。これが当時の南部の常識でした。

しかし、それまでバスの座席が白人優先に

なっていることに不満を持っていた黒人たちが、この逮捕をきっかけに立ち上がりました。黒人の人権を守る団体や黒人教会の牧師たちが集まって対策を協議した結果、モントゴメリー改善協会を設立し、バスでの人種差別を撤廃させるため、バスの乗車ボイコットに踏み切ることにしたのです。そのリーダーに選ばれたのは、この事件の直前に牧師として

「バスボイコット運動」が起きた
アラバマ州都、モントゴメリー

町の教会に赴任したばかりのマルティン・ルーサー・キングでした。まだ二六歳という若さでした。

パークスが逮捕されたのは木曜日の夜。金曜日に作戦会議が開かれ、月曜日からバスボイコットを始めることになります。日曜日の教会での礼拝では、各地の黒人教会で、牧師が黒人の信者たちに、バスボイコットへの参加を呼びかけました。大量のビラも配られました。さらに地元の新聞が報道したことで、全市の黒人たちが、この呼びかけを知ったのです。

当時のモントゴメリー市の人口は、白人七万五〇〇〇人に対して黒人四万五〇〇〇人でしたが、バスの利用者の三分の二は黒人でした。黒人の多くは貧しくてマイカーが持てず、公共交通機関のバスを利用していたのです。

キング牧師たちは、黒人が経営するタクシー会社一八社に働きかけ、バスの利用料金と同額で黒人たちがタクシーに乗り合いできるようにしました。また、マイカーを持っている人たちは、仕事に出かける人たちをピストン輸送する態勢を組み、月曜日を待ちました。

★バスのボイコットが始まった

一二月五日の月曜日。キング牧師は早起きして、夫人と共に午前五時半から窓の外を見ていました。キング牧師の自宅前にはバスの停留所がありました。自宅窓から、道路を走るバスの様子が見えるのです。始発のバスが自宅前を通るのは午前六時ころ。二人は、バスの乗客がどのくらい乗っているか、見ることにしたのです。

果たしてどれだけの黒人がバスボイコットに参加してくれるのか。キング牧師はやきもきしていました。内心では、六〇%くらいの黒人乗客の協力が得られれば上出来だと考えていました。

キングがコーヒーを飲んでいると、窓から外を見ていた妻のコレッタが、「マルティン、マルティン、早くいらっしゃい」と大声で呼ぶではありませんか。

「ぼくはコーヒー茶わんをすてて、居間にかけつけた。正面の窓にちかづくと、コレッタが喜ばしそうに、ゆっくりとやってくるバスを指していった。『あなた、からっぽよ！』ぼくはこの目で見たものをほとんど信ずることができなかった。ぼくの家の前を通っているサウス・ジャックソン線はいつもモントゴメリーのほかのどの線よりもたくさんのニグロ(ママ)

の乗客をのせており、とくにこの始発のバスはいつも仕事にでかける家内労働者で満員であることをぼくは知っていた。（中略）十五分たって、二番目のバスがやってきたが、これも始発同様からっぽだった。第三のバスがあらわれたが、これもほとんどからっぽで、わずかに二人の白人の乗客がのっているばかりだった」（M・L・キング著、雪山慶正訳『自由への大いなる歩み』）

★人々はひたすら歩いた

タクシーで乗り合いをする人、知り合いの自動車に乗せてもらう人、ラバに乗る人、馬車を使う人、ひたすら歩き続ける人……。

市内の黒人たち全員が、バスのボイコットに参加したのです。声高に抗議行動をするわけでもなく、暴動を起こすわけでもなく、ただ人種差別をするバスには乗らない、という行動を続けたのです。

当初は、「雨でも降れば、すぐにバスに乗るようになるだろう」とタカをくっていたバス会社も市当局も、次第に焦り始めます。

警察は、バスボイコットに協力してバス料金と同額で客を乗せるタクシー会社に対し、タクシーの基本料金を徴収しないと法律違反になると警告します。タクシー会社は、警察の圧力を恐れ、バスボイコットへの協力を中止しました。

キング牧師たちは、タクシーに代わり、運動に共鳴する人たちにマイカーの提供を求めます。三〇〇台の自動車が、黒人たちを運ぶことに協力しました。黒人教会はバスを仕立てました。朝の出勤時間の乗り場、帰りの職場近くでの乗り場をそれぞれ設定し、マイカーを提供した人たちが、その間をピストン輸送したのです。

あるとき、苦しそうに歩いている黒人の老女を見た人が、自動車に乗るように呼びかけたところ、彼女はこう言ったといいます。

「わたしはわたし自身のために歩いているのではありません。わたしは子供や孫のために歩いているのです」(同前)

★キング牧師の自宅に爆弾が投げ込まれた

警察は、黒人たちを運ぶ自動車にねらいをつけ、ひっきりなしに停車を命じるといういやがらせを始めます。キング牧師自身も、スピード違反を理由に逮捕されるということもありました。南部の警察は、公正な法律の執行者ではありませんでした。白人ばかりの警察官たちは、幹部以下、黒人差別意識に凝り固まっていました。黒人の運動を弾圧する側に回るのです。

キング牧師に対するさまざまな嫌がらせが続きました。そして一九五六年一月三〇日の夜、キング牧師の留守中に、自宅に爆弾が投げ込まれるという事件まで発生しました。自宅には妻と幼い子ども、それにキング牧師の知人の計三人がいましたが、三人とも無事でした。

キング牧師の自宅に爆弾が投げ込まれたことを知って、怒った大勢の黒人たちが自宅前に集まってきました。白人の警察官たちは、多勢に無勢で、手出しができない状態になります。このときキング牧師は、集まった群衆に、こう語りかけたのです。

「武器をもっているなら、家へもってかえりなさい。もっていないなら、どうか武器を手に入れようなどとなさらないで下さい。ぼくたちは暴力による報復によってこの問題を解決することはできません。ぼくたちは、暴力にたいしては非暴力をもってこたえねばなりません。『剣をとるものは剣にて滅ぶ』というイエスの言葉を思いおこして下さい」(同前)

集まった群衆は、涙を流しながら解散し、暴動にはなりませんでした。

モントゴメリーに向けて行進を行うキング牧師たち

★非暴力の運動が力を発揮した

マルティン・ルーサー・キング。非暴力を貫く姿は、これ以来、全米の黒人そして多くの白人たちの心をとらえたのです。

一九二九年、『風とともに去りぬ』の舞台として知られるジョージア州アトランタで牧師の家に生まれたキングは、ペンシルベニア州のクローザー神学校に在学中、インドのマハトマ・ガンジーの非暴力抵抗運動を知り、これに傾倒します。暴力に暴力で抵抗すると、さらに暴力を生む。暴力には愛で立ち向かわなければならないと確信するのです。

　ボストン大学の大学院を卒業後、彼はモントゴメリーの小さな黒人教会に牧師として着任し、このバスボイコット運動と出合ったのです。この運動で、キング牧師は、持論の非暴力抵抗運動を実践しました。

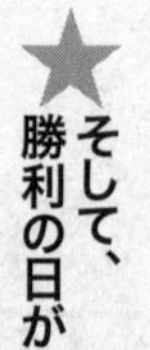

そして、勝利の日が

　キング牧師たちは、バスボイコットを続ける一方、モントゴメリー市のバスの人種隔離は憲法に違反すると連邦裁判所に訴えました。一方、市は、自動車の乗り合いは違法な事業であるとして禁止するように求める訴えを、州の裁判所に起こしました。

　そして一九五六年一一月、州の裁判所で審理が行われている最中に、連邦最高裁判所は、キング牧師たちの訴えを認め、バスの人種差別を禁止するように求めたのです。

　一年間にわたって続いたバスボイコットは、キング牧師たちの勝利に終わりました。翌月から、モントゴメリー市内では、白人と黒人がバスの車内で隣あって座る姿が見られるようになったのです。

★黒人生徒の登校に連邦軍が出動した

　しかし、これで黒人差別が一挙に解消に向かったわけではありません。むしろ、黒人差別撤廃の運動が広がれば広がるほど、それに対する反動もまた強くなったのです。

　バスボイコットより少し前の一九五四年五月、連邦最高裁判所は、公立学校で白人と黒

「バス・ボイコット運動」を裁く連邦裁判所前に姿を見せたキング牧師とコレッタ夫人（1956年）

人を別々に教えることは不平等であるという判決を下していました。カンザス州の黒人が、娘を近くの白人専用の公立学校に転校させようとして拒否されたことを差別だとして裁判に訴え、その訴えを認めたのです。

この判決は、「隔離すれど平等」ということは公教育の場ではありえないと言い切りました。かつて同じ最高裁が認めた方針を覆(くつがえ)したのです。このころから、連邦最高裁は、徐々に黒人差別を認めない判決を下すようになっていきます。

この方針を受けて、アーカンソー州リトルロック市の教育委員会は、一九五七年九月、白人専用だったリトルロック・セントラル高校に、学業成績優秀な黒人九人(男子三人、女子六人)の入学を認めました。

これに強く反発したのが、アーカンソー州のオーヴァル・フォーバス知事でした。「人種共学が強制されるなら、地域の平和と秩序を維持することができない」と宣言し、何と武装した州兵二五〇人を動員して高校を包囲し、黒人学生の入学を阻止したのです。

さらに、これを知った大勢の白人たちが集まり、登校してきた黒人たちを取り囲んで追い返しました。

驚いたのはアイゼンハワー大統領です。大統領がフォーバス知事に州兵の撤退を求めると、知事は州兵を撤退させましたが、高校の警備をしようとしませんでした。その結果、人種差別主義者の白人たちが高校に乱入し、高校は大混乱に陥ります。

この模様はアメリカ国内ばかりでなく海外にも報道されます。業を煮やしたアイゼンハワー大統領は、大統領命令でアーカンソー州

リトルロックの高校で、登校する黒人生徒を守る
連邦軍空挺部隊の兵士たち(1957年9月)

兵を連邦政府軍に編入します。知事が州兵に命令できなくしたのです。その上で、さらに正規の連邦政府軍一〇〇〇人をリトルロックに派遣しました。

九人の高校生たちは、重武装した連邦政府軍の兵士に守られて、ようやく高校に通うことができるようになりました。これが、いまからわずか五〇年ほど前のアメリカの実態だったのです。

★白人専用席で座り込み

モントゴメリー市でのキング牧師たちの非暴力運動に励まされる形で、アメリカ各地で差別撤廃を求める運動が始まりました。そのひとつが、「ランチ・カウンター」での座り込み」です。

一九六〇年一月、ノースカロライナ州グリーンズボロの大手雑貨チェーンの店内にある白人専用のランチ・カウンター（軽食カウンター）に、四人の黒人大学生が座り、コーヒーとドーナッツを注文しました。

白人専用のカウンターですから、学生たちはもちろん注文を受け付けてもらえません。学生たちは、それを承知で注文したのです。学生たちは、そのままカウンターに座り続けます。注文を拒否する店長と、注文を続ける学生たち。それを知って多数の白人が駆けつけ、学生たちになぐりかかったり、飲み物を学生の頭からかけたりして、やめさせようとしますが、学生たちは、ひたすら耐えて、非暴力を貫き通しました。

翌日からは、座り込みの学生が増えます。女子学生や応援の白人学生たちも駆けつけて閉店まで座り込みを続けます。やがてこの運動は南部各地に広がり、四月までに南部の約八〇の都市で座り込みが行われました。座り込む学生たちを白人が襲撃すると、警察は襲撃した側には手を触れず、襲撃された黒人学生たちを逮捕しました。計二〇〇〇人もの学生が逮捕されたのです。

学生たちの座り込みの結果、多くの白人専用カウンターが閉鎖に追い込まれ、苦境に陥った店側は、次第にカウンター席の人種差別を撤廃していきます。非暴力の運動が着実に成果を上げ始めたのです。

★長距離バスに乗って差別を告発した

非暴力の運動が、激しい暴力を引き起こした例もあります。「自由のための乗車運動」

（フリーダム・ライド）です。

アメリカ国内で州の境を越えて運行される長距離バスに関して、連邦最高裁は一九六〇年、車内ばかりでなくバス・ターミナルの施設でも人種隔離を禁止する判決を下しました。これが守られているかどうか、実際にバスに乗って確かめてみようという運動です。

一九六一年五月四日、黒人七人と白人六人の計一三人の活動家は、グレイハウンド社とトレイルウェイズ社のバスに分乗して、首都ワシントンから南部のルイジアナ州ニューオーリンズに向かいました。

活動家たちは、出発の前に、この行動のことをケネディ大統領や司法省、ＦＢＩ（連邦捜査局）、バス会社に知らせ、万一の場合の保護を求めていましたが、何の返事もないままでした。

活動家たちは、バス・ターミナルに停車するたびに、黒人が白人専用の施設に、白人が黒人用に入ることを繰り返します。

バスがアメリカ北部を走っている限りでは、何の問題もなかったのですが、サウスカロライナ州に入ると、バス・ターミナルに待ち構えていた白人の若者たちが黒人に襲いかかります。警察は傍観するだけでした。

そして五月一四日。アラバマ州でグレイハウンド社のバスがタイヤがパンクして停車すると、武装した白人たちがバスを襲撃し、車内に火炎瓶が投げ込まれました。乗客たちは、命からがら車内から逃げ出しますが、逃げ出したところを白人たちに襲われるのです。警察は来る気配もありませんでした。

一方、もう一台のトレイルウェイズ社のバスは、アラバマ州バーミングハムのターミナルに到着すると、ここでも武装した白人たちが待ち受けていて、乗客たちは全員がめった打ちにあいました。すぐ近くの警察署から警察官がやってきたのは、暴徒たちが引き揚げた後。警官の到着が遅れた理由を問われたユージン・コナー警察署長は、「部下たちが母の日で出払っていたからだ」と答えました。警察は、まるごと人種差別の側に位置していたのです。

この様子も世界に報道され、慌てたケネディ大統領はようやく活動家の保護に乗り出し、FBI捜査官を動員して白人暴徒を取り締まりました。

連邦最高裁が判決を出しただけでは消えることがなかった差別の実態が、非暴力の抵抗運動によって明るみに出て、やがて少しずつ解消へと向かっていくのです。

★黒人弾圧の光景に世界は驚いた

このころ、アメリカの差別の実態を全世界に知らせることになったのは、「母の日」発言をしたユージン・コナー警察署長でした。「ブル」(雄牛)のあだ名がついた彼は名うての人種差別主義者でした。一九六三年五月二日、「奴隷解放宣言公布一〇〇周年」を記念するデモ行進がバーミングハム市内で行われると、コナー署長は、デモ隊に警察犬をけしかけて、参加者を次々に逮捕しました。

翌日には、今度は消防隊を動員し、高圧ホースでデモ隊に放水します。デモに参加していた子どもたちが吹き飛ばされる映像は、全米ばかりでなく世界で報道されました。「自由の国アメリカ」の南部での実態が明らかになったのです。

世界に報道され衝撃を与えた、デモ隊に放水する消防隊の映像（1963年）

そして五月五日。再びデモ隊が市内を行進します。子どもたちも大勢参加しています。コナー署長は、再び消防隊に放水を命じました。ところが、消防隊員たちは、高圧ホースを握ったまま、身動きしません。警察署長の命令であっても、目の前を非暴力で歩いている子どもたちの姿に、放水ができなかったのです。警察犬を連れた警察官たちも、動きませんでした。非暴力の力を見せつけられたのです。

バーミングハム市では、キング牧師も駆けつけてデモに参加し、逮捕されました。さらに、キング牧師が泊まっていたホテルが爆弾で爆破されるなど、暴力が吹き荒れました。

五月一二日になって、ケネディ大統領はようやく三〇〇〇人の連邦軍を派遣し、アラバマ州兵を連邦軍に編入して、事態収拾に動き

コラム

キング牧師の誕生日が国民の祝日に

1963年、キング牧師の誕生日は、連邦政府の祝日（国家の祝日）になりました。その後、各州が祝日として認めるようになりました。アメリカで、個人の名前がつけられた国家の祝日は、ほかには「建国の父」ジョージ・ワシントンと、アメリカ大陸に到達したコロンブスがあるだけです。

ました。非暴力の黒人の子どもたちが警察官によって弾圧される様子が広く報道された結果、これ以降、人種差別撤廃に向けて大きく動き出していくのです。

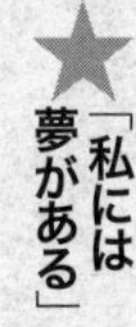

「私には夢がある」

一九六三年八月二八日、二〇万人を超える人々が、首都ワシントンのリンカーン記念堂前に集まりました。「奴隷解放宣言公布一〇〇周年」の記念式典でした。黒人ばかりでなく、白人も多く参加しました。

この集会で、キング牧師は、こう語りかけました。

「私には夢がある。それは、いつの日か、ジョージアの赤土の丘の上で、かつての奴隷の息子と、かつての奴隷所有者の息子が、兄弟として同じテーブルに腰をおろすことだ。私には夢がある。それは、いつの日か、私の四人の小さな子どもたちが、肌の色によってではなく、人格そのものによって評価される国に生きられるようになることだ」（辻内鏡人、中條献『キング牧師』）

キング牧師は、こうした人種差別撤廃の非暴力の取り組みが評価され、一九六四年にノ

ワシントン大行進（1963年8月）

I have a dream that one day on the red hills of Georgia the sons of former slaves and the sons of former slave owners will be able to sit down together at a table of brotherhood…

I have a dream that my four children will one day live in a nation where they will not be judged by the color of their skin but by the content of their character. I have a dream today.

キング牧師の演説の原文

ーベル平和賞を授与されます。

それでも、この章の最初に取り上げたように、アメリカ南部では、この後も、人種差別撤廃運動の活動家が殺される事件が起きるなど、差別撤廃運動は、一進一退が続きます。キング牧師も一九六八年四月、テネシー州メンフィスで、白人によって暗殺されてしまうのです。

高校の教師の一言が……

キング牧師が非暴力の抵抗運動を進めているとき、アメリカ国内には、もうひとつの黒人運動の潮流がありました。その指導者が、マルコムXでした。

マルコムXは、キング牧師が白人との協調路線をとっていることを強く批判し、「白人は悪魔だ」と言って、黒人と白人との分離を要求する「過激な」路線をとっていました。

白人との関係をめぐって、黒人の運動には二つの流れがあったのです。

マルコムがこうした道に進むきっかけになったのは、小学校のときに言われた教師の一言でした。

小学校で成績が常にトップクラスだったマルコムは、小学校八年生（日本の中学二年生に該当）のとき、教師に、将来の職業のことを考えたことがあるか聞かれました。

マルコムX（1925〜1965）

マルコムは、弁護士になりたいと答えます。それに対して、教師は、こう説くのでした。

「マルコム、人生でわれわれに最初に必要なことは現実的になることだ。いま私のいっていることを誤解しないでほしい。ここにいるみんながきみを好きなのはわかっているだろう。しかしきみは自分が黒んぼだという現実を忘れてはいけない。弁護士は黒んぼにとって現実的な目標ではない。きみはきみのなれるものについて考える必要がある。きみは手先が器用で物を作るのが上手だ。だれもがきみの大工仕事をほめている。大工になることを考えたらどうかね。きみならいろいろと仕事があることだろう」（マルコムX著、濱本武雄訳『マルコムX自伝（上）』）

後年、マルコムは、「先生がその日私に忠告したことは善意からだとわかっている。私を傷つけようとする気はなかったのだ」（同前）と、教師の発言を振り返っていますが、少年マルコムが、この一言に深く傷ついたことは確かでした。これによって、黒人差別の現実に目覚めたマルコムは、白人を避けるようになり、何事にも反抗的になっていくのです。

★刑務所で読書に目覚めた

マルコムの父親は、キング牧師の父親と同じく牧師で、黒人の地位向上を求める運動の活動家でしたが、マルコムが六歳のとき、「列車事故」で死亡しました。警察は「事故」だとしたのですが、マルコムは、白人によって殺されたのだと信じました。

父が亡くなったため、子どもが八人いる一家はすっかり貧しくなり、マルコムは盗みを繰り返した結果、教護施設に入れられます。その一方で母は精神病で入院することになり、一家は離散してしまいます。

マルコムはやがて麻薬に手を出し、裏世界の仲間たちと窃盗団を作って盗みを続けますが、二〇歳のとき逮捕され、刑務所に送られました。

ここで、人生の転機を迎えます。普通の刑務所ではなく、犯罪者更生刑務所という実験的な施設に送られたマルコムは、ここにある図書館で読書の楽しみを知るのです。膨大な図書を片っ端から読破していきます。語彙を増やすため、辞書の単語をひとつひとつ書き写すということまでしました。読む時間を確保するため、刑務所の消灯時間が過ぎても、廊下からもれてくるかすかな明かりを頼りに、毎晩明け方まで本を読み続けたのです。知識は広がり、語彙は豊富になり、やがて弁舌さわやかな雄弁家が誕生する基礎が、ここで築かれたのです。

「読書が開いてくれた新しい視点のことをよく考える。私がまさにこの獄中で知ったことは、読書が永久に私の人生を変えてしまったことだった。今日ふり返ってみると、読書は私のなかに長いあいだ眠っていた思索的に生きる欲求を呼び覚ましたのだ」(同前)

この読書を通じて、マルコムは黒人差別の歴史と実態も学ぶことになりました。マルコムは、こう書いています。

「奴隷制全体の恐ろしさについて読みはじめたときのショックも忘れられない。(中略)それは世界でもっともおどろおどろしい罪であり、白人の手に塗られた罪と血であり、ほとんど信じることもできないほどだった」

（同前）

自分が体験した黒人差別と、読書で学んだ奴隷制の歴史。これがあいまって、マルコムは白人を憎むようになります。

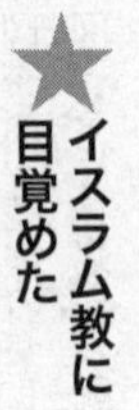

イスラム教に目覚めた

マルコムが黒人と白人の隔離を求めるようになったきっかけは、「ネイション・オブ・イスラム」（イスラム国家）という団体に加盟したことです。

刑務所にいるときに、兄弟からこの団体を教えられたマルコムは、団体の指導者イライジャ・ムハマドに心酔するようになります。イライジャ・ムハマドの教えは、地球上の最初の人間は黒人だったが、悪の科学者が白人種を作り出し、白人種が黒人を支配するようになってしまった、というものでした。

「イスラム教」を名乗ってはいましたが、本物のイスラム教とはまったく別のもので、黒人優越主義とでも呼ぶべきものでした。白人を憎み、白人を「青い目をした悪魔」とまで呼びました。白人への憎悪を黒人社会に広めていたのです。さらに、白人とは人種を隔離し、アメリカ国内に黒人国家の樹立を求めました。

★「白人からつけられた姓」を投げ捨てた

一九五二年八月、刑務所を出所したマルコムは、イライジャ・ムハマドの元に駆けつけ、その弟子として、「ネイション・オブ・イスラム」の教えを広める伝道師になります。

ここでマルコムは、リトルという自らの姓を捨て、教団から「X」という姓を受け取ります。

教団は、信者たちに「X」という姓を与えていました。「X」とは、「永久にわからない自分のアフリカの家族の姓の象徴」だったのです。黒人たちはアフリカで自らの姓を持っていたはずなのに、アメリカに奴隷として連れてこられ、白人の奴隷所有者に勝手にいまの姓をつけられてしまった。かつての正式な姓を復活させたいが、もはやわからなくなってしまっている。そこで、不明を象徴するXということにしよう、と考えたのです。

教団は、白人と黒人の分離を求めていました。キング牧師が、白人と黒人の共生を求め、白人と一緒に人種差別撤廃を求めたのに対して、マルコムは、白人を憎み、白人を信用せず、白人からの分離を求めたのです。

コラム

「ネイション・オブ・イスラム」

1930年頃、アメリカのデトロイトで、「アラビアからやってきた兄弟」と名乗るW・D・ファードという行商人が、黒人街で、「アメリカの黒人たちは、イスラム教徒の直系の弟子である」と言って、独特の「イスラム教」を広め始めたことから成立した組織です。ファードという人物は1934年に姿を消しますが、弟子のイライジャ・ムハマドが組織を作り、マルコムXが加わって大組織に発展しました。

イライジャの死後、組織は解体状態となりますが、1978年、ルイス・ファラカンが組織を再建し、1995年にはワシントンで黒人男性100万人行進を実現するまでに発展しています。いまも黒人分離主義・反ユダヤ主義を唱えています。

キング牧師が、「私には夢がある」と演説したことについてマルコムは、「我々には悪夢がある」と言ったほどです。

白人による黒人支配を糾弾するマルコムの舌鋒（ぜっぽう）は鋭く、差別に苦しむ多くの貧しい黒人の心をとらえました。

その一方で、白人社会からは、「暴力で黒人権力を樹立しようとしている」と受け止められ、激しい反発を呼び起こします。マルコムは常にＦＢＩの尾行を受け、「危険人物」扱いされるようになります。

マルコムの奮闘によって、教団は急成長を遂げます。一九六〇年には四万人もの大組織に育て上げました。

しかし、マルコムの名前が知られるようになり、マスコミにもしばしば登場するように

コラム

モハメド・アリ

Muhammad Ari（1942〜）

「ネイション・オブ・イスラム」の信者としては、元プロボクシング・ヘビー級チャンピオンのモハメド・アリが有名です。カシアス・クレイが元の名前で、重量級のボクサーながら華麗なフットワークを見せ、現役時代は、「蝶のように舞い、蜂のように刺す」と称されました。イスラム教信者になってからは名前もイスラム教徒名の「モハメド・アリ」に変えました。

引退後、パーキンソン病にかかりましたが、1996年のアトランタオリンピックでは開会式で聖火台に聖火を点す役をつとめています。

なると、教団の指導者イライジャの嫉妬を買うようになり、次第に疎まれていきます。マルコム自身も、男女関係に厳しい教えを説いているイライジャが、実は秘書三人に自分の子を産ませていることを知って、不信感を強めます。さらには、マルコム暗殺計画が教団内部で練られていることを知ってショックを受け、一九六四年、教団を離れ、独自の組織（アフロ・アメリカン統一機構）を結成します。

メッカ巡礼で「真のイスラム教徒」に

マルコムの考え方が大きく変化したのは、一九六四年、メッカに巡礼したことがきっかけでした。

世界中のイスラム教徒は、一生に一度は聖地メッカに巡礼することが望ましいとされています。マルコムは、この巡礼に参加したのです。そこで見たイスラム教は、イライジャから教え込まれていたものとは、まったく異なるものでした。

ヨーロッパを経由してエジプトのカイロに行く飛行機に乗ったときのことを、マルコムはこう記しています。

「あらゆるところから巡礼のために人が集まってきていて、明らかにイスラム教徒の大勢の人びとが抱きあっていた。さまざまの顔の色、機内の雰囲気は温かさと友情にあふれるものだった。ここにはまったく肌の色の問題はないんだな、と私は感動した」（同前・下）

実際に巡礼に参加したときの様子も、次のように書いています。

「世界中から何万人という巡礼者たちが来て

いた。青い目で金髪の者から黒い肌のアフリカ人まで、あらゆる人種がいた。しかしみな同じ儀式に参加し、私がアメリカでの体験で白人と非白人のあいだにはけっしてないと信じるようになった一体感と兄弟愛の精神を示していた」(同前)

黒人と白人とは、決して共生できないものと思っていたマルコムは、イスラム教において、すべての人々は神の前に平等であり、異なる人種の共生は可能である、と信じるようになるのです。劇的な転向でした。

メッカ巡礼から帰国したマルコムは、ニューヨークの空港に待ち構えていた報道陣に対して、次のように発言します。

「以前は、すべての白人を一からげに非難していました。二度とそのような罪は犯しません――白人のなかにもじつに誠実な人もいるとわかり、黒人にたいして真の同志愛をもつことができる人もいることがわかったからです」(同前)

★マルコムも「夢をみた」

マルコムのその後の行動は、白人そのものに敵対するのではなく、白人も黒人も、それぞれの立場で人種差別撤廃の運動をすべきだ、というものになりました。

誠実な白人は、白人だけの組織を作って、白人の人種差別的な意識の改革をしてほしい、と呼びかけるようになりました。

「私たちがたがいに誠実であることによって、アメリカの魂そのものを救済するための道を、示せるようになるかもしれない。アメリカの魂は、人権と人間の尊厳が黒人にまで完全に

拡大されるとき、はじめて救済されるだろう」(同前)

ここには、黒人は白人とは別の国家を作るべきだとの主張はありません。マルコム自身も、「夢」を持つようになるのです。

「ときどき、おこがましくも夢みることがあった。いつの日か私の声が—白人の自己満足と高慢とひとりよがりをおびやかした私の声が—アメリカを墓穴から、悪くすると決定的破局から救いだす役にたったことを歴史が認めてくれるかもしれない—そんな夢だ」(同前)

そして遂に、キング牧師の非暴力抵抗運動を評価するようにまで変化するのです。

「私流のデモ行進のやり方とマルティン・ルーサー・キング博士の非暴力の行進のやり方がちがっていたように、目標への近づき方はちがっても、めざすところは常に同じである」(同前)

しかし、一九六五年二月、マルコムは、ニューヨークで演説中に、かつて所属していた教団のメンバー三人に銃撃され、暗殺されてしまいました。奇しくも、三年後にキング牧師が暗殺されるときと同じ三九歳でした。

マルコムが暗殺されていなければ、その一

コラム

マルコムXの生涯は映画化された

1992年、黒人映画監督のスパイク・リーは、デンゼル・ワシントンをマルコムX役にして、映画『マルコムX』を制作しました。暗殺されてから30年近く経って、マルコムは、改めて再評価されたのです。

スパイク・リーは、映画化にあたって、こう語っています。

「誰もが自分にとって大切な、思い思いのマルコムをもっているのさ。そのマルコム像は、その人間の政治や人格に対する考えにぴったり重なるんだよ」(『エスクァイア日本版 1993年1月号』)

対面するキング牧師とマルコムX（1964年3月）

週間後、キング牧師との初めての会談が持たれる予定になっていました。

★キング牧師とマルコムXが生きていたら

ここからは、もしも……という話です。もし、マルコムXが暗殺されていなければ、一週間後、対照的な運動を続けてきた二人が会談していたはずです。

マルコムは、メッカ巡礼によって、それまでの白人たちへの見方を劇的に変え、誠実な白人たちとだったら、アメリカという国を変えることができると信じるようになっていました。

それまで一切認めようとしていなかったキング牧師の非暴力抵抗運動に興味・関心を示すようになっていたのです。

その一方で、キング牧師も当時、それまでの非暴力抵抗運動に行き詰まりを感じ、新しい運動のあり方を模索していました。

歴史に「もし」はありませんが、もし二人が生きていれば、まったく新しい形の黒人差別撤廃の運動が大きく発展した可能性があるのではないか……。私は、そんなことを夢想するのです。

★「公民権法」が成立した

さまざまな黒人差別撤廃の動き。これに押される形で、ケネディ大統領は、一九六三年六月、アメリカ社会の広範囲な分野での差別禁止を定めた「公民権法案」を議会に提出しました。

しかし、その年の一一月、ケネディ大統領

が暗殺されてしまいます。後を継いだジョンソン大統領は、「ケネディの遺志を生かすために公民権法案の承認を」と議会に働きかけます。ところが、この法案には、差別撤廃を嫌う南部の共和党、民主党議員の強硬な反対が巻き起こり、法案の審議は難航に難航を重ねます。結局一年もかかって、一九六四年六月、議会は法案を承認。ジョンソン大統領が署名して、正式な法律になりました。この法律は、「ケネディの遺志を実現しよう」という世論が後押しをすることで、ようやく実現することができたものです。もしケネディが生きていたら、法律の成立はむずかしかったかも知れません。

　この法律は、第一に、投票の際の「読み書きテスト」を条件つきながら禁止しました。黒人の投票権を保障したのです。

また、ホテルやレストラン、カフェテリア、映画館、スポーツ競技場などでの肌の色や出身国による隔離・差別を禁止しました。

　さらに、公教育での差別をなくすため、司法長官が訴えを受けると、裁判所への提訴など適切な措置を講じることも義務づけられました。

　こうしてアメリカ社会は、やっと人種差別

コラム

黒人は3人に1人の計算

　黒人差別は、まだ消滅してはいません。とりわけ都市部の黒人街では、貧しくて満足な教育を受けられない子どもたちも多く、結果として、黒人の犯罪率は高い状態が続いています。

　2001年に生まれた子どものうち、白人の男の子が刑務所に行く確率は17人に1人ですが、黒人の男の子となると、3人に1人という高い確率になるといわれています。これが、アメリカ社会の現実です。

撤廃へとゆっくり動き出します。しかし、その後も、黒人や白人の活動家が、差別主義者の白人に殺されたり、大都市の黒人街で、黒人の暴動が発生したりするなど、差別なき社会への歩みは一進一退を繰り返すのです。

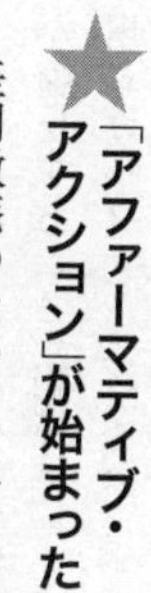

★「アファーマティブ・アクション」が始まった

差別撤廃のために、公民権法成立に合わせて、アメリカでは、これまで差別されてきた人たちを優遇するという方針が打ち出されました。これを「アファーマティブ・アクション」（積極的差別是正策）といいます。

公民権法にもとづいて、一九六〇年代半ば以降ジョンソン大統領が行政命令を出して実行に移されたものです。連邦政府と事業契約を結ぶ企業や団体は、マイノリティ（少数派）の従業員が差別を受けないように、優遇策をとることが求められました。たとえば入学試験や社員採用にあたって、黒人や先住民族の合格枠・採用枠を設定し、たとえほかの人よりも成績が悪くても合格させる、というものです。

あるいは、試験の成績など条件が同じなら、黒人や先住民族を優先的に受け入れる、というものです。

一九七一年には、このマイノリティに女性も含まれるようになりました。

公民権法は差別を禁止するものですが、アファーマティブ・アクションは、差別されてきた少数派を優遇することで、それまでの差別を埋め合わせようというものです。

これにより、アメリカの有力大学には黒人学生の数が増えました。有名企業での黒人社員の採用も激増しました。

ところがこれは、結果的に白人男性が逆差別されることにもなりかねません。一九九〇年代になると、「差別を受けた」という白人男性からの訴えが相次ぎ、「アファーマティブ・アクション」を撤廃するところも増えています。

一九九六年にはカリフォルニア州で、州のすべての「アファーマティブ・アクション」を廃止することが州民投票で決まりました。州立カリフォルニア大学は、マイノリティの優先的入学制度を廃止しました。それ以後、黒人学生の数は減少しています。

黒人の中産階級の中にも、「アファーマティブ・アクション」に否定的な意見を持つ者が増えています。「自分たちは実力で有力大学に入学して卒業し、社会で成功したのに、まるでアファーマティブ・アクションのおかげで優遇されたかのように受け止められるのは悔しい」という思いが背景にあります。差別に対しては積極的な優遇策で応じるという思い切った対策だったのですが、それが定着したことで、かえって見直しの時期を迎えているということなのでしょう。

★各界で黒人が活躍する時代になった

二〇〇五年一月、ブッシュ大統領の二期目の政権で、ライス国務長官が誕生しました。やはり黒人だったパウエルの後任でした。コンドリーサ・ライスは、新しい黒人世代の誕生を象徴しています。

彼女は、裕福な黒人家庭に生まれ、三歳からピアノを習い、その腕前はプロ級です。ヨ

コンドリーサ・ライス、2005年1月国務長官に就任

ーヨー・マと合同演奏会を開いたことがあるほどです。幼い頃からバレエやフィギュアスケートも楽しみ、フランス語とスペイン語を学びます。

一九歳で早くもデンバー大学を飛び級で卒業すると、二六歳にして博士号を取得し、スタンフォード大学の政治学の助教授に。ブッシュ（父）政権で外交政策のスタッフになり、息子のブッシュ政権の一期目で黒人女性として初の安全保障問題の大統領補佐官に任命されました。外交問題でのブッシュ大統領の「家庭教師」役として知られています。

黒人であり女性であるという、かつてなら二重の意味で差別を受ける立場だったライスですが、その能力が評価されることで、国務長官にまで達しました。

国務長官は、日本で言えば外務大臣に該当

します。アメリカでは、大統領にもしものことがあれば、次に誰が大統領に就任するか、その順番が詳細に定められています。副大統領、次は下院議長、続いて上院議長代行（副大統領が上院議長なので）ときて、その次が国務長官なのです。

そして二〇〇九年、ついに初の黒人大統領が誕生しました。

肌の色ではなく、本人の能力によって評価される。かつてキング牧師が夢見たことが、一部で現実のものになってきているのです。

この章のまとめ

アメリカという国は、そもそも奴隷制度を前提に成立した国だったが、やがて奴隷制度の扱いをめぐって南北が対立し、南北戦争に発展する。

南北戦争中にリンカーン大統領による「奴隷解放宣言」が出されたが、黒人奴隷の実質的な解放に至るまでには、長い長い黒人自身による戦いが必要だった。

現在では各界で黒人が活躍する姿を見るまでになったが、黒人差別の深刻な実態は依然として存在している。

第八章 アメリカは世界経済を支配してきた

★「世界のお金」はドルだ

毎日のニュースに必ず登場する一ドルの価格。「きょう午後五時現在、一ドルは○○円○○銭で、きのうに比べて○銭の円高……」などというニュースが読み上げられます。円の値段は、「一万円は○○ドル」などという表示ではなく、必ず「一ドルは○○円」という表現になります。ドルが世界のお金の基準になっているからです。

円ばかりではありません。ユーロもポンドもスイス・フランも中国の人民元も、ドルを基準に交換比率が決まります。世界中の通貨が、アメリカのドルを基準に変動しているのです。

アメリカは、その経済力にものを言わせて、ドルを世界の通貨の価値を計る基準にしているのです。ドルが「世界のお金」になることにより、ドルは世界中どこに行っても通用します。これがまた、アメリカという国の経済を支えています。

世界の「お金」がドルに決まったのは、まだ第二次世界大戦中のことでした。

★真珠湾攻撃直後から戦後の検討が始まった

一九四一年一二月一四日。つまり、日本軍による真珠湾攻撃から一週間後。ヘンリー・モーゲンソー財務長官は、部下に対して、戦後の国際通貨体制の計画策定を命じました。命令を受けたのは、ハリー・デクスター・ホワイト財務省金融調査局局長でした。

日本がまだ真珠湾攻撃の成果に沸き立っている頃、アメリカはすでに戦後の世界体制の

東京外国為替市場

ヘンリー・モーゲンソー米財務長官
（1891～1967）

青写真を描き始めていたのです。戦争をどう終わらせるかも考えないまま戦争に突入した日本と、いち早く戦後体制の構築準備を始めたアメリカ。彼我の視点の格差には愕然とさせられます。

また、イギリスも、経済学者のケインズが、ヨーロッパでドイツとの戦争の最中の一九四一年夏から戦後の通貨制度の計画作りに着手していました。

戦後の国際通貨制度は、イギリスのケインズとアメリカのホワイトが中心になって作り上げることになるのです。

★「ブレトン・ウッズ体制」が確立した

第二次世界大戦最中の一九四四年七月、アメリカ北東部のニューハンプシャー州ブレトン・ウッズという小さな町のリゾートホテルに、連合国四四ヵ国の代表が集まりました。

戦争で大混乱に陥っている国際貿易を、戦後どのように立て直していくか。どのような体制にすれば国際貿易がスムーズに行えるか。その仕組みを整えておくための会議でした。

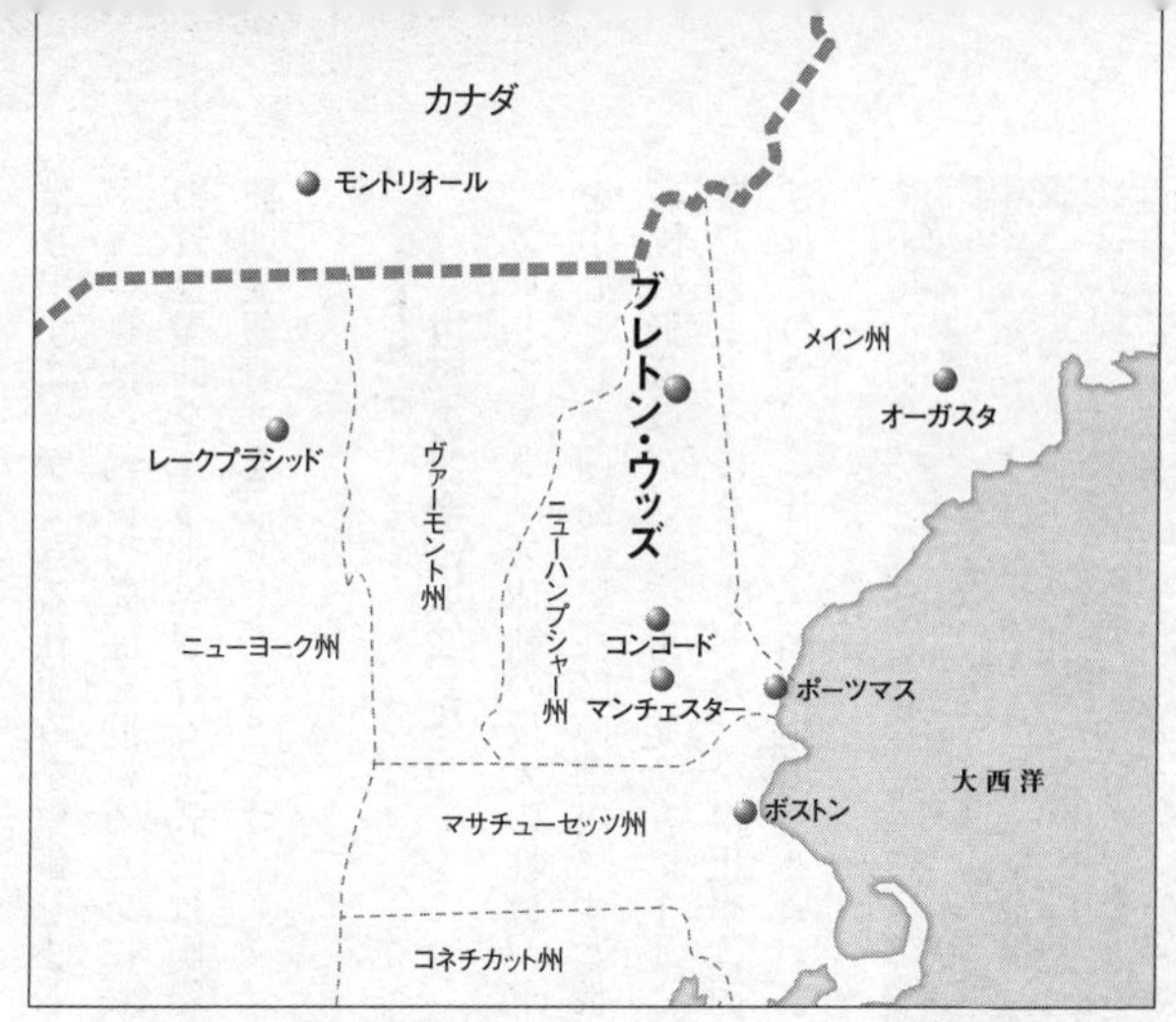

1944年、歴史的な会合が開かれたブレトン・ウッズ

ヨーロッパではイタリアが降伏し、太平洋戦線では日本の敗色が濃くなったことで、開かれたのです。首都ワシントンの真夏の暑さを避け、避暑地のリゾートホテルが会場になりました。

ここで成立した戦後の国際金融制度を、町の名前をとって「ブレトン・ウッズ体制」と呼びます。

決まったことは主として三つでした。

一つは、ドルを「基軸通貨」に定めたことです。世界各国の通貨を、一定の比率で必ずドルと交換できるようにして、この交換比率を定めました。

二つ目は、ＩＭＦ（国際通貨基金）の創設です。もしどこかの国の外貨準備が減少し、輸入代金の支払いができなくなるという危機に直面したときは、ＩＭＦから緊急に資金を借り出すことができる仕組みを整備しました。

三つ目は、経済の発展を助けるために長期の資金援助をする世界銀行（正式には国際復興開発銀行）を設立したことです。

★ドルが「世界のお金」になった

ブレトン・ウッズ体制の最大の柱は、ドルを中心とした国際金融秩序の創出です。世界各国の通貨は、いつでも一定金額のドルと交換できるようになりました。交換比率は固定されたので、これを「固定相場」といいます。


これにより、いわば各国の通貨の価値がドル表示されることになります。ドルが世界のお金の価値を決める「お金」になったのです。

日本もやがてこの仕組みに参加し、一ドル＝三六〇円という固定相場が決まります。一ドルはいつでも三六〇円と交換できることになったのです。もちろん、その逆に、三六〇円を一ドルと交換することも可能でした。

当時は、いまと違って交換比率（つまり為替レート）が変動することはありませんでした。したがって、「円高・円安」などという言葉もなかったのです。

44ヵ国の代表による「ブレトン・ウッズ会議」(1944年7月)

世界各国の通貨は、いつでもドルと交換できることで、その価値は保証されます。では、ドルは、何によって価値が保証されるのか？ それは、金だったのです。

世界各国の通貨をアメリカのドルと交換する比率を決めた上で、そのドルは、いつでも三五ドルで金一オンス（二八・三五グラム）と交換可能と定めました。

世界各国は、持っているドルをアメリカ政府に持ち込めば、いつでも金と交換できることになったのです。

いわば、ドルがいつでも金と交換できる「兌換紙幣」の役割を果たすのです。

ドルを仲立ちに、世界中の通貨が金とリンクするという、国際的な金本位制度が発足しました。

金本位制度とは、それぞれの国の中央銀行（発券銀行）は、持っている金の量だけしか紙幣を発行できない、というシステムのことです。発行された紙幣には、「同額分の金と交換できる」と印刷してあり、これを「兌換紙幣」といいます。第一次世界大戦後まで、各国は金本位制度をとっていましたが、これだと保有している金の量しか通貨を発行できず、経済の発展に支障が出ることから、第二次世界大戦が始まる前までに、各国は相次いで金本位制度をやめていました。

第二次世界大戦後、アメリカのドルと交換でき、このドルによって金とリンクするという「世界規模の金本位制度」の構造が成立したのです。

各国通貨は、いつでもドルと交換でき、そのドルの価値は、金が保証する。これで、世界各国は、「いざとなればいつでも金に交換できるのだから」と安心して貿易の決済にドルを受け取ることができます。戦後世界の自由な貿易が保証されることになったのです。

これができたのも、「いつでも金と交換する」と宣言できるだけの金をアメリカが保有していたからです。第二次世界大戦後、世界の貨幣用の金の六〇％をアメリカ一国が持っていました。アメリカの圧倒的な経済力が、ドルを世界のお金にしたのです。

コラム

国内の交換はダメ

アメリカ政府が金との交換を保証したのは外国政府に対してだけ。アメリカ国内の会社や個人がアメリカ政府に対してドルを金に交換するように申し込んでも、政府は応じないシステムでした。

★イギリスから世界の支配権を奪い取った

第二次世界大戦前まで、「世界のお金」は、イギリスのポンドでした。世界中の決済は、ポンドで行われました。それは、当時のイギリスの圧倒的な経済力が背景にあったからです。

産業革命をいち早く成功させたイギリスは、「世界の工場」となりました。世界各国は、イギリスの工業製品を競って買い求めます。支払いは金で行われ、イギリスには世界中から金が集まります。イギリスは、この金を裏づけにしてポンドを発行しました。「金本位制」です。

ポンドを持っていれば、いつでも工業製品

が購入できるので、世界各国は、ポンドを所有したがります。こうしてイギリスのポンドが「世界のお金」になりました。

しかし、第二次世界大戦でイギリス経済はすっかり疲弊（ひへい）してしまいました。保有している金の量も激減。代わってアメリカが、金の一大保有国となったのです。

アメリカはこの力を活用し、世界の経済覇権をイギリスから奪い取ることをめざしました。それが、ドルを「世界のお金」にすることだったのです。

当初、ブレトン・ウッズでの国際会議の前に、イギリスは、経済学者のケインズが、アメリカに対して、「バンコール」と呼ばれる「国際通貨」を創設する案を提案していました。特定の通貨ではなく、いわば「国際銀

コラム

ケインズ

John Maynard Keynes（1883〜1946）

20世紀を代表する英国の経済学者で、大戦後の先進国の経済政策に大きな影響をおよぼしました。

ケインズはケンブリッジのハーヴェイロードで生まれ、大学では数学を専攻。研究のかたわら、官僚の仕事に就きます。

彼を一躍有名にしたのは、1919年の「パリ講和会議」です。英国大蔵省の主席代表として、会議に臨んだケインズは、敗戦国ドイツに対する過大な賠償案が、ドイツ経済、ひいてはヨーロッパ経済を破壊するものだと反対して辞任、その考えを本（『平和の経済的帰結』）にまとめて反響をよびおこします。

また、第二次世界大戦においても、大蔵大臣顧問として、戦後世界経済問題の処理に取り組み、アメリカの代表、ホワイトと激論を繰り広げましたが、結局ホワイト案にしたがって「IMF」が設立されます。

経済学の歴史をぬりかえる数々の輝かしい理論を打ち立てただけでなく、世界経済の危機とリアルタイムでわたりあった実務家でもあったのです。

行」のような組織を創設し、そこが「国際通貨」を発行するという、極めて国際主義的なアイデアでした。

しかし、これにアメリカは強硬に反対。自国通貨以外の「国際通貨」ができることは自国の主権の侵害とみなして、認めようとしませんでした。結局、経済力においてアメリカに圧倒的な差をつけられていたイギリスは妥協せざるをえず、ドルを国際通貨とするアメリカ案が勝利を収めたのです。

ドルが世界のお金になったことで、イギリスの世界経済における存在感は急激に薄れていきます。イギリス連邦内では、ブレトン・ウッズ体制が確立した後も、しばらくは貿易をポンドで決済していました。たとえばインドがイギリスから物資を輸入すると、支払いはポンドでした。しかし、インドが他国に商品を輸出して受け取るのはドル。そうなると、やがてインドは、イギリスに対して支払いはドルにしてほしい、と言い出すことになります。こうして、いつしかイギリス連邦内でのポンド決済の仕組みは消えていき、すべてはドルで決済されるようになります。こうして、世界経済の分野でも、イギリスに代わってアメリカの覇権(はけん)が成立するのです。

★国際通貨基金は「つなぎ融資」をする

アメリカのドルが「基軸通貨」になると共に、その制度を保証する組織が誕生します。それが、ＩＭＦ（国際通貨基金）です。名前の通り「基金」。つまり、加盟各国が資金を出し合って一定の金額を貯めておき、加盟国の中に外貨不足の国が出たら、その国に「つなぎ融資」をするシステムです。

ブレトン・ウッズ体制は「固定相場制」ですから、加盟国の通貨は、いつでも一定の金額のドルと交換できることになっています。いつでもドルと交換できることが保証されているので、貿易が安心してでき、その国の通貨での支払いを受け取ることができます。

しかし、ある国の経済状態が悪化すると、そうもいかなくなります。そのための基金です。

たとえば、Aという国の経済状態が悪化すると、その国の通貨を持っている外国の企業は、「この国の通貨の価値が下がるかも知れない」と考えて、通貨を売ってドルを買おうとします。A国の中央銀行としては、「いつでもドルと交換できますよ」ということにしておかないと、その国の信用問題になりますから、持ち込まれたその国の通貨と、手持ちのドルとの交換に応じます。それを続けていると、A国の中央銀行の手持ちのドルが急激に減ってしまいます。そのうちに、もう交換に応じるだけのドルがない、ということになってしまう恐れがあります。

それでは大変なので、そういう緊急事態のとき、A国は、国際通貨基金から、ドルの「つなぎ融資」を受けることができるようにしました。

IMFでの決定事項は理事会が決めますが、理事会での投票権は、出資金額に応じて決まることになりました。

たとえば、加盟国の為替レートの変更は、一〇%までだったら自由にできますが、それを超える場合は、理事会の四分の三以上の賛成が必要になっていました。アメリカは、出資額に応じて二五%以上の投票権を持っていましたから、アメリカが為替レートの変更に拒否権を持つことになったのです。

ここでも、世界経済の覇権をアメリカが握る仕組みになっていました。IMFも世界銀行も、本部はワシントンに置かれました。いつでもアメリカ政府との協議ができるように。いや、「いつでもアメリカの意向に沿うことができるように」と言うべきかも知れません。

★アメリカのドルが世界に拡散した

第二次世界大戦後、世界は東西に分裂します。東西冷戦の始まりです。戦争中に戦場となり、荒廃しきったヨーロッパも東西に分かれて対立します。東欧諸国がソ連の支配下に入ったことに、アメリカは神経を尖(とが)らせました。西欧諸国までがソ連の支配下に落ちないようにするため、アメリカは、西欧諸国の経済を早く復興させようと、大がかりな経済支援に踏み切ります。これが「マーシャル・プラン」と呼ばれるものです。一九四七年六月、ジョージ・マーシャル国務長官がハーバード大学での講演で、ヨーロッパ諸国への大規模な経済援助をする用意があることを明らかにしたので、この名前がつきました。

援助は一九四八年から四年間にわたり、総額で一四〇億ドルにも上りました。

ヨーロッパ各国は、アメリカからの援助で得たドルで、アメリカから商品を購入します。アメリカの輸出産業が、これによって発展します。

アメリカがヨーロッパにドルを与え、ヨーロッパはこのドルでアメリカから商品を購入

トルーマン大統領（左）とジョージ・マーシャル国務長官（右隣）（1948年11月）

し、ドルがアメリカに還流するという循環が起きたのです。これにより、ヨーロッパ経済は復興し、アメリカ経済も発展しました。

ヨーロッパ経済が復興すると、ヨーロッパからの商品輸出も始まり、アメリカがヨーロッパの商品を購入します。支払いはドル。アメリカのドルがますますヨーロッパにあふれます。

一九五〇年から朝鮮戦争が始まると、アメリカは戦争に必要な物資をドルで購入します。その恩恵を被ったのは、朝鮮半島に一番近かった日本。日本にドルが流れ込み、日本国内にもアメリカのドルが溜まり始めます。

さらにベトナム戦争が始まると、アメリカ軍は、東南アジアで多額の戦費を使います。ますます大量のドルが世界に拡散していったのです。

各国はこのドルを財産として保有しました。ときにはドルでアメリカの国債を購入し、利子を得ました。金を持っていても利子がつきませんが、ドルにして国債を買えば利子がついてきたのですから。

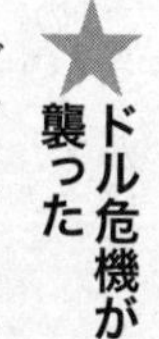

ドル危機が襲った

ブレトン・ウッズ体制は、そもそもアメリカのドルが世界にあふれていることが前提になっていました。世界各国が大量のドルを持っているからこそ、そのドルで各国間の貿易の決済が行われたのです。

しかし、過ぎたるは及ばざるがごとし。あまりに大量のドルが世界に散布されると、やがてはブーメランのように戻ってきます。

ヨーロッパ各国は、ドルが世界中にあふれている現状を見て、次第に疑心暗鬼にとらわれます。アメリカの国外にあるドルの総額が、アメリカが保有している金の総額を上回っていたら、アメリカはドルを金と交換できなくなるのではないか、と。

ドルに対する不信が芽生えたのです。こうなると各国は、「金と交換できなくなる前に交換しておこう」と考え、アメリカに金との交換を迫ります。アメリカは要求に応じざるをえません。アメリカの手持ちの金が、みるみる減少し始めました。

一九四九年にアメリカ政府が保有していた金の総額は二四五億ドル。それが一九七〇年には一一億ドル弱にまで減ってしまいました。

アメリカは、とうとうドルを金と交換することを拒否することになります。これが「ドル危機」です。

「ニクソン・ショック」が揺るがした

一九七一年八月一五日。ニクソン大統領は、全米向けテレビとラジオで演説し、金とドルの交換を停止すると発表しました。これが、「ニクソン・ショック」と呼ばれることになりました。世界経済は一時、大混乱に陥ったのです。

きっかけは、八月一三日に、イギリスが三〇億ドルもの手持ちのドルを金と交換するように求めてきたためでした。もはやアメリカには、それに応じるだけのゆとりがありませんでした。

ドルをいくら持っていても、金(きん)とは交換しない。それは、戦後のブレトン・ウッズ体制

テレビを通じて「重大発表」を行ったニクソン大統領(1971年8月)

を根幹から覆すものでした。ニクソン大統領は、この大事な決定を他国には一切知らせず、突然テレビとラジオで発表したのです。
しかも声明では、アメリカがこのような決定をすることになったのは、アメリカには責任がなく、貿易黒字を増やし続けているヨーロッパや日本に責任があるかのような説明をしてのけました。アメリカは悪くない。悪いのは、ドルを勝手に貯め込んだ外国だ、というわけです。

★通貨は「変動相場制」になった

それまで三五ドル分のドルがあれば、一オンスの金と交換できたのですが、それができないとなれば、ドルの価値が前より下がった

コラム

ニクソン演説の一部

「第二次世界大戦が終わった時、欧州とアジアの主要工業国の経済は疲弊していました。彼等が自立し、自由を守るのを助けるためにアメリカは過去25年間にわたり1430億ドルの対外援助を行いました。それは正しいことでした。

今日、彼等はわれわれの援助に大きく助けられて活気を取り戻しました。彼等はわれわれの強力な競争相手となり、われわれは彼等の成功を歓迎しています。しかし他国の経済が強力になった今、彼等が世界の自由を守るための負担を公平に分担すべき時期がきたのです。為替レートを是正し、主要国は対等に競争する時です。もはやアメリカが片手を背中に縛られたまま競争する必要はないのです」(細谷千博監修『国際政治経済資料集』)

声明の意味がわからなかった

ニクソン演説があることは、その直前に佐藤栄作総理大臣に、ロジャーズ国務長官から電話で知らせてきました。「大統領から重大発表があるので、VOA(ボイス・オブ・アメリカ=アメリカ政府の海外向け短波放送)を聞いてほしい」というものでした。総理官邸では通訳を探すのに大騒ぎとなり、大蔵省でも、短波放送に耳を澄ますという光景が見られました。↙

ということになります。ニクソン声明の本質は、ドルが世界の通貨を支えるという責任を放棄すると共に、ドルの切り下げをはかるというものでした。

これを受けて、世界各国は、新しい国際秩序の再構築をめざします。いったんは、その年の一二月、ワシントンのスミソニアン博物館で開かれた会議で、新しい固定相場が決められました。ドルは他国の通貨に対して切り下げられたのです。一方、円は切り上げられ、一ドルは三〇八円になりました。この新しい固定相場のことを、会議が行われた場所の名前をとって、「スミソニアン体制」と呼びます。

しかし、これも長くは維持できず、一九七三年になると、各国は相次いで変動相場制に移行します。

かくして、世界各国の通貨は、その時々の「需要と供給」に応じて、通貨の交換比率が上下することになりました。これが「変動相場制」です。

日々刻々と交換比率(為替レート)は変動します。円高や円安という言葉は、このときから使われるようになったのです。

アメリカは、ドルを金と交換しないと宣言して、ドルを「基軸通貨」として維持してい

↘　ニクソン大統領は、金とドルの交換停止の発表と共に、すべての輸入品に10%の輸入課徴金をかけることもあわせて発表していました。日本政府は、10%の輸入課徴金のことばかりを気にして、金とドルの交換を停止するということの意味がわかりませんでした。

「プラザ合意」。右端は竹下登(1924～2000)大蔵大臣／当時(1985年9月)

く責任を放棄しました。

金と交換できないドルに、以前のような価値はありません。

しかし、ドルに代わる通貨はありませんでした。結局その後も、ドルが基軸通貨の役割を果たし続けることになるのです。

★「プラザ合意」が行われた

一九八五年九月、ニューヨークの高級ホテル「プラザ」に、先進五ヵ国（アメリカ・イギリス・フランス・西ドイツ・日本）の大蔵大臣・中央銀行総裁が密かに集まり、ひとつの合意に達しました。これが「プラザ合意」です。ドル安を進めるために各国が協調することを取り決めたのです。

アメリカとしては、ドルが各国の通貨に対

して一〇%程度切り下げられるように要請しました。各国はこれを受け入れましたが、席上、日本の竹下登大蔵大臣は、円が対ドルで約二〇%切り上げることを受け入れると宣言しました。それまで一ドルが二四〇円程度だったものを、二〇〇円程度にまで切り上げることを容認したのです。

当時アメリカには日本やヨーロッパから商品が流れ込み、アメリカは貿易赤字に苦しんでいました。ドルが切り下げられれば、それだけアメリカ製品は海外での価格が下がり、よく売れるようになるはずです。また、ドル切り下げで、アメリカ国内での輸入品の値段は上がり、輸入品はあまり売れなくなるはずです。それによって、アメリカの貿易赤字を減らそうというレーガン政権の要求に、各国が応えたのです。

とりわけ日本からの対米輸出が急激に増え、アメリカとの間で貿易摩擦が深刻になりつつありました。日本としては、摩擦を和らげるため、あえて円高になることを認めたのです。

各国は、ドルを売って自国通貨を買うという行動に出ました。変動相場制に移行して以来、世界各国の銀行間や外国為替業者間で、電話回線を通じて通貨を売買する仕組みが整備されてきていました。これが外国為替市場です。ここで、各国の中央銀行が、ドルを売り、自国通貨を買ったのです。

世界の市場で大量のドルの売り物が出たわけですから、「需要と供給」の関係で、ドルの値段は下がります。一ドルは二〇〇円程度にまで下がりました。

やがてドルはさらに下がり(円が上がり)、一ドルが一〇〇円台になっていくのです。アメリカのドルの地位の低下が始まります。
しかし、ドルに代わる通貨が出現しない以上、引き続きドルが基軸通貨の地位を保ち続けることになるのです。

★「お金」が商品になってしまった

変動相場制になったことで、国際金融の世界は一変しました。「お金」が商品になってしまったのです。それまでのブレトン・ウッズ体制では、各国の通貨の交換比率は固定されていました。しかし、変動するようになると、その変動を利用して商売が成り立つようになります。

たとえば、一ドルが二〇〇円のときに、一〇〇万ドルを円に替えると、二億円。一ドルが一〇〇円になった段階で二億円をドルに戻せば、二〇〇万ドルにもなります。資金をドルから円、円からドルへと動かすことで、膨大な金儲けのチャンスが生まれることになります。

商品の売買に使われるお金が、それ自体商品となり、売買される対象になったのです。通貨投機の始まりです。通貨を売買することで、資金が自己増殖を始めます。膨大な資金が、毎日世界中を飛び回るようになりました。その資金を動かしているのは、アメリカの金融界であり、ヘッジファンドと呼ばれる投機資金を管理する会社なのです。

★アジアを通貨危機が襲った

ヘッジファンドは、資金を増大させるためなら、他国の経済を破綻させることも厭いません。そんな非情な行動が、一九九七年から九九年にかけて、アジアを襲いました。「アジア通貨危機」の発生です。

タイやインドネシアは、変動相場ではなく、自国の通貨をドルと固定していました。タイの通貨は「バーツ」。一ドルは二六・二バーツと固定されていました。バーツは、いつでもタイの銀行でドルと交換できたのです。タイは、この固定相場を守ることで、為替変動のリスクをなくし、外国資本を国内に呼び込んでいました。

しかし、タイのバーツが過大評価されていると見たヘッジファンドは、バーツに狙いを定め、一九九七年五月、バーツ売りを仕掛けました。あらかじめタイ国内に投資してバーツに両替していた資金を一気にドルに交換したのです。バーツをドルに交換したのですから、「バーツを売ってドルを買った」という「バーツ売り」です。さらに、「バーツの空売り」を仕掛けました。「空売り」とは、持っていないものを借りてきて売ることです。ヘッジファンドは、タイ国内の銀行からバーツを借り、それを売りに出しました。

タイ政府としては、バーツの固定相場を維持したいですから、各地の銀行を通じて注文される「バーツ売り」に立ち向かわなければなりません。売りに出されるバーツを、中央銀行が持っていたドルと交換したのです。

大量のバーツをドルに交換しているうちに、持っているドルは底を尽きます。とうとうドルと交換できなくなってしまいました。バーツの固定相場は崩壊したのです。

一ドルが二六・二バーツだったものが、その年の暮れには四七バーツにまで暴落しまし

バーツの固定相場崩壊で、取引を停止したタイ、バンコクの銀行（1998年1月）

た。

ヘッジファンドは、バーツが暴落したところで、ドルをバーツに替え、そのバーツを、借りていたタイの銀行に返済しました。空売りで大儲けをしたのです。

続いて九月には、インドネシアの「ルピア」も狙われ、同じようにルピアも暴落しました。さらに韓国も狙われます。アジアが大揺れに揺れたのです。

★ＩＭＦの処方箋はいつも同じ

ヘッジファンドに狙われて固定相場が崩壊してしまっても、変動相場で外国為替市場を再開しなければなりません。でも、そのためには、「ドルと交換してほしい」という要求に応えるだけのドルが必要になります。こういうときに出番になるのが、ＩＭＦ（国際通貨基金）です。外貨が必要になった国に緊急支援をすることになっています。

しかし、ＩＭＦに支援を求めると、ＩＭＦは、支援と引き換えに、必ず国内の改革を求めます。この改革が、アメリカ流なのです。

国家財政の支出を切り詰め、金融政策も引き締めて国内の金利を引き上げること。それに市場原理主義による「産業の自由化」の徹底。それにより、「非効率」な産業は淘汰され、経済は力強さを取り戻す、というものです。

国内の金利が引き上げられれば、海外の資金が、高金利を求めて戻ってきます。産業が自由化されて規制がなくなれば、海外の投資家には投資のチャンスが広がります。ますます海外からの投資が増える、というわけです。それだけ、ドルをその国の通貨に交換する動きが出て、通貨価値が上がるはずです。

ＩＭＦの中枢はアメリカが押さえています。ＩＭＦによる改革の処方箋は、要するに「アメリカのような経済体制にしなさい」というものです。アメリカのような経済体制にすれば、アメリカの資本は行動しやすくなる。アメリカの資本に向けて国内の市場を開放しなさい、というのが、ＩＭＦの「指導」になるのです。

ＩＭＦの「指導」は、それぞれの国の事情にお構いなく一律の方針ですから、それをそのまま実行しますと、当事国ではさまざまな問題が発生します。

ＩＭＦの指示に従って財政を切り詰め、公共料金を引き上げたインドネシアでは、スハルト政権に反対する反政府暴動が発生し、長

ルピア暴落が引き金となったインドネシア暴動（1998年5月）

年続いたスハルト政権は崩壊しました。

★「アジア通貨基金」を認めなかった

アジアの通貨危機に対しては、日本が動きました。ヘッジファンドの投機資金によってアジア各国の経済が壊滅状態になるのを見た日本としては、独自の救済策を考えたのです。それが、ＩＭＦならぬ「ＡＭＦ」（アジア通貨基金）構想でした。

通貨危機に陥っている各国は、緊急に外貨準備金つまりドルを必要としています。自国通貨を買い支えるためのドルが必要なのです。それを、ＩＭＦに頼むまでもなく、アジア地域の各国が資金を出し合って基金を創設し、資金を融資するシステムを構築しようと考えたのです。

東アジア・太平洋中央銀行総裁会議のメンバーが合計で一〇〇〇億ドルの資金を出し合い、基金を作るという構想でした。日本としては、三〇〇億円程度の拠出を想定していました。

その際、日本としては、資金融資に当たってIMFのような一律の「改革」の処方箋はとらない方針を考えました。アジアにはアジアならではの経済改革の道があるはずで、アメリカ流の押しつけを避ける、というものでした。

この構想にはアメリカが猛反発します。日本の構想は、アメリカ抜きだったからです。世界の金融秩序を、たとえアジア地域だけとはいえ、アメリカ抜きで再構築することを、アメリカは許しませんでした。

さらに、日本主導の構想に中国も消極的で、この構想は潰(つい)えてしまいました。世界に覇権を維持し続けようとするアメリカの意思を、ここでも見せつけられたのです。

★ユーロの比重高まる

アメリカのドルを基軸に構築された戦後の金融秩序。唯一それに対抗できる勢力が、EUであり、統一通貨ユーロです（詳しくは拙著『そうだったのか！現代史』参照）。

世界経済の決済には、これまで基軸通貨ドルが使われてきましたが、九・一一のアメリカ同時多発テロや、ブッシュ政権による単独行動、イラク戦争などの行動によって、世界は、外貨準備をドルだけにしていることのリスクを感じるようになりました。リスク分散のためには、ドル以外の外貨も持っているこ

1ユーロ・コインとアメリカの1ドル紙幣

とが望ましい。そう考えた各国は、ドルの外貨準備を減らす一方、ユーロの保有比率を高めています。

二〇〇四年一二月、ロシア中央銀行は、持っている外貨のうち、ドルの比重を下げ、ユーロの割合を高めることを考慮中であることを正式に認めました。中国もユーロの比率を高めています。

石油輸出国機構（OPEC）の加盟諸国も、ドル預金を減らし、ユーロ預金を増やしています。

世界の金融界でユーロの存在が高まってくると、決済をドルではなくユーロで行おうという動きも広がります。とりわけ、原油取引の決済をドルからユーロに変更する動きが始まっています。

世界のエネルギー資源の中心である原油。その取引はドルで決済されてきたことが、ドルの存在価値を支えてきました。それが、ユーロ決済になってしまったら、ドルの存在価値は大きく損なわれるはずです。ドルの「落日」が、すぐそこまで来ているのかも知れないのです。

★「帝国への資金の循環」が続く

ユーロが急成長してきたにせよ、とりあえずこれまではアメリカのドルが世界経済の中心でした。これからもしばらくの間は、その状態が続くでしょう。

ドルが基軸通貨であることによって、アメリカ経済は栄えてきました。そこには、次のような資金循環の流れがありました。

アメリカ経済は強い力を持っていて、世界

中からさまざまな商品を輸入します。それによってドルが世界中に流れ出していきます。ドルを受け取った世界各国の企業・投資家は、そのドルをアメリカ国内に投資します。アメリカ国債や企業の社債など各種債券を購入したり、アメリカの株を購入したり、ドル預金したりします。

その資金が、アメリカの投資家によって、あるいはヘッジファンドによって、海外の企業・事業に投資されます。その資金が、再びアメリカに還流します。

アメリカが海外から大量の商品を輸入することによって、アメリカの貿易収支は赤字が続いています。それだけドルが海外に流出しているわけですから、本来ならドルの価値は暴落するはずです。しかしドルは基軸通貨で貿易決済に使えるので、各国はドルをそのまま保持。あるいは、ただ持っているだけでは増えないので、アメリカ国債を購入するなどアメリカ国内で資金運用をするため、ドルがアメリカ国内に還流し、ドルの価値は高く維持されます。

ブッシュ政権は、大幅な減税に踏み切る一方、イラク戦争などで軍事支出を拡大し、アメリカの財政は、かつてない赤字額に上りました。しかし、赤字をカバーするために発行される国債は、日本をはじめとする各国が購入してくれます。ドルが基軸通貨であることによって、アメリカは財政赤字を垂れ流していても、やっていけるのです。

貿易収支の赤字と財政赤字。この二つの赤字を称して「双子の赤字」といいます。アメリカは、「双子の赤字」に苦しむはずが、ドルが基軸通貨で決済通貨であることによって、資金不足に悩むことなく、やっていけるのです。

これは、アメリカという「帝国」が、周辺国家から資金を還流させることによって「帝国経済」を支えさせる、という構造になっています。この資金を「帝国循環」と呼ぶエコノミストもいます。アメリカは、自国の通貨ドルを基軸通貨にすることに成功したことにより、世界経済を牛耳り続けているのです。

日本経済は、バブル崩壊後、日銀が金融緩和政策をとって資金を国内にせっせと提供しましたが、その資金の多くは、アメリカの国債や株の購入に流れていってしまい、日本国内で資金が投資されないという状態が続いてきました。アメリカが世界の資金を吸い上げる構造ができてしまっているために、日本の不況対策は効果を上げられなかったのです。

そこには、「アメリカ帝国」によって資金を吸い上げられてしまう周辺国家の悲哀があったのです。

この章のまとめ

アメリカは、第二次世界大戦中から戦後の国際通貨制度の検討を始め、イギリスのポンドから「基軸通貨」の地位を奪うことに成功した。

やがてブレトン・ウッズ体制は崩壊するが、ドルが「世界のお金」であるという地位は揺らいでいない。

第九章 アメリカは

メディアの大国だ

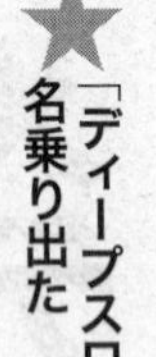

「ディープスロート」が名乗り出た

二〇〇五年五月、アメリカのマスコミに「ディープスロート」(喉の奥)という言葉があふれました。アメリカ報道史上、大きな謎だった「ディープスロート」と暗号名で呼ばれた人物が、実はアメリカFBI(連邦捜査局)の当時の副長官だったマーク・フェルトだったことがわかったのです。

自分が「ディープスロート」だと名乗り出たフェルトは、五月三一日、カリフォルニア州の自宅に押しかけた報道陣の前に姿を現し、満面の笑顔を浮かべました。九一歳になっていました。

「ディープスロート」は、かつて「ウォーターゲート事件」と呼ばれる出来事で、駆け出しの新聞記者二人が、ニクソン大統領を追い詰めた際、その有力な情報源とされていた人物です。

二人は、情報源の秘密を守り通してきましたが、本人が名乗り出たことで、初めてマーク・フェルトが情報源だったことを認めました。

アメリカのマスコミが、地道な取材活動を通じて事実を発掘し、政府権力の圧力に屈することなく報道する。それを、政府内部の良識派が、内部告発することで援助する。そんなアメリカ社会の伝統を、このニュースは私たちに教えてくれます。

では、「ウォーターゲート事件」とは、どんなものだったのでしょうか。この章では、それを手がかりに、アメリカの新聞・テレビが時の権力と戦ってきた歴史を振り返ってみましょう。そこから日本が学ぶべきことは多

名乗り出たマーク・フェルト元FBI副長官、左は娘のジョアン（2005年5月）

いはずです。

★「大統領の陰謀」を駆け出し記者が暴いた

「一九七二年六月十七日。土曜日の朝九時。電話にはまだ早すぎる。ウッドワードは手さぐりで受話器をとると、いっぺんに眠気がふっとんだ。ワシントン・ポスト市報部長からの電話である。カメラと盗聴装置を持った五人の男が民主党本部不法侵入の現行犯で逮捕された。すぐに出社できるか、というのだった」（カール・バーンスタイン、ボブ・ウッドワード著、常盤新平訳『大統領の陰謀』）

これが、いわゆる「ウォーターゲート事件」発生のときの様子です。取材に当たった「ワシントンポスト」紙の二人の記者が出版した本の書き出しです。

事件発覚のきっかけは、ビルの侵入事件でした。アメリカの首都ワシントンのポトマック河畔にある「ウォーターゲートビル」に深夜侵入した男たち五人が、不法侵入の現行犯で警察に逮捕されました。館内を巡回中に侵入に気づいたガードマンが警察に通報して逮捕されたのです。最初は、ちっぽけな事件のように見えました。

ところが、男たちが侵入した場所は、ビル六階にある民主党全国委員会本部で、五人は本部内に盗聴器を仕掛けようとしていたことがわかったことから、事件は拡大の様相を見せます。

五人のうちひとりは元ＣＩＡ（中央情報局）の職員であること、もうひとりは、大統領再選委員会（つまりニクソン陣営）の警備主任であることがわかります。早くも、ニク

事件の舞台となった「ウォーターゲートビル」

ソン大統領の存在がちらつき始めます。逮捕された男たちが持っていたメモには、ホワイトハウスで働いている人物の電話番号が書いてありました。二人は、この事件の取材に専念することになります。

　関係者への電話取材、聞き込み、関係者宅への訪問……。こうした地道な取材を通じて、二人は事件の核心へと迫っていきます。

　この年の一一月に行われる大統領選挙で二期目の当選をめざしていたニクソン陣営が、対立する民主党の動向を探るため、本部に盗聴器を仕掛けようとしていたことが明らかになっていくのです。しかも、事件が発覚すると、ニクソン大統領本人が事件のもみ消しを指示し、さらにＣＩＡに命じてＦＢＩの事件捜査を妨害させていたことも明らかになっていきます。

当時、ウッドワードは「ワシントンポスト」入社九ヵ月目の新人で二九歳。市報部という、日本の新聞で言えば東京都内の支局あるいは首都圏部のような部に所属していました。

バーンスタインは入社六年の二八歳。一六歳で別の新聞社の雑用係になり、その後ポスト紙に就職。当時はワシントンの隣のバージニア州を担当する政治記者でした。日本の新聞で言えば、神奈川県の県庁担当の記者のような仕事をしていました。

二人とも、中央政界を取材する「政治部」の記者ではなく、まだまだ駆け出しの若手記者。この二人が、大統領を追い詰めることになったのです。

事件を追い続けたふたりの記者。
カール・バーンスタイン(左)とボブ・ウッドワード。
写真は1973年当時

★「ディープスロート」がアドバイス

二人の取材の結果、ウォーターゲートビルの侵入犯の銀行口座に、ニクソン大統領の再選をめざして寄付された二万五〇〇〇ドルの小切手が入金されていたことがわかり、いよいよ事件とニクソン陣営との関わりが明らかになっていきます。

しかし、ニクソン陣営は、関わりを否定し続けます。当初は取材をしていた他のマスコミはやがて興味を失い、「ワシントンポスト」の二人の孤独な取材が続けられました。それを援助したのが、「ディープスロート」でした。ウッドワードの友人で、政府内部の情報源だったのです。この人物について、ウッドワードは、こう説明しています。

「ウッドワードはこの人物について、地位について誰にも口外しないと約束していた。さらに、匿名のニュース・ソースとしても、この人のことばをそのままけっして引用しないことに同意していた。二人の話は、よそで得た情報の確認と視野を拡大することに限定された。（中略）ウッドワードはある日この取決めを編集局長のハワード・サイモンズに説

コラム

互いに相手をどう見ていたか

二人の共著『大統領の陰謀』には、二人が一緒に取材を始める前、互いに相手をどう見ていたかが赤裸々に描かれています。

「バーンスタインと組むのは願いさげだな、とウッドワードは思った。他人を押しのけてでも特ダネをものにして署名入りの記事にしてしまうバーンスタイン。彼の辣腕（らつわん）ぶりを伝える社内の噂をいくつか思いだしたのだ」

「ウッドワードは、社内政治に憂身（うきみ）をやつす食えない男だ。そつがない。（中略）でも、ウッドワードが新聞記者として成長していくには力量不足かもしれない。バーンスタインは、ウッドワードの文章があまりよくないことを知っている。（中略）ウッドワードがポスト紙で急速にのしあがってきたのは、その能力よりもおえらがたの引きのおかげだとバーンスタインは思った」

こんなことを自分たちの本に書ける二人。大したものです。

明した。彼はこのニュース・ソースを『ぼくの友人』と呼んでいたが、サイモンズは有名なポルノ映画の題名をとって、『ディープスロート』と名づけた。この名前に決まった」(同前)

この人物は電話連絡を嫌がりました。ニクソン大統領は、多くの政府関係者の電話を盗聴していたため、これを恐れてのことでした。このため、連絡はまるでスパイのような方法を使いました。ウッドワードが連絡をとりたいときは、自宅アパートのバルコニーに置かれた花瓶を動かすのです。花瓶には赤旗がさしてありました。ディープスロートは毎朝このバルコニーの様子を確認し、花瓶が動いていれば、二人は前もって決めてある地下の駐車場で午前二時ごろに会うことにしていたのです。

また、ディープスロートの方から連絡をとるときは、ウッドワードの自宅に配達される「ニューヨークタイムズ」の二〇ページというノンブル(ページを示す数字)が丸で囲んであります。そのページの下の隅に、会う時刻を指定した時計の針の絵が描いてあるという方法でした。

ニクソン大統領は、「ウォーターゲート事件」の疑惑にもかかわらず、この年の一一月の大統領選挙で、民主党候補を大差で破り、再選を果たします。

しかし、その間にも二人の記者の取材は続けられました。

★ニクソン大統領が辞任に追い込まれた

やがて、ニクソン大統領が大統領執務室に

辞任表明後、ヘリコプターでホワイトハウスを去るニクソン大統領(1974年8月)

自ら盗聴器を仕掛け、室内での会話をすべて録音していたことが明らかになります。本人としては、大統領時代の自らの功績を後世に資料として残すために行っていたことですが、この録音テープに、事件のもみ消しを指示する言葉も記録されていたのです。

「ウォーターゲート事件」を捜査していた特別検察官は盗聴テープの提出を求めますが、ニクソン大統領は、特別検察官を解任してしまいます。これに抗議して司法長官が辞任するという騒動に発展し、ニクソン大統領を批判する世論が高まります。

遂に一九七四年八月八日、ニクソン大統領は、辞任に追い込まれました。ホワイトハウスから大統領専用機に乗り込む直前、大統領は両手を高く掲げ、国民に別れを告げました。

当初は単なる不法侵入事件に見えた出来事が、若い記者二人の取材によって、大統領辞任にまで発展したのです。

この二人の記者の取材活動の様子は、その後、『大統領の陰謀』というハリウッド映画にもなります。ウッドワードをロバート・レッドフォード、バーンスタインをダスティン・ホフマンが演じました。

キャサリン・グラハム(1917〜2001)
ワシントンポストの元社主。
写真は、1997年当時

当時の「ワシントンポスト」は、まだ「ニューヨークタイムズ」ほどの評価を得てはいませんでした。首都ワシントンのローカル紙の扱いを受けていたのですが、この事件報道をきっかけに、「ニューヨークタイムズ」に並ぶ有力新聞としての評判を確立するのです。

二人の記者を支えたのは、社主のキャサリン・グラハムでした。二人の報道に怒ったニクソン陣営が裁判に訴えると、彼女は、いざとなったら私が刑務所に行けばいいんだから、と言って、二人を励ましたのです。報道の自由のためには自らの刑務所行きをも覚悟する。新聞社の社主の、こんな決意が、大統領を追い詰める報道を支えました。

また、「ディープスロート」と暗号で呼ばれたマーク・フェルトは、FBIのナンバー2として、ニクソン大統領による捜査妨害に怒り、情報を提供していました。しかし、捜査情報そのものを提供するのではなく、二人の記者の取材・報道の方向性が正しいものかどうか、それをアドバイスするものでした。

二〇〇五年になって「ディープスロート」の正体が判明した後、アメリカ国内では、捜査幹部が新聞記者の取材に協力していたことに対して、批判の声が上がりました。

コラム

情報源が名乗り出た理由

長年、自分が「ディープスロート」であることを隠し続けてきたマーク・フェルトが、なぜ名乗り出たのか。それは、自分の父親が「ディープスロート」であることを知った娘が、「父は生きているうちに功績をたたえられるべきだ」と考え、父親を説得したからと言われています。また娘は、父親の記事が世に出て原稿料が手に入れば、自分の子どもの学資ローンの返済にあてられると考えたそうです。

その一方で、国民に奉仕すべき公務員として、政権が間違っていたことをしていれば、それを正すために新聞記者に協力するのは当然のことである、という擁護論も出ました。言論・報道の自由を守ってこそ、アメリカという国は存在できる。そんな伝統がしっかりあることを、私たちに改めて気づかせてくれる出来事だったのです。

★「国家機密」と戦った新聞があった

「ウォーターゲート事件」について、「ワシントンポスト」が権力を恐れることなく報道できるようになったのは、それより前に、権力と報道の自由をめぐる出来事があったからだといわれています。それが、「ペンタゴン・ペーパーズ」と呼ばれる文書の掲載問題でした。

一九六七年七月、当時のロバート・マクナマラ国防長官は、アメリカがなぜベトナム戦争の泥沼に足をとられることになったのかを分析しようと思い立ちます。政府関係者や軍関係者三六人を選抜して国防総省に集め、ベトナム戦争にアメリカ政府がどう関わってきたか、その詳細な歴史の検証の調査を命じたのです。

報告書は一年半かけて完成しました。全四七巻という膨大なものになり、三〇〇〇ページの本文と四〇〇〇ページの資料から構成されていました。正式名称は『ベトナム政策におけるアメリカ合衆国の政策決定過程の歴史』ですが、これが後に「ペンタゴン・ペーパーズ」(国防総省秘密文書)と呼ばれることになるものでした。報告書はわずか一五部しか印刷されず、しかも各ページに、「極秘—取扱い注意」のスタンプが押され、厳重に保管されました。

報告書は、アメリカ政府が、いかに国民の知らないところでベトナム戦争に深く介入していったか、ベトナム戦争の真実をいかに国民に隠してきたかが詳しくわかるものになっていました。

この報告書が明るみに出るきっかけを作ったのは、この調査に携わった研究員のダニエル・エルズバーグでした。彼は、ベトナム戦争に反対する立場に変わり、アメリカ政府にベトナム戦争をやめさせるためには、この資料の内容を広くアメリカ国民に知ってもらうべきだと考えるようになったのです。

当初はアメリカ議会の関係者に接触しまし

コラム

情報源を守るためなら収監されても

情報源を守るためだったら、記者は刑務所に入ることも厭わない。これは、報道の大原則です。アメリカではいまもその原則が守られていることを、「ニューヨークタイムズ」は2005年7月に示しました。

イラク戦争開戦前に、ブッシュ政権が主張している「イラクが大量破壊兵器を入手しようとしている証拠」なるものについて、元外交官が、「自分がかつて調査を命じられて調べたが、そんなものは存在していない」と新聞に暴露しました。すると、その元外交官の妻が、実はCIAの秘密工作員であることを暴露するコラムが地方紙に掲載されました。秘密工作員の身元を明らかにすることは連邦法違反。司法省が捜査を開始します。捜査の過程で、この件を取材はしたが記事にはしなかった「ニューヨークタイムズ」のジュディス・ミラー記者（次ページ写真）が裁判所に呼び出されましたが、記者は「情報源の秘匿」を理由に証言を拒否。これが法廷侮辱罪に当たるとして、ミラー記者は7月6日、刑務所に収監されました。

情報源の秘密を守るためだったら、自分が刑務所に入っても構わない。その立場を貫くことで、新聞記者に安心して情報を教えてくれる人が現れる。それによって、記者は多様な↙

↘取材・報道が可能になる。それが、ジャーナリズムの原則です。「ワシントンポスト」の二人の記者も、その原則を守り通しました。今度は「ニューヨークタイムズ」の記者が、それを身をもって示したのです。

たが、相手にされなかったため、一九七一年二月二八日、知り合いの「ニューヨークタイムズ」のニール・シーハン記者（三四歳）に接触します。資料があることを伝え、資料のコピーを渡したのです。四七巻のうち、外交を扱った四巻分は含まれず、四三巻分が渡されました。「ニューヨークタイムズ」は、この報告書の掲載をめぐり、「国家機密と報道の自由」をめぐって、政府と戦うことになるのです。

★タイムズ、掲載に向けて準備始める

この資料を読めば、歴代のアメリカ政府が、いかに国民に事実を隠してきたかがわかります。「ニューヨークタイムズ」社内では、文書の存在を記事にし、文書の全文を掲載する方向で検討に入りました。

掲載に当たって社内で検討されたことは、文書の中に国の安全保障に危険を及ぼす内容が含まれているかどうかでした。いくら「報道の自由」があったとしても、国の安全保障に支障が出ては問題だと編集幹部は考えました。

検討の結果、文書は政府によって書かれた

歴史そのものであり、国の安全保障にかかわる問題は存在しないと判断しました。」

シーハン記者には応援のスタッフがつけられ、文書全体を読み込んで連載記事を始める準備が始まります。社内でも秘密のプロジェクトとしてスタートし、秘密がもれるのを防ぐため、ニューヨーク・ヒルトン・ホテルの一室が貸し切られて、プロジェクトルームとなりました。

「ニューヨークタイムズ」のエイブ・ローゼンタール編集局長は保守的な考えの持ち主でした。ベトナム戦争支持の立場だったのです。この文書が新聞に掲載されると、ベトナム戦争を支持してきた自分にとっては打撃になると受け止めました。

しかし、シーハン記者に対して、こう言ったといいます。

「これが掲載されるのを見たいとは思わないのだが、それでも掲載しなければならない」

(ハリソン・ソールズベリー著、小川水路訳『メディアの戦場』)

また、ローゼンタール編集局長は、こういう見解を述べています。

「タイムズは歴史を提供するのだ。これは政府自身が書いた歴史だ。(中略)タイムズはペンタゴン・ペーパーズを、政府が用意したままの姿で提供するのだ。アメリカ国民の手に情報として渡し、彼らが独自に判断すればよい」(同書)

★掲載めぐり社内で激論交わされる

ただ、新聞社の経営陣としては、政府の秘密文書を報道することについてのリスクを考え、社の顧問法律事務所の弁護士に相談しました。弁護士は、掲載に強く反対します。政府が「極秘」とスタンプを押している文書の中身を報道することはスパイ防止法に違反することであり、責任者は起訴され、刑務所に行くことになるから、というのが反対の理由でした。

一方、顧問法律事務所とは別の弁護士は、憲法修正第一条によって、報道の自由は保障されていると主張し、逆に掲載を強く求めました。

憲法修正第一条は、次のような条文です。

「連邦議会は、国教を樹立し、あるいは信教上の自由な行為を禁止する法律、または言論あるいは出版の自由を制限し、または人民が平穏に集会し、また苦痛の救済を求めるため政府に請願する権利を侵す法律を制定してはならない」（駐日アメリカ大使館の訳による）

ひとつの条文の中で信教の自由や集会・デモ行進の自由についても言及しているのでわかりにくいのですが、「言論あるいは出版の自由を制限」するような「法律を制定してはならない」と書いてあります。これが、アメリカの「報道の自由」の根拠となる条文です。

国の安全保障にかかわる問題か、それとも報道の自由の問題か。議論は白熱しました。編集幹部は、「民主主義社会の国民には、その政府が実行する政策の概略を知る権利がある」と述べて、掲載するべきだと主張したのです。

結局、「ニューヨークタイムズ」発行人（つまり社長）のアーサー・サルツバーガーは、六月一一日、掲載に踏み切ることを決断しました。

政権転覆の陰謀が発覚した「ピッグス湾事件」で出動したキューバ政府軍（1961年4月）

その決断の背景には、かつて「ニューヨークタイムズ」が政府の意向を尊重して記事を差し止めたという苦い過去の反省がありました。

★記事にしなかった苦い過去があった

一九六一年四月一七日、アメリカに支援されたキューバの亡命者たちが、キューバのピッグス湾に上陸しました。アメリカに盾突く（たてつく）キューバのカストロ政権を転覆させようというアメリカＣＩＡの作戦でした。亡命者たちの寄せ集めの軍隊は、待ち構えていたキューバ軍の反撃にあい、あっけなく崩壊します。キューバ侵攻作戦は大失敗に終わったのです。

実はこの作戦のことを、「ニューヨークタイムズ」は事前にキャッチし、四月六日、記者が「CIAによって支援された侵攻が差し迫っている」という記事を書き上げました。しかし新聞社の経営陣は、この記事が与える影響を心配し、CIAのくだりと「侵攻が差し迫っている」という部分を削除させ、しかも小さな扱いにして、目立たない記事に仕立て上げました。これが、その後、批判を招くことになります。

侵攻作戦が失敗した後、ケネディ大統領は、「もしニューヨークタイムズがもっと報道してくれていたら、我々は間違いを犯さずに済んだかも知れない」と語ったのです。

新聞社が、国家の安全保障を考えて記事を抑えたことにより、政府の失敗を防ぐことができなかった。「ニューヨークタイムズ」にとって、禍根が残る編集判断でした。

今回は、その失敗を繰り返すべきではない。編集幹部、経営陣は、そんな思いを持っていたのです。

★アメリカ政府、差し止めを要求

一九七一年六月一三日日曜日の朝刊一面に、その記事は掲載されました。国防総省が、ベトナム戦争へのアメリカ政府の関与の歴史をまとめた文書を作成していたこと、それを読むと、歴代の政権が国民を欺いてきたことがわかる、という記事でした。

また、記事とは別に、文書の原文の連載が始まりました。こちらは連日三ページずつというものでした。

ニクソン政権は、月曜日に連載二回目の記事が掲載されてから、動きました。ジョン・ミッチェル司法長官が、ニクソン大統領の承認を受け、「ニューヨークタイムズ」に対して、記事の掲載差し止めを要求したのです。「ニューヨークタイムズ」は、司法長官の要求を受けるかどうか検討に入ります。印刷に入っていた火曜日の新聞の印刷は、月曜日の夜、いったん停止されました。

サルツバーガー社長は、そのときイギリス・ロンドンに出張中でした。電話でのやりとりが続きます。社長は、部下の説明と説得に納得。ゴーサインが出ました。

三階の編集局には、深夜にもかかわらず、一五〇人もの人間が集まっていました。その多くが、印刷工たちでした。なぜ輪転機が止められているのか、みんなが知っていて、編集局に集まってきていました。「自分たちの新聞社が、政府の圧力に屈してしまうのだろうか」と心配になっていたのです。

「さあ、かかれ！」というローゼンタール編集局長の一言に、歓声が上がりました。輪転機が再び動き出し、連載三回目の記事を掲載した新聞の印刷が始まったのです。

政府の要求に従わない「ニューヨークタイムズ」の姿勢に怒ったニクソン政権は、火曜日、ニューヨーク南地区地方裁判所（連邦地裁）に、記事の掲載停止の仮処分と差し止め命令の申し立てを行いました。

連邦地裁は、とりあえず掲載停止の仮処分を認めます。地裁の仮処分決定によって、「ニューヨークタイムズ」の記事は、三回分の連載までで、紙面から姿を消しました。

★「ワシントンポスト」も参戦した

「ニューヨークタイムズ」の紙面から記事は

消えても、ほかの新聞社が黙っていませんでした。「ニューヨークタイムズ」のライバル紙「ワシントンポスト」も、六月一三日の「ニューヨークタイムズ」の記事を見て、慌ててこのニュースを追いかけます。

「ニューヨークタイムズ」の記事が裁判所の仮処分決定で掲載がストップされた段階で、ようやくエルズバーグと連絡がとれ、「ペンタゴン・ペーパーズ」を入手できました。

今度は「ワシントンポスト」社内で、記事を掲載するかどうかの論争が始まります。編集局長や論説主幹、国内報道部長など編集幹部は、記事を出すべきだと主張します。

これに対して、顧問弁護士は掲載に反対。「ニューヨークタイムズ」と同じようなことが繰り返されたのです。

結局、発行人のキャサリン・グラハムの裁定に委ねられます。彼女は、「さあ、掲載するのよ」と言い切りました。記事は六月一八日の朝刊紙面に掲載されました。

★「なにが機密か」が問題になった

「ニューヨークタイムズ」の記事は、裁判所が掲載停止の仮処分を認めたことで、いったん紙面から姿を消しましたが、連載の継続を認めるか、政府の要求を認めて掲載差し止めを命令すべきか、連邦地裁での審理が始まりました。裁判では、「報道の自由」と「国家の安全保障」をめぐって論議が交わされました。

「ニューヨークタイムズ」は、報道の自由を主張します。国民には、政府が行っていることを知る権利があることを主張したのです。

これに対して政府は、「機密を報道することはスパイ防止法に違反する。アメリカの国家安全保障を危機にさらす行為だ」と主張します。

では、なにが「機密」なのか、という点が問題になりました。これについて政府は、「行政府が機密だと指定しているのだから機密だ。どこがどう機密なのかを説明したら、機密が判明してしまうから、公開の法廷では説明できない」と主張しました。議論はすれ違いが続いたのです。

「口やかましい報道機関」が必要だ

掲載を認めるか禁止すべきか。連邦地裁の判断は素早いものでした。「ニューヨークタイムズ」が初めて報道したのが六月一三日。政府が差し止めを求めたのが一五日。連邦地裁の判断が示されたのは、六月一九日の土曜日でした。

連邦地裁は、政府側の差し止め請求を却下しました。「ニューヨークタイムズ」に軍配を上げたのです。ガーフェイン判事は、その理由をこう説明しました。

「国の安全はそれ単独で守られるものではない。わが国の自由主義体制があって初めて安全保障は成り立つ。権力の側にいるものは、ますます重要になっている表現の自由と国民の知る権利が、口やかましくがんこに固執する報道機関によって守られていることを、認めなければならない」(同前)

口やかましい報道機関が権力を監視し、報道することによって、アメリカの自由主義体制は維持できる。自由主義体制があってこそ、アメリカの安全保障は成り立つ、という論理でした。この判断は、これ以降、「報道の自由」「国民の知る権利」をめぐる論議が起きるたびに引用されることになります。

★連邦最高裁、差し止めを認めず

政府は、この連邦地裁の判断に納得せず、ニューヨーク連邦高裁に控訴します。高裁は判事の間で意見が分かれ、結局、地裁に差し戻しを決めます。「ニューヨークタイムズ」はこれを不服として、連邦最高裁に上告しました。

一方、「ワシントンポスト」の記事に関しても政府は差し止めを請求。こちらはコロンビア特別区地方裁判所（連邦地裁）で審理が行われ、裁判所は政府の差し止め請求を却下します。「ワシントンポスト」の勝利です。政府はコロンビア特別区巡回高等裁判所に控訴。こちらは、高裁も新聞社側に軍配を上げます。政府は連邦最高裁に上告。

こうして、二つの新聞の記事掲載をめぐる判断は、合わせて連邦最高裁判所が判断することになったのです。

そして、六月三〇日の水曜日。連邦最高裁判所は、六対三で、「ニューヨークタイムズ」と「ワシントンポスト」勝訴の判決を言い渡しました。判決は、「表現を事前に制限することは憲法上正当とは言えない。もし政府が制限を課すなら、その正当性を明示する重大な義務がある。今回、政府はその義務を果たしていない」という論理の組み立てになっていました。

連載は再開されました。この記事と文書の

内容を見て、アメリカ国民の多くが、政府はベトナム戦争についてウソをついていた、と受け止めるようになりました。アメリカ軍は、ベトナムから撤退すべきだと考える人が圧倒的多数に上ったのです。新聞の報道が、国を、国民を大きく動かしました。

内部告発者がいて、権力を恐れることなく報道する記者、新聞社がある。これが、アメリカ社会の強みなのです。

★「ウォーターゲート事件」追及の原動力に

「ワシントンポスト」のベンジャミン・ブラッドリー編集主幹は、「ウォーターゲート事件」を自社が追及できる力をつけることができたのは、ベトナム秘密文書の掲載ができたからだ、と後に述懐しています。

文書を掲載するかどうか社内で論争になったとき、グラハム社主が、「さあ、掲載するのよ」と宣言したことで、報道の自由のためなら社を挙げて戦う覚悟と体制ができたということです。

報道の自由を体を張って守ろうとするトップがいてこそ、報道機関は力を発揮できるのだ、ということを示しているのです。

★放送のニュースは大戦報道のラジオから

報道の自由を求めて戦った歴史は、新聞ばかりではありません。放送の世界にも、輝かしい歴史がありました。

それは、CBS(コロンビア・ブロードキャスティング・システム)が築いた歴史でした。

アメリカで、放送が本格的にニュース報道を行うようになったのは、第二次世界大戦中からでした。

CBSのロンドン特派員エドワード・マローの戦争報道が始まりです。

一九三八年三月、ロンドンにいたエドワード・マローと同僚は、ナチス・ドイツの侵略を、ラジオの生中継でリポートしました。ラジオしかなかった時代、放送の世界に新種のジャーナリストが誕生したのです。

それまでのラジオのニュースは、通信社からのニュースをアナウンサーが読み上げるか、新聞記者に出演してもらって解説してもらうことしかありませんでした。

「この新種のジャーナリストは、コメンテーターでもなければ、アナウンサーでもない。放送ジャーナリストは、取材し、原稿を書き、放送に出演する。そのすべてを一人でこなす、一人前の記者のことだ。速さと即時性という放送メディアの特性のおかげで、ラジオジャーナリストは、それまで大きな顔をしていた活字メディアの記者をはるかに凌ぐ大きな影響力を持つようになる」(スタンリー・クラウド、リン・オルソン著、田草川弘訳『マロー・ボーイズ』)

マローは、ラジオの特性をフルに活用しました。ときには、夕闇のロンドンを、音で表現したのです。ロンドン中心部のトラファルガー広場からの中継リポートで、マローはしばしば沈黙し、背後に聞こえる空襲警報のサイレンや、道路を行き交う人々の足音を聞かせてみせました。

一九四〇年九月、ロンドンがドイツ軍の空爆を受けた際は、市内の建物の屋上から中継

戦時特派員、エドワード・マロー。写真は1940年当時、ロンドンで

リポートしました。

「私は今、ロンドンを見下ろすある建物の上にいる。機密を守るため、身の安全のために、どこにいるかは言えない。周りは静かだ。遠くで対空砲弾が赤い筋を引いて登っていく……。サーチライトがこちらに向かってくる。すぐ高射砲の炸裂音が二回聞こえるはずだ……。（バン、バンという音）……聞こえましたか」（田草川弘『ニュースキャスター』）

高射砲の炸裂光を見て、すかさずリポート。その間に、高射砲の炸裂音がマイクに届く。計算されつくしたリポートでした。アメリカの国民は、マローのリポートを聞いて、ロンドンの夜空を想像できたのです。

マローのリポートは毎回、「ジス……イズ……ロンドン」と始まりました。「ジス」と「イズ」、そして「ロンドン」の間の長い間。これがマローでした。ラジオの聴取者は、この間に魅せられ、マローのトレードマークとなりました。

こうして、マローは放送記者の先駆けとして名を上げ、放送局のＣＢＳも、報道のＣＢＳとして定評を得ることになるのです。

★テレビ報道が始まった

第二次世界大戦が終わり、放送界は、ラジオからテレビの時代を迎えます。一九五一年一一月、ＣＢＳで週一回のニュース番組「シー・イット・ナウ」が始まりました。マローがキャスターをつとめ、三〇分の生放送で、世界各地のニュースを取り上げるという番組でした。時には一時間の特集を組むこともありました。当時、アメリカは朝鮮戦争の真最中。マローは朝鮮戦争の戦場からのリポートも担当します。

CBSは一九四八年、月曜日から金曜日までの夕方、一五分間の「CBSテレビニュース」をスタートさせていましたが、決まり切った行事の映像や開会式の模様、ニュース映画会社から購入した映像を紹介する類いのものばかりでした。ジャーナリズムの名にはほど遠い内容しか出ていませんでした。そこにマローは、まさに放送ジャーナリズムにふさわしい内容の番組を作り上げたのです。

とりわけ、この番組が歴史に名を残すことになったのは、「マッカーシズム」を告発したことでした。

★「マッカーシズム」の恐怖に支配された

第二次世界大戦後、ソ連とアメリカは東西冷戦に入ります。東ヨーロッパがソ連の支配下に落ち、さらには中国大陸も中国共産党が支配するようになって、アメリカは「共産主義の恐怖」に脅えるようになります。それを巧みに利用したのが、上院議員のジョセフ・マッカーシーでした。「赤狩り」という意味の「マッカーシズム」という言葉が生まれる

コラム

「長い間をおきなさい」とアドバイス

マローの当初のリポートは、「ジス・イズ・ロンドン」と、短い文章でした。これをアメリカで聞いていたマローの恩師のワシントン州立大学教授アイダ・アンダーソンが、「ゆっくり言いなさい」とアドバイスして、「ジス……イズ」というマロー独特の言い回しが定着し、人気を博すことになりました。

ことになる人物の登場です。

マッカーシーは、一九五〇年二月、「国務省には二〇五人の共産党員がいる」と宣言して、「アメリカの共産主義化をねらう共産党員が政府の中にいる」というキャンペーンを繰り広げます。

マッカーシーは、上院の調査委員会を組織し、狙った人物を次々に議会の公聴会に呼び出して、追及していきます。少しでも言論の自由を主張する人たちは、片端から血祭りに上げられます。

標的は政府ばかりではありませんでした。新聞、雑誌、放送、映画、あらゆる業界から「共産党員とそのシンパ」を追放する動きが強まります。根拠も確かでないリストが出回り、リストに名前が上がった人たちは、退職を余儀なくされていきます。

映画の都ハリウッドでも、数多くの俳優・監督が、「共産主義者」とみなされて、追放されていきます。チャールズ・チャップリンは、この風潮に怒ってアメリカを去ったひとりです。

マッカーシーのやり方に反発を覚える人たちも、マッカーシーににらまれると、「共産主義者」「ソ連のスパイ」というレッテルを貼られてしまうので、対抗できなくなってしまうのです。マッカーシーの権勢は盛んになり、全米にヒステリーが広がりました。「言

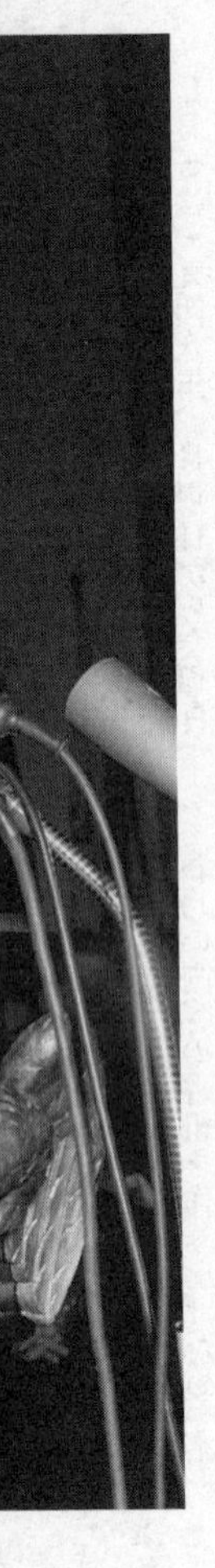

マッカーシー旋風時代のジョセフ・マッカーシー上院議員（1908〜1957）。
写真は1954年当時

論の自由」を誇りにしてきたのは、一体どこの国の話だったのか、というほどのムードが全米を覆ったのです。

★マローは「マッカーシズム」と戦った

この「マッカーシズム」に真正面から立ち向かったのが、マローでした。一九五四年三月、マッカーシーを糾弾する「シー・イット・ナウ」が放送されました。放送の中でマローは、マッカーシー本人の演説や、議会での追及の様子を、そのまま映像資料で示すという手法を採用しました。マッカーシー自身に、本人がどんな人物かを語らせるというものでした。

議会で意地悪く追及し、弱い者いじめをするマッカーシー。人格攻撃が明白な演説。その時々で発言内容が食い違うマッカーシー。マッカーシーという人物が、いかに信用できない人間なのか、三〇分の特集は、それを見事に浮き彫りにしました。そして番組の最後に、マローはこうリポートを結びます。

「自分と意見を異にするだけで相手を裏切り者と呼ぶことは許されない。疑いは必ずしも事実ではない。証拠と適法手続きによっての

コラム

日本でも「レッド・パージ」が吹き荒れた

アメリカでマッカーシズム旋風が吹き荒れていた1950年、日本でも「共産主義者やそのシンパ」と疑われた人たちが、職場を追われました。これは「レッド・パージ」と呼ばれました。

マスコミだけでも、NHK104人、朝日新聞73人、毎日新聞51人、読売新聞34人、共同通信33人、日本経済新聞20人、時事通信16人が追放されました。その後、官庁や一般企業にも及び、 全国で1万人を超える人々が、職を失いました。

日本にエドワード・マローはいなかったのです。

み、人は有罪とされる。我々はお互いの影を恐れて歩くのはやめよう。恐怖で理性を曇らせる時ではない。アメリカの歴史を振り返れば、我々が恐れに屈する人間の子孫ではないことは明らかだ。たとえその時、人には受け入れられない考えであっても、それを書き、語り、守ることを恐れるような子孫ではない。（中略）この国で自由を放棄する一方で、国の外で自由を説くことはできない」（田草川弘『ニュースキャスター』）

異例の放送でした。マッカーシーをめぐって、さまざまな意見を平等に紹介するという「客観報道」ではなく、マッカーシーの偽善を鋭く追及する番組だったのです。

全米で四〇〇〇万人がこの放送を見たといいます。これをきっかけに、マッカーシーに対する批判が堂々と語られるようになりました。風向きが変わったのです。マッカーシーは急速に影響力を失っていきました。

国民世論、そして政界の大多数が一方的な方向に向いているとき、それに異議を唱え、堂々と反対の論陣を張ることは、極めて勇気のいることです。マスコミの場合、「客観報道」の名の下に、双方の言い分を「平等に」伝えれば、それで責務を果たしたと言い逃れることもできます。マローは、それをしませんでした。この番組放送から五年後、マローは、こう発言しています。

「マッカーシーはまさにマスコミが作り出したものだ。彼の言葉を全国にばらまいたのはマスコミだ。デマと知りつつ、彼が言ったことはニュースだとの立場から報道を続けた。反対の立場を明確にしなかったテレビ、ラジオ、新聞、雑誌はみな、マッカーシーに手を

貸した。アメリカ国民に対してだけでなく、自己の誇りを汚したことに対しても彼らは責任を負うべきだ」（同前）

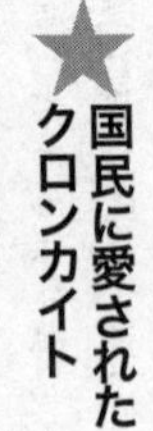

国民に愛されたクロンカイト

マローの後、アメリカのテレビニュース界で一世を風靡したのは、ウォルター・クロンカイトでした。

一九六二年四月、CBSは「イブニングニュース」のキャスターにクロンカイトを起用し、その年の九月、放送時間を一五分から三〇分に延長しました。

口髭を蓄え、決してハンサムとは言えない風貌でしたが、テレビの画面で信頼感を与え、視聴者が安心して見ていられる人物でした。アドリブでのニュース解説は、まるでテレビのために生まれてきたような見事なものでした。アメリカ国民から「ウォルターおじさん」と呼ばれて親しまれるようになるのです。アメリカ国民がクロンカイトに寄せる信頼は大統領をもしのぐようになっていきます。

クロンカイトは、テキサス大学を卒業後、地元の小さな地方紙の記者からスタートし、イリノイ州のラジオのスポーツアナウンサーを経て、UP通信（後のUPI通信）記者になります。ロンドン特派員、モスクワ特派員を経験し、アメリカに戻ってからは、別のラジオネットワーク記者を経てCBSに移りました。

一九五二年、アメリカ大統領選挙の候補者を決定する共和党と民主党の党大会の中継のキャスターをつとめたことで注目され、テレビニュースの世界に登場しました。

彼は、ニュースのキャスターであると同時に、番組の編集長でもありました。いまでこそアメリカのニュース番組のキャスターは、番組の編集長ないしは編集責任者を兼ねていますが、その第一号がクロンカイトだったのです。どのニュースをどの順番でどのくらいの時間をあてるか、それを毎日決めていくのです。番組の中でアメリカのニュースキャスターは私見をはさみませんが、番組の構成自体が、そのキャスターのメッセージでもある

1962年から81年まで、
アンカーマンをつとめたウォルター・クロンカイト

のです。

★クロンカイト、ベトナム戦争を批判

放送では私見を交えない。それが常識のアメリカテレビ界で、クロンカイトは、たった一回だけ、そのルールを破ったことがあります。ベトナム戦争でのリポートでした。

一九六八年、ベトナム戦争を現地で取材したクロンカイトは、「勝利し続けている」という政府の宣伝とは裏腹に、泥沼に陥っているアメリカ軍の現状に気づきます。アメリカに戻ったクロンカイトは、特別番組を放送し、その最後で、「これから述べることは私個人の意見であり、そのような意見をここで表明するのは今が尋常なときではないからである」（ウォルター・クロンカイト著、浅野輔訳『クロンカイトの世界』）と前置きして、次のようにコメントしたのです。

「ここから抜け出すための、理に適ったただ一つの道は、勝利者としてではなく、民主主義を守るという誓いに忠実に最善の努力をしてきた名誉ある国民として交渉の場に臨むことであるとの思いを、私は一段と深めるに至りました」（同前）

つまり、ベトナム戦争で勝つことは不可能だから、和平交渉に乗り出すべきだと主張したのです。キャスターとしては異例の発言でした。

リンドン・ジョンソン大統領は、大統領執務室で、この放送を見ていました。番組が終わると、大統領はテレビのスイッチを切って、こう言ったといいます。

「クロンカイトを失ったということは、アメ

リカの主流を失ったも同然だ」

それから五週間後、ジョンソン大統領は、二期目の大統領選挙に出馬しないことを表明し、政界を去るのです。

クロンカイトの発言は、「テレビのアンカーマンが戦争の終結を宣言した」と称されることになりました。

クロンカイトは、それより前、シュレジンジャー国防長官との昼食会で、国防長官が、ベトナム戦争反対の運動を報道するマスコミに苦言を呈して、「報道は愛国的でなければならない」と発言したのに対して、こう反論しています。

「愛国的であることは、ジャーナリストの任務ではない」「政府の行動をすべて盲目的に支持することが愛国的なのか。それとも、一

コラム

「アンカー」という言葉が生まれた

日本では「ニュースキャスター」という言葉が使われますが、アメリカでは「アンカー」と呼ぶのが一般的です。クロンカイトがニュースに登場するようになって、当時のCBSニュース社長のシグ・ミケルソンが名づけたと言われています。

「アンカー」はリレーの最終走者。テレビニュースは記者、カメラマン、ディレクター、技術スタッフなど数多くの人たちによって制作されます。そうやって出来上がったニュースを視聴者に伝える最終走者という意味があります。

同時に、船の錨（いかり）という意味もあり、番組をしっかりつなぎとめるという趣旨も含まれていたのかも知れません。

当初は「アンカーマン」と呼ばれていましたが、女性も担当するようになって「アンカーウーマン」と呼ばれ、いまでは男女どちらにも使えるように、「アンカー」とだけ呼ばれます。

人一人の国民が、政府の望むところに賛成しようが反対しようが、祖国のために正しいと思う原理原則にしたがって発言し行動することが愛国的なのか。（中略）あの反戦運動をしている人たちも、愛国主義者かも知れない。少なくとも彼らには、自分たちの祖国愛があなたの愛国心と同じように真摯なものだと信じる権利はある筈だ。そして、その信ずるところを表明する憲法上の権利もある。この歴史的な国民的論議にあって、彼らの言い分をわれわれが報道したからといって、それが愛国主義に反することになるとはどういうことだ」（同前）

★CNNがテレビの世界を変えた

テレビの世界は、その後、大きく変わりました。その象徴が、CNNでしょう。

CNN（ケーブル・ニュース・ネットワーク）は、一九八〇年に放送を開始しました。衛星放送を使って各家庭のケーブルテレビに二四時間放送のニュースを送るという、それまでなかった方式でした。

CNNの本社はジョージア州アトランタ。全国放送のテレビ局の本社はニューヨークにあるものという「常識」への挑戦でした。

翌年には、もうひとつのチャンネルを使って、「ヘッドライン・ニュース」も始めました。これは、三〇分ごとに、その時点での最新ニュースの「ヘッドライン（さわりの部分）」を繰り返し伝えるという手法です。

さらに一九八五年には、アメリカ以外の国々向けに、「CNNインターナショナル」の放送も開始しました。世界中の最新ニュースを二四時間伝え続けるのです。

それまでテレビの世界では、「ニュースは金にならない」と思われてきました。テレビの公共性に配慮して、各テレビ局は定時ニュースの時間を確保するけれど、費用ばかりかかって局の収入には寄与しないと考えられてきたのです。

CNNは、その常識に立ち向かい、「ニュースは商売になる」ことを証明しました。大きなニュースが発生するたびに、視聴者は、テレビ局の定時ニュースを待ちかねて、CNNの二四時間ニュースにチャンネルを合わせます。視聴者は、ケーブルテレビを通じて契約料を支払い、CNNには契約料の他に、コマーシャル代金も入ります。

全世界二一〇の国と地域で、五億人の視聴者を獲得するまでになりました。

一九八九年六月の中国・北京の天安門事件の現場からのリポート。一九九一年一月の湾岸戦争中のイラク・バグダッドからの生中継。一九九一年八月、ソ連のモスクワ議会ビル砲撃事件の中継。世界各地で発生している大事件を、その場からリアルタイムで伝える手法は、多くの視聴者の支持を受けました。

とりわけCNNの名前を世界に知らせることになったのは、湾岸戦争でした。アメリカなど多国籍軍がイラクを攻撃した際、各国の報道陣が直前に引き揚げたのに対して、CNNのピーター・アーネット記者はバグダッドにとどまり、「敵国」から戦争の模様を生中継で伝えたのです。アメリカ国内では、「敵国から中継するとはけしからん。イラク市民の被害を伝えるとは愛国心がない」などという批判が上がりましたが、アーネット記者は中継を続け、CNN本社も、それをバックアップしました。

ジャーナリストは何を伝えなければならないのか。それをリアルタイムで教えてくれました。

CNNの元特派員、ピーター・アーネット

その一方で、CNNは映像になる出来事は伝えるが、映像になりにくい話題は扱わないか、扱っても一言で済ませる、という批判もあります。映像の力強さを見事に発揮する分、映像が中心になってしまい、「なにがニュースか」という検証が不十分になってしまうという批判です。

ただこれは、CNNだけに言えることではないでしょう。いまのテレビニュースが、どこでも多かれ少なかれ持っている問題点です。

★女性兵士が「英雄」になった

そこを権力は利用します。イラク戦争中の、二〇〇三年四月、アメリカのテレビ局は一斉に、一九歳のアメリカ兵士ジェシカ・リンチの「救出劇」の様子を生々しい映像で伝えま

後の疑惑を呼ぶことになる女性上等兵ジェシカ・リンチ「救出劇」(2003年4月)

した。「イラク軍との戦闘で傷つき、捕虜になって病院で虐待を受けている女性兵士を、アメリカ軍の特殊部隊が救出した」というストーリーでした。ブロンドのジェシカ・リンチの可憐な容貌もあって、このニュースはアメリカ国民を熱狂させました。ジェシカ・リンチ上等兵がアメリカに帰国すると、「英雄帰還」の歓迎パレードまでが開かれました。

しかし、実際にはリンチ上等兵は、戦闘で傷ついたのではなく、イラク軍の攻撃を受けて逃げようとした軍用車同士の衝突事故でけがをしたものでした。さらに、イラクの病院では手厚く看護され、虐待など受けていなかったことなどが、次第に明らかになってきます。

リンチ上等兵救出劇は、アメリカ軍がイラク軍の反撃を受け、快進撃がストップし、アメリカ国民の間に焦燥感が広がり始めていたときに起きました。これで、アメリカ国民の米軍への不信感は一掃されました。極めて政治的目的の強い演出が行われ、それにテレビ各局が飛びついてしまったことが、明らかになったのです。

「衝撃の映像」「決定的瞬間の映像」ばかりをねらうテレビ局の思惑が、いとも簡単に利用されてしまう危険性を明らかにしたのです。

★FOXニュースの愛国報道

湾岸戦争でCNNが「デビュー」したとすれば、イラク戦争で「デビュー」したのは、アメリカのFOXニュースでした。FOXニュースチャンネルは、やはりケーブルテレビのニュース専門チャンネル。CNNに対抗して、「メディア王」と呼ばれるルパート・マードックが始めたチャンネルです。マードック会長の保守的な思想を反映した報道姿勢で知られていました。イラク戦争では、それを前面に打ち出しました。

放送では画面の隅に常に星条旗を掲げ、勇壮な音楽で戦争ニュースを伝えました。「アメリカ軍兵士の勇敢な行動」は伝えますが、イラク市民の被害、世界各地のイラク戦争反対の運動は伝えようとしませんでした。ニュースキャスターも、その立場を放送で明確にしました。

「私には人々を虐げる政府とそうでない政府の区別がつく。この戦争で一方の側に立つことは何の問題もない」と断言しました（原真『巨大メディアの逆説』）。

FOXニュースの視聴率は、イラク戦争中、

CNNを抜きました。「愛国主義報道」が、アメリカ国民の心をとらえたのです。

これに引きずられる形で、CNNを含めアメリカの他のメディアも、「愛国主義報道」に走りました。この現象は、「FOX効果」と呼ばれるまでになりました。

イラク戦争の最中、アメリカ軍がバグダッド市内に進軍したとき、FOXニュースは、次のような中継リポートをしています。

「すばらしい光景です。アメリカ軍が手を振りながらバグダッドに入ってきています。いま、われわれの（いる、パレスチナ）ホテルの前に集結しつつあります。すばらしい光景です。ついにアメリカ軍がやってきました。もう安心です。ついにわれわれが待ち望んでいたことが達成されました」（NHK放送文化研究所『放送研究と調査』二〇〇三年九月号）

ここには、クロンカイトが疑問を呈した「愛国主義」への洞察（どうさつ）は、かけらもありません。手放しの報道が、アメリカ国民の大きな支持を受けたのです。

★巨大メディアが報道を変質させる

報道の自由をめぐって権力と戦ってきた歴史を持つアメリカの報道界。しかし、その変質が指摘されるようになってきました。

アメリカは、全国各地に数多くの地方紙があることで知られています。地元密着の報道ぶりは、ときに地元政財界との癒着（ゆちゃく）という問題も引き起こしますが、多彩なメディアが存在することで、アメリカの言論・表現の自由を底辺から支えてきました。いま、その構造が大きく崩れようとしています。

全米の日刊紙の数は現在約一五〇〇紙。一九五〇年代より二割近く減りました。大手新聞社が、その資本力にものを言わせて各地の地方紙を買収し、新聞系列を形成する動きが加速しています。全日刊紙の四分の三が、なんらかの新聞系列の傘下(さんか)に入るまでになりました。「多彩な地方紙群の存在」のように見えて、実は少数の新聞系列しか残っていない。そんな状態になりつつあります。

大手新聞系列に入ると、「資本の論理」が表に出ます。個々の新聞社の取材記者の数は減らし、同じ系列の新聞社同士で記事を交換します。地元密着の記事が少なくなっていくのです。取材記者が減る以上、独自取材も減り、地域が抱える問題点、地元政界の汚職など、取材するゆとりはなくなっていきます。

巨大メディア化は、放送の世界でも進んでいます。アメリカの大手放送ネットワークとしては、ＣＢＳ、ＮＢＣ、ＡＢＣの三つがあります。また、ケーブルテレビのニュース専門チャンネルとして、ＣＮＮ、ＦＯＸニュースがあります。ＣＢＳは、金融会社ロウズが経営権を握りました。ＮＢＣは、電機会社ゼネラル・エレクトリックの子会社です。ＡＢＣは、情報出版大手のキャピタル・シティーズに買収されました。ＣＮＮは、タイム・ワーナーに買収されました。いずれも、企業グループの一員となっているのです。

そうなると、自社が所属している企業グループの不祥事については、取材・報道を差し控えるという傾向が出てきます。ＮＢＣが親会社ゼネラル・エレクトリック社の商品に対する不買運動を伝えなかったり、ＣＮＮは親会社のタイム・ワーナーの不正を取材しながら放送しなかったり、という出来事が頻発するようになりました。

メディアが巨大化すればするほど、利害関係者が増え、報道に対する圧力、配慮が蔓延するようになってきています。

CBSの報道の基礎を築いたエドワード・マローは、一九五八年一〇月、放送界の報道責任者が集まったシカゴでの総会で、こう演説しました。

「毎夜、プライム・タイムのテレビ放送をじっくりと見てほしい。そうすれば、それがどんなに退廃と逃避に満ちているか、よく分かる。テレビというこの最も強力な情報伝達の道具を現実逃避にだけ使うなら、我々はいずれその報いを受けるだろう」(田草川弘『ニュースキャスター』)

これは、いまから五〇年前の放送人の発言です。私たちは、いま報いを受けているのでしょうか。

この章のまとめ

アメリカの報道界には、新聞、放送のどちらにも、時の権力と戦い、報道の自由を守り抜いてきた歴史と伝統がある。

その一方で、メディアの巨大化と共に、その伝統は危機にさらされようとしている。

オバマ以降のアメリカ

「今夜が答えだ」

アメリカという国は、底知れぬ力を持っているものだと痛感しました。初の黒人大統領誕生を見ての思いです。

アメリカにも、いずれ黒人の大統領が誕生する日は来るだろうが、それはまだ遠い将来…。そう思っていました。この本の単行本を書いた二〇〇五年の段階でも、まさかこんなに早くアメリカが変わるとは、思いもよりませんでした。

アメリカの黒人大統領は、ハリウッド映画によく登場してきました。黒人大統領を登場させるだけで、時代設定が未来であることがわかったからです。ハリウッド映画を見ているうちに、アメリカ国民は、黒人大統領の存在に違和感を持たなくなったのではないか、と言った人がいますが、あながち冗談とも言えない気もします。

二〇〇八年一一月四日の夜。当選確実となったバラク・オバマは、地元シカゴで開かれた勝利集会で、次のように語りました。

「もし、米国ではあらゆることが可能であるということを疑ったり、建国者の夢がまだ生きているのか疑問に思っていたり、米国の民主主義の力を疑ったりする人がいたら、こう言いたい。今夜が答えだと」

オバマが言う通り、アメリカは、あらゆることが可能になるという希望を与えてくれる国です。

「若者と高齢者、富める者と貧しい者、民主党員と共和党員、黒人と白人、ヒスパニック、アジア系、先住民、同性愛者とそうでない人、障害を持つ人とそうでない人が出した答えだ。我々は決して単なる個人の寄せ集めだったり、単なる青（民主党）の州や赤（共和党）の州の寄せ集めだったりではないというメッセージを世界に伝えた米国人の答えだ。私たちは今も、これからもずっとアメリカ合衆国だ」（朝日新聞の訳による）

オバマという人物がアメリカの大統領に選ばれることは、「アメリカはアメリカ合衆国という一つの国家」なのだということを示している。これがオバマの発したメッセージでした。

アメリカは連合国家だ

この本の第二章で取り上げたように、アメリカは「連合国家」です。連合国家を統一するのが連邦政府であり、大統領です。大統領選挙は熾烈を極めます。民主党と共和党の大統領候補を決めるために、まずは同じ党内でライバルと競い、党の代表となると、今度は対立政党の候補と一騎打ち。この長い戦いの過程を経て、アメリカの大統領は成長します。

最初は決して演説が上手とは言えなかったオバマも、この長い戦いを通じて、天才的なコミュニケーターに成長しました。

インターネットを駆使したオバマ陣営の選挙資金集めは群を抜き、膨大な選挙資金を惜しげもなく注ぎ込んで、まずは民主党内でヒラリー・クリントンに打ち勝ち、次に共和党のジョン・マケイン候補に圧勝しました。

多くの若者たちがボランティアとして選挙運動に参加しました。この様子は日本でも大きく取り上げられ、彼我の選挙意識の違い、政治家のレベルの違いに天を仰いだ人も多かったことでしょう。

自らをチェンジする国アメリカ

オバマ大統領が誕生するまで、アメリカは共和党のブッシュ政権によって、世界から孤立し、イラクとアフガニスタンという二つの戦場に足を取られ、世界恐慌の震源地になっていました。世界を不安定にして、世界を対立させた。そんなブッシュのアメリカが、オバマ大統領誕生と共に、大きく変化しました。選挙中のオバマのスローガンは「チェンジ」でした。オバマ政権の誕生で、見事にアメリカは自らをチェンジさせました。過去に決別し、新しいアメリカを築いていく力を持っていることを世界に示したのです。

アメリカは、過去にも国家の危機を迎えたことがあります。そのときにも、アメリカには新しいリーダーが出現し、アメリカを再生させてきました。今回も、オバマがその役を担うことになりました。ここに、私はアメリカの底力を見るのです。

ブッシュ政権時代に、アメリカが「より嫌い」になった私は、オバマ誕生で、アメリカが「より大好き」になりました。

アメリカは差別と戦ってきた

バラク・オバマの父親は、アフリカのケニアから、留学生としてアメリカにやってきました。オバマの父親に限らず、「自由の国」アメリカに憧れて、世界中から多くの人々がアメリカにやってきます。この本の第六章のタイトルにあるように、アメリカは「移民の国」として誕生したのですから。オバマの父親も、そんな一人だったのです。

オバマの父親がハワイの大学に留学し、オバマの母親と恋に落ちたとき、アメリカ本土では、白人と黒人の結婚が法律違反になる州がまだ存在していました。多様な人々が暮らすハワイでは、そんな法律が存在しなかったことによって、バラク・オバマが誕生しました。

それでも、当時のハワイにも人種差別が存在していました。そのことを、オバマは二〇〇九年一月の大統領就任演説で、こう表現しています。

「六〇年足らず前だったら地元のレストランで食事をさせてもらえなかったかもしれない父」（同前）と。

そんな父を持つ息子が、大統領の就任式の演台に向かっている。第七章のタイトル通り、「アメリカは差別と戦ってきた」からです。一九五五年のアラバマ州では、バスの中で黒人は白人に席を譲らなければならなかったのです。一九六〇年になっても、ノースカロライナ州では、軽食カウンターは白人専用で、黒人は食事ができなかったという歴史がありました。それでもアメリカは、そんな過去の負の歴史を乗り越えてきたのです。

オバマは、黒人と父と白人の母を持っています。白人と黒人を親に持つのに、それで「黒人」と言えるのか、という問題が実はあります。事実、選挙中、黒人の間で、「オバマは十分に黒いと言えるのか」と囁かれたことがあります。

しかし、アメリカには、長い間、「黒人の血が一滴でも入っていれば、その人物は黒人」という「ワンドロップ（一滴）ルール」というのが存在したことがあります。現在では、このルールは否定されていますが、過去の例から、オバマは黒人として扱われてきました。

また、アメリカの国勢調査では、自身の人種を選ぶ項目があり、オバマは自らを「黒人」と定義していました。

こうしたことから、オバマは「初の黒人大統領」と呼ばれるのです。

アメリカは機会均等の国だ

バラク・オバマは、ハワイの高校を卒業後、カリフォルニア州の私立の単科大学を経てニューヨークのコロンビア大学に編入を果たします。シカゴでコミュニティ・オーガナイザー（地域振興事業の管理者）を経て、ハーバード大学ロースクール（法科大学院）に進み、弁護士資格を獲得します。この経歴を見ても、アメリカは「機会均等」の国であることが見えてきます。

オバマは、母方の祖父母に育てられることによって、高等教育を受けることができたという有利な条件はあるにせよ、差別が残るアメリカ社会にあっても、黒人が教育を通じて自らを成長させていくチャンスが与えられていることがわかります。

一九五七年のアーカンソー州では、白人専用の高校に黒人が入学しようとしたところ、州兵によって入学が阻止されたという歴史があるのに。

アメリカは「宗教国家」だ

大統領就任式で、オバマは、かつてリンカーンが大統領就任式で使用した聖書に手を置いて、大統領の宣誓を行いました。就任演説の最後に、オバマは、「みなさんに神のご加護がありますように。そして、神のご加護がアメリカ合衆国にありますように」と語りました。第一章で書いたように、アメリカが「宗教国家」であることがわかります。

就任演説でオバマは、こうも述べました。

「私たちの国はキリスト教徒、イスラム教徒、ユダヤ教徒、ヒンドゥー教徒、そして無宗教者からなる国家だ。世界のあらゆる所から集められたすべての言語と文化に形作られたのが私たちだ」（同上）

ここに「仏教徒」という言葉が出てこなかったことに、日本人である私はいささかガッカリしたのですが、キリスト教徒やイスラム教徒、ユダヤ教徒、ヒンドゥー教徒からすれば、「この世界を創造した神」が存在しない仏教は、「無宗教者」に入れられたのでしょうか。それとも、単に失念ないしは無視されただけなのか。どち

らであろうと、大統領の就任演説に、「無宗教者」という言葉が登場するのは、極めて異例のこと。多様なアメリカを体現するオバマならではの演説です。

そのオバマは、自分の名前のゆえに、大統領選挙では苦戦しました。バラク・フセイン・オバマ。ミドルネームの「フセイン」が問題でした。イスラム教徒特有の名前だったからです。ケニア生まれの父親は、イスラム教徒でした。息子のオバマはキリスト教徒ですが、そのミドルネームゆえ、「実はイスラム教徒ではないか」という噂に苦しめられました。

オバマがイスラム教徒ではないか、という噂について、二〇〇八年一〇月、やは

就任演説で宣誓するオバマ大統領(2009年1月)

り黒人のコリン・パウエル元国務長官は、こう発言しました。

「オバマ氏がイスラム教徒かと聞かれたら、彼はずっとキリスト教徒であるので違う、というのが正解だ。しかし、本当に正しい答えは、それがどうした、というものだ」。

キリスト教徒だろうとイスラム教徒だろうと、アメリカ合衆国の国民に違いはない、という発言でした。

アメリカという国は、ヨーロッパから「新しいイスラエル」を求めて移り住んできたキリスト教徒によって建国されたことは、第一章に書いた通りです。アメリカという国は、「神の下の国家」。そのときの「神」とは、キリスト教における神であることを、建国当時は誰もが当然のこととしていたのですが、いまやアメリカは、多様な宗教を信じる人々の国になっています。オバマの演説は、その現実を反映したものでした。

イスラムとの和解進む

ブッシュ政権時代の二〇〇一年九月、アメリカは同時多発テロを受け、「テロとの戦い」を宣言しました。しかし、ブッシュがアフガニスタン、イラクという二つのイスラム国家を攻撃したことで、「テロとの戦い」は、「キリスト教対イスラム教」という宗教対立のような様相を帯びました。

アメリカ国内ではイスラム教徒が差別され、イスラム世界では反米ムードが高まりました。

しかし、「フセイン」というミドルネームを持ち、父親がイスラム教徒だったオバマが大統領に就任したことで、アメリカとイスラム世界の和解の機運が高まっています。オバマ自身も、イスラム世界に向けて、私たちは対立するのではない、と呼びかけています。

「生命倫理」の視点も変化

福音派キリスト教徒だったブッシュ前大統領は、中絶に反対し、国連人口基金への資金拠出を中止しました。開発途上国で家族計画の指導をしている国連人口基金は、「中絶を容認している」というのが、ブッシュ前政権の反対理由でした。

それがオバマ大統領になった途端、アメリカは資金拠出を再開しました。開発途上国の深刻な人口爆発への対策に宗教的な観点を持ち込まないという判断でした。

ブッシュ前大統領は、「生命倫理に反する」として、ES細胞（ヒト胚性幹細胞）

の研究に連邦政府の予算を使わせないという方針でした。難病治療などへの応用が期待されるES細胞は、不妊治療の際に余った受精卵を使います。ブッシュ前大統領は、受精卵を生命の萌芽と見なすキリスト教右派に配慮し、連邦予算の支出を禁止。研究が遅れていました。

オバマ大統領は、一転して連邦政府の予算支出を認めました。科学的研究を優先する判断でした。

「核のない世界」をめざす

ブッシュ政権時代とは一線を画し、過去の方針を次々に覆していく、オバマ政権。それは、核兵器に対する方針にも現われています。

ブッシュ前大統領は、二〇〇一年九月の同時多発テロ以降、「テロリストやならず者国家によるミサイル攻撃」に脅え、ロシアとの間で結んでいたABM制限条約(弾道弾迎撃ミサイル制限条約)を破棄しました。

この条約は、アメリカとソ連(ソ連崩壊後はロシア)が、互いに自国を攻撃する弾道ミサイルを迎撃するミサイルの配備を制限しようとするものです。

しかし、ブッシュ政権は、ミサイル防衛計画を進める上で、この条約が邪魔になると考えて破棄。イランを仮想敵にして、東欧にミサイル迎撃網を建設しようとしました。

これにロシアが強く反発。ロシアは対抗してバルト三国の南にあるロシアの飛び地に新型ミサイルを配備する計画を明らかにするなど、両国の関係は悪化していました。

またブッシュ政権は、「使える核兵器」の研究を進め、核兵器制限交渉はまったく進みませんでした。

しかしオバマ大統領は、ロシアとの間で戦略核兵器制限交渉を再開するなど、核兵器削減に向けて、大きく舵を取りました。

オバマ大統領は、大統領選挙中、核兵器を「劇的に」削減し、核兵器のない世界に向けて努力すると公約していました。その公約実現に向けて動き出したのです。

オバマ大統領は二〇〇九年四月、チェコのプラハで包括的な核軍縮の構想について演説し、「核兵器のない世界」に向けて、「米国は核兵器を使った唯一の核保有国として、行動する道義的責任がある」と言い切りました。

「核兵器を使った唯一の国」という表現で原爆投下に言及し、核兵器廃絶を実現する責任があると明確に表明した大統領は、オバマ大統領が初めてのことです。高い理想を掲げ、世界にその理想を語りかける。その姿に、若きケネディの姿を見る人もいることでしょう。アメリカはいくらでも変わりうる国なのです。

イラクからの撤退とアフガン戦略

オバマ大統領は、ブッシュ政権の負の遺産を多数継承しました。その最大のものが、イラクです。第三章で取り上げたように、「大量破壊兵器」を理由にイラクを攻撃したものの、大量破壊兵器が存在しないことがわかると、今度は「イラクの民主化」を目標に差し替えるというご都合主義。フセイン政権の崩壊で、イラク国内は内戦状態に陥り、混乱が続きました。多数の犠牲者も出ました。

米軍によるイラク攻撃に、オバマはイリノイ州上院議員として反対し、大統領選挙中も、「イラクからの米軍撤退」を公約に掲げていました。そのイラクから、どのように米軍を撤退させるのか。米軍の急激な撤退は、イラク国内の力関係を大きく変化させるため、イラクの内戦が再び激化する危険性もあります。軍隊は、進撃するより撤退するときの方がむずかしいもの。オバマ政権は、困難な課題を背負っています。

ブッシュ前政権は、アフガニスタンを攻撃しながら、米軍の主力をイラクに移しました。この間に、アフガニスタンではタリバンが復活し、アフガニスタンに駐留する米軍やNATO軍に多数の犠牲者が出ています。

オバマ大統領は、米軍をイラクからは撤退させるものの、アフガニスタンを「テロとの戦い」の主戦場として、米軍を増派させています。と同時に、民生の安定をはかるため、軍以外の要員を多数派遣しています。武力だけでは戦いに勝てないという当たり前の事実に、ブッシュと異なり、オバマは気づいているのです。

またアフガニスタンでの治安確保に、オバマ政権はヨーロッパの協力を求めています。ブッシュ政権が、「一国主義」で突っ走ったのに対して、オバマ政権は、多国間の協力に重点を置いています。これが功を奏し、ヨーロッパ各国はアメリカへの協力の姿勢を見せています。

しかし、ブッシュ政権時代に勢力を伸張させたタリバンからアフガニスタンを取り戻すのは、容易なことではありません。アフガニスタンは、「オバマにとってのベトナム」になる恐れもあるのです。

「現代のローズベルト」めざす

ブッシュ政権からの負の遺産は、それだけではありません。「百年に一度」の世界恐慌も、大きな問題です。

一九二九年にニューヨークで発生した株価の大暴落をきっかけに、世界恐慌が発生しました。当時のアメリカは共和党のフーバー大統領。共和党は、民間経済に政府は口出しすべきではない」という考えから、経済の悪化を食い止める根本策を打ち出すことができませんでした。

この間にアメリカ経済ばかりでなく、ヨーロッパ経済も日本経済も悪化。ヨーロッパではドイツやイタリアでファシズムが伸長。日本でも軍国主義が台頭して、第二次世界大戦へと突き進んでいきました。

当時のアメリカ国民は、景気の悪化に手をこまぬくばかりの共和党のフーバー政権に愛想を尽かし、一九三二年の大統領選挙で、民主党のローズベルトを大統領に選出しました。

二〇〇八年九月にアメリカの大手投資銀行リーマンブラザーズが経営破綻した際、共和党のジョン・マケイン候補は、「アメリカ経済は基本的に健全」と発言し、経済オンチぶりを見せつけました。この一言が引き金になって、それまでオバマをリードしていたマケインの支持率は逆転しました。

この間、ブッシュ政権も経済の悪化を傍観。アメリカ経済は、単なる不況から深刻な恐慌へと進んでしまいました。

経済に無策の共和党の姿は、アメリカ国民に、フーバー大統領の悪夢を思い起こさせ、オバマ候補を、「第二のローズベルト」とみなしたのです。

八〇年前、大統領に就任したローズベルトは、当時の最新メディアであるラジオを使って、恐慌克服を国民に呼びかけました。オバマ大統領は、現代の最新メディアであるインターネットの動画サイトを使い、国民に語りかけています。

当時のローズベルトは、「ニューディール政策」（新規まき直し政策）を展開。公共事業を増やし、労働者の権利を守り、金融を緩和して、恐慌と戦いました。その戦績を辿ると、決して勝利ばかりではありませんでしたが、やがてアメリカ経済は恐慌から抜け出しました。アメリカ国民はいま、オバマに、「ローズベルトの再現」を求めています。

この期待に応えるべく、オバマ大統領は、「グリーン・ニューディール」を打ち出しました。環境技術など「グリーンな」産業を振興させることによって、アメリカ経済を復活させようというのです。

オバマが解決しなければならない課題は、あまりに多く、オバマに期待する人々の期待もまた、あまりに大きなものがあります。

果たしてオバマは、やり遂げることができるのか。アメリカという国家の、新しい歴史がいま書かれようとしているのです。

The Star Spangled Banner

by Francis Scott Key

Oh, say can you see, by the dawn's early light,
What so proudly we hailed at the twilight's last gleaming?
Whose broad stripes and bright stars, through the perilous fight,
O'er the ramparts we watched, were so gallantly streaming?
And the rockets'red glare, the bombs bursting in air,
Gave proof through the night that our flag was still there.
O say, does that star-spangled banner yet wave
O'er the land of the free and the home of the brave?

On the shore, dimly seen through the mists of the deep,
Where the foe's haughty host in dread silence reposes,
What is that which the breeze, o'er the towering steep,
As it fitfully blows, half conceals, half discloses?
Now it catches the gleam of the morning's first beam,
In full glory reflected now shines on the stream:
'Tis the star-spangled banner! O long may it wave
O'er the land of the free and the home of the brave.

And where is that band who so vauntingly swore
That the havoc of war and the battle's confusion
A home and a country should leave us no more?
Their blood has wiped out their foul footstep's pollution.
No refuge could save the hireling and slave
From the terror of flight, or the gloom of the grave:
And the star-spangled banner in triumph doth wave
O'er the land of the free and the home of the brave.

Oh!thus be it ever, when freemen shall stand
Between their loved homes and the war's desolation!
Blest with victory and peace, may the heaven-rescued land
Praise the Power that hath made and preserved us a nation.
Then conquer we must, when our cause it is just,
And this be our motto:“In God is our trust.”
And the star-spangled banner in triumph shall wave
O'er the land of the free and the home of the brave!

アメリカ合衆国国歌

参考試訳：編集部

ああ、見えるだろうか、かすかな曙光(しょっこう)にまた浮かぶ
深まる夕闇に　誇らしく見上げたあの旗
危険に満ちた戦い止(や)み
紅の火矢、宙を砕く砲弾を浴びた後
暮れなずむ塁壁(るいへき)に翩翻(へんぽん)と踊ったその太い縞と輝く星
一夜明けてそこに在り
ああ、星条旗よすでに翻るか
自由と勇気の祖国に

深い朝靄のなか　かすかに見えるあれはいったい
不遜な敵兵　いまは静かに眠りをむさぼり
あの高みにそよぐものはもしや
気まぐれに揺れては凪(な)ぐ
いま一条の旭光を受け
眩いばかりに気高くはためく
あれぞ星条旗よ　永久(とわ)になびけよ
自由と勇気の祖国に

傲慢に毒づいた敵軍はいずこ
戦の荒廃と戦いの錯乱は去り
故郷も祖国ももはや失われたか
敵の血はその邪(よこしま)な足跡を流し去り
金の亡者や小人には逃れる術もなく
戦いの恐怖や死地の暗闇あるのみ
勝利の星条旗よ　いまこそはためく
自由と勇気の祖国に

ああ、かくしてまたも自由市民は立つ
愛する家族を守るための荒(すさ)んだ戦に
勝利と平和に寿(ことほ)がれ　天よ地を救えよ
我らが国をつくり守った神を讃えよ
我らに正義を勝ち取る務めあり
神に全てを託す誓いを胸に
星条旗よ　永久(とわ)になびけよ
自由と勇気の祖国に

第32代

フランクリン・D・ローズベルト

Franklin Delano Roosevelt（1882〜1945）

党派：民主党　任期：1933〜1945

★ニューヨーク州ハイドパークの名門の生まれ。1911年、ニューヨーク州上院議員。20年の選挙で、副大統領候補に指名されるが落選。21年、ポリオにかかり、闘病生活を送る。28年に政界に復帰、ニューヨーク州知事を経て33年大統領に。「ニューディール政策」と呼ばれる一連の恐慌対策を打ち出し、史上最悪の経済危機を乗り切る。政策立案に学識経験者を参加させたり、ラジオ番組を通じて対話をはかるなど、世論動向を重視。対外関係においては、国際紛争に巻き込まれることを避ける立場をとる。世界大戦も、日本の真珠湾攻撃を受けて参戦したとされるが、事前情報の有無については、諸説がある。原子爆弾の開発につながる「マンハッタン計画」を強く推進、トルーマンの代に実行に移された。史上初の４選を果たした大統領であったが、戦争終結を待たず急死。

ハリー・S・トルーマン

Harry S. Truman (1884〜1972)

党派:民主党　任期:1945〜1953

★ミズーリ州の農家の出身。大学以上の学歴を持たない大統領。郡判事を経て、1934年に上院議員に。40年に再選、軍事費の不正使用を調査する「トルーマン委員会」で、名をあげる。44年、ローズベルト大統領の指名で副大統領。その急死にともない、45年に、60歳で大統領に。外交など無経験のまま、ポツダム会談に臨む。広島、長崎への原爆投下の決定、国際連合の設立支援、日独戦犯に対する裁判など、大戦の終結と戦後処理に指導者的立場で携わる。戦後は、ソ連との対決姿勢を強め、47年に「トルーマン・ドクトリン」を発表。48年、ソ連のベルリン封鎖に際しては、空輸作戦で対抗、49年には、NATOを結成するなど、冷戦外交を推進。さらに、50年の朝鮮戦争では、派兵を決定するが、第三次大戦に発展することを懸念、戦争の拡大を主張したマッカーサーを解任するなど、強権を発動した。

ドワイト・D・アイゼンハワー

Dwight David Eisenhower(1890～1969)

党派:共和党　任期:1953～1961

★1915年、ウエストポイント陸軍士官学校卒業。陸軍参謀総長、ダグラス・マッカーサーの副官から、43年、ヨーロッパでの連合軍最高司令官に。翌年のノルマンディ上陸作戦を指揮。戦後コロンビア大学の総長に。ソ連との軍事対決が最大の課題となるおりから、50年に、NATO軍の最高司令官に。53年、共和党の要請で、62歳で大統領に。政治経験を持たぬ大統領として、「小さな政府」「軍備拡張反対」「国家財政の均衡」という当時の共和党の政策に沿って国を運営。苦手とした内政においては、多くの実業家を起用。当時最大の課題であった人種差別問題についても、人種差別廃止を命じた最高裁の判決にしたがう形で、57年、アーカンソー州リトルロックで起きた事件に連邦軍を送る。外交では、タカ派ダレス国務長官の反共路線をとる一方、原子力平和利用、米ソの相互空中査察団の提案、フルシチョフとの首脳外交の実現など、東西間の「雪どけ」を前進させた。

ジョン・F・ケネディ

John Fitzgerald Kennedy (1917〜1963)

党派:民主党　任期:1961〜1963

★1941年から45年まで海軍。46年、兄の議席の跡目をつぐかたちで、下院議員に。駐英大使だった父の英才教育を早くから受け、若くして国際政治の論客としての頭角をあらわし、リベラル層の支持を集める。61年に、史上最年少の43歳で大統領に。「ニュー・フロンティア」を旗印に、若く強いアメリカを訴え、カリスマ的な支持を得る。冷戦下、切迫する米ソ関係のなかで、ベルリン問題、キューバ危機、ソ連の核実験の再開など、核戦争の危険をはらむ情勢をからくものりこえたが、軍事顧問団を増強、直接介入を強めたベトナム戦争は泥沼化。内政においても、最大の課題である人種差別問題が深刻化、また経済面では鉄鋼業界との対立など、守旧勢力との激しい争いでゆきづまりを見せる。公民権法案では、大統領執務室から、テレビで国民に直訴。遊説先のダラスでの暗殺は、難問を抱えた最中の出来事だった。

第36代

リンドン・B・ジョンソン

Lyndon Baines Johnson(1908〜1973)

党派:民主党　任期:1963〜1969

★テキサス州生まれ。南西テキサス大学卒業後、ワシントンで連邦下院議員秘書を経て、1937年、下院議員に。48年に上院議員に。60年の大統領選挙でのライバル、ケネディからの要請で、副大統領に。暗殺事件によって、63年、55歳のとき大統領に昇格。ケネディ路線の継承を宣言、巧みな議会工作で、ケネデイ念願の公民権法をはじめ、減税、社会保障、学校教育への援助など、前大統領の法案の多数を可決させた。64年大統領選挙で、「偉大な社会」を掲げて勝利したが、64年のトンキン湾事件など、ベトナム戦局は悪化の一途に。兵力増強と北爆で戦争は結果的に拡大。世論も和平交渉に傾くなか、予告なしに全米に向けて、テレビ演説。北爆中止と和平交渉への提案をあきらかにし、再選不出馬を表明、自ら劇的な幕引きを演じた。

リチャード・M・ニクソン

Richard Milhouse Nixon（1913〜1977）

党派：共和党　任期：1969〜1974

★カリフォルニア州、ヨーバリンダの生まれ。海軍除隊後、企業の弁護士から、46年に下院議員に。「赤狩り」で有名な非米活動委員会で、反共主義者として名をあげ、51年に上院議員に。アイゼンハワーのもとで、副大統領をつとめたが、60年の大統領選挙で、ケネディに敗北。69年に大統領に。ウォーターゲート事件で、74年に辞任。米大統領として初めての中国訪問で中華人民共和国を事実上承認。「パリ協定」の調印と、ベトナム戦争からの完全撤退、また、「スペース・シャトル計画」の命名、麻薬取締局やアメリカ環境保護局の設置、アメリカ全土の最高速度制限の設定など、後に再評価される先見性のある施策も少なくないが、任期中に辞任したアメリカ史上初の大統領という不名誉な記録の陰に隠されてしまった。

ジェラルド・R・フォード

Gerald Rudolph Ford, Jr.(1913〜2006)

党派:共和党　任期:1974〜1977

★ミシンガン大学在学中は、MVPに選ばれたフットボールの花形選手。大戦中は海軍士官として、トラック、サイパン、フィリピンを含め南太平洋での作戦に参加。1948年、ミシガン州の下院議員に。議会では穏健派として知られ、64年にはケネディ暗殺事件を調査する委員会のメンバーに選ばれる。73年、副大統領の辞任にともなって、副大統領に任命され、ニクソン辞任後、自動的に大統領に昇格。就任直後、ニクソンに対する一切の訴追を免除する特赦を決定、「事前の取引」の疑惑を残す。明るい笑みを絶やさぬ元スポーツマンというキャラクターで、民主党にも一定の人望があったが、回復しない景気と経済問題の壁は厚く、76年の大統領選挙戦で敗北した。

第39代

ジミー・E・カーター

James Earl Carter,Jr.(1924〜)

党派:民主党　任期:1977〜1981

★ジョージア州の片田舎生まれ。海軍除隊後は、父のピーナッツ農園を継ぎ、66年、ジョージアの上院議員に。「私は嘘をつかない」を公約としたほぼ無名の人物が、大統領に。ベトナム戦争の徴兵拒否者への恩赦、黒人のアンドリュー・ヤングの国連大使起用など、型破りの施政で知られる。外交においても、ソ連の反体制学者サハロフに書簡を送り、中国と国交を樹立。韓国の独裁的な朴政権には民主化を迫る。さらに、キャンプデービッドに、エジプト大統領、サダトと、イスラエルの首相、ベギンを招き、和平を成立させるなど、ワシントンに新風をふきこむが、イラン革命での人質救出作戦の失敗、ソ連のアフガニスタン侵攻で国民の不興をかい、失脚。その外交手腕は、むしろ退任後に評価され、「史上最強の元大統領」と呼ばれる。

第40代

ロナルド・W・レーガン

Ronald Wilson Reagan(1911～2004)

党派:共和党　任期:1981～1989

★69歳で就任、77歳で退任。史上「最も高齢な大統領」。イリノイの靴卸商人の息子。大学を卒業後、声の良さで、アナウンサーに。映画俳優に転じるが、B級のまま。テレビで大手車メーカーの番組司会をつとめた知名度で、共和党から、66年にカルフォルニア州知事選挙に。80年大統領に。財政支出の削減と結合した減税は、「レーガノミクス」と呼ばれる。ソ連を「悪の帝国」と呼び、反共色を鮮明にしたが、就任直後の暗殺未遂事件での俳優仕込みのパフォーマンスでイメージを和らげ支持率を上げる。ニカラグアに対する秘密軍事支援スキャンダルなど、政治生命の危機もあったが、改革に動き出したソ連のゴルバチョフとの会談など、歴史的な行動でも評価を残した。

第41代

ジョージ・H・W・ブッシュ

George Herbert Walker Bush(1924〜)

党派:共和党　任期:1989〜1993

★名門の家系に生まれ、第二次大戦中は、最年少の海軍パイロットとして、勲章を受ける。イェール大を卒業後、テキサスに石油会社を設立して成功をおさめ、1966年、下院議員に当選。アメリカ国連大使、中国への特命公使、CIA長官など要職を歴任。レーガン大統領のもとで副大統領、89年に大統領に。任期中は、東西ドイツ統一、東欧民主化、ソ連崩壊など、世界の大変動期にあたるが、名をとどめたのは、91年の湾岸戦争。クウェート侵攻に対し、多国籍軍を組織してイラクを攻撃。イラク軍を撤退させ、支持率を上げたが、「レーガン時代のつけ」ともいわれる景気の後退で、息子のほどの年齢のクリントンに敗北。

ビル・クリントン

William Jefferson Clinton(1946〜)

党派:民主党　任期:1993〜2001

★イェール大学で法学博士号。78年、故郷アーカンソー州検事総長から、79年、32歳で同州知事に。92年の大統領選で当選。「戦後生まれ初」の大統領となる。好景気に助けられ、財政赤字を黒字に。IT教育の道を拓く一方、「情報ハイウエイ構想」で、アメリカの産業改革と発展に貢献した。外交では、中国との関係改善につとめ、イスラエルとパレスチナの仲介を行い、イスラエルのラビン首相とPLOのアラファト議長による歴史的な和平協定を実現に導く。ボスニア・ヘルツェゴビナ和平にも尽力したが、終盤、州知事時代の不正疑惑やセクハラ訴訟、不倫もみけし疑惑などで、98年、弾劾訴追を受ける(99年無罪判決)。

第43代

ジョージ・W・ブッシュ

George Walker Bush,Jr.(1946〜)

党派:共和党　任期:2001〜2009

★41代ブッシュ大統領の長男。ハーバード大学院卒。MBAの称号を持つ初めての大統領。ファミリーが深い関わりをもつ石油産業界で、実業家となるが、会社は挫折。父のもとで働く。78年、下院選挙に落選するも、94年、48歳でテキサス州知事に。5年つとめたのち出馬した2000年の選挙では、史上かつてない大接戦の末、対立候補アル・ゴアに競り勝つ。支持率を一変させたのは、なんといっても、「9・11同時多発テロ」。すぐさま、アフガニスタンに侵攻、2003年には、後に非難を浴びる強引な手法で、イラク戦争に踏み切る。アメリカ史上初めて「本土攻撃」を受けた大統領としても名を残すことに。

第44代

バラク・フセイン・オバマ

Barack Hussein Obama, Jr.（1961～）

党派：民主党　任期：2009～

★1961年、ホノルル生まれ。父はケニア出身の経済学者。母は白人の人類学者。母の再婚により、幼少期をジャカルタ、ホノルルで過ごす。83年、コロンビア大学（政治学）卒業後、初の黒人市長が選出されたシカゴに移り、NPOの地域振興事業に従事。88年、ハーバード大学法科大学院に入学、90年、「ハーバード・ロウ・レビュー」の初の黒人編集長として名を高めるかたわら、93年シカゴ大学院で、憲法の教鞭をとる。95年、1冊目の自伝「マイ・ドリーム」を出版。96年、シカゴ州議会選挙で当選を果たすが、00年の下院議員選挙で敗北。03年1月上院議員出馬表明、04年、イリノイ州選出の上院議員に初当選。同年、民主党大会で基調演説を行い、アメリカ全土に知名度を広げる。

主要参考文献

【総論】

明石紀雄、川島浩平編著『現代アメリカ社会を知るための60章』明石書店
明石紀雄監修『21世紀アメリカ社会を知るための67章』明石書店
阿川尚之『憲法で読むアメリカ史』PHP研究所
有賀貞『ヒストリカル・ガイド　アメリカ』山川出版社
アルフレード・ヴァラダン著、伊藤剛・村島雄一郎・都留康子訳『自由の帝国』NTT出版
アントラム栢木利美『アメリカ暮らし住んでみてわかる常識集』亜紀書房
A・トクヴィル著、井伊玄太郎訳『アメリカの民主政治』講談社
五十嵐武士、油井大三郎編『アメリカ研究入門』東京大学出版会
猿谷要『検証アメリカ500年の物語』平凡社
司馬遼太郎『アメリカ素描』新潮社
ジョセフ・S・ナイ著、山岡洋一訳『ソフト・パワー』日本経済新聞社
富田虎男、鵜月裕典、佐藤円編著『アメリカの歴史を知るための60章』明石書店
橋爪大三郎『アメリカの行動原理』PHP研究所
早坂隆『世界反米ジョーク集』中央公論新社
ハロラン芙美子『アメリカ精神の源』中央公論新社
古矢旬『アメリカ　過去と現在の間』岩波書店
古矢旬、遠藤泰生編『新版　アメリカ学入門』南雲堂
堀本武功編『現代アメリカ入門』明石書店
本多勝一『アメリカ合州国』朝日新聞社
ポール・ジョンソン著、別宮貞徳訳『アメリカ人の歴史1、2、3』共同通信社
読売新聞社編『20世紀どんな時代だったのか　アメリカの世紀・総集編』読売新聞社
『わからなくなった人のためのアメリカ学入門』洋泉社

【第一章】

鵜浦裕『進化論を拒む人々』勁草書房
小川忠『原理主義とは何か』講談社

鹿嶋春平太『聖書がわかればアメリカが読める』PHP研究所
ジミー・カーター著、持田直武ほか訳『カーター回顧録』日本放送出版協会
ナイルズ・エルドリッジ著、渡辺政隆訳『進化論裁判』平河出版社
森孝一『宗教からよむ「アメリカ」』講談社
蓮見博昭『宗教に揺れるアメリカ』日本評論社
リチャード・V・ピラード、ロバート・D・リンダー著、堀内一史ほか訳『アメリカの市民宗教と大統領』麗澤大学出版会

【第二章】

有馬哲夫『中傷と陰謀 アメリカ大統領選狂騒史』新潮社
越智道雄『ジョン・F・ケリー』宝島社
鈴木健『大統領選を読む!』朝日出版社
砂田一郎『アメリカ大統領の権力』中央公論新社
ジーン・フリッツ著、冨永星訳『合衆国憲法のできるまで』あすなろ書房
ジェームス・M・バーダマン、村田薫編『アメリカの小学生が学ぶ歴史教科書』ジャパンブック
ジェームズ・W・ローウェン著、富田虎男監訳『アメリカの歴史教科書問題』明石書店
廣瀬淳子『アメリカ連邦議会』公人社
藤本一美『アメリカの政治資金』勁草書房
堀田佳男『大統領のつくりかた』プレスプラン
ボブ・ウッドワード著、山岡洋一、仁平和夫訳『大統領執務室』文藝春秋
松尾弌之『アメリカの永久革命』勉誠出版
横江公美『第五の権力アメリカのシンクタンク』文藝春秋
ロバート・A・ダール著、杉田敦訳『アメリカ憲法は民主的か』岩波書店

【第三章】

ATTACフランス編著『アメリカ帝国の基礎知識』作品社

ウィリアム・D・ハートゥング著、杉浦茂樹ほか訳『ブッシュの戦争株式会社』阪急コミュニケーションズ
江畑謙介『最新・アメリカの軍事力』講談社
エリック・ローラン著、藤野邦夫／山田侑平訳『ブッシュの「聖戦」』中央公論新社
大島寛『ブッシュ政権』NCコミュニケーションズ
小浜正幸『ブッシュはこう動く』毎日新聞社
カレル・ヴァン・ウォルフレン著、川上純子訳『世界の明日が決する日』角川書店
近代アメリカ戦争史研究会編『ヤンキーラブズウォー』宝島社
久保文明編『G・W・ブッシュ政権とアメリカの保守勢力』日本国際問題研究所
クライド・プレストウィッツ著、鈴木主税訳『ならずもの国家アメリカ』講談社
クレイグ・アンガー著、秋岡史訳『ブッシュの野望　サウジの陰謀』柏書房
佐伯啓思『砂上の帝国アメリカ』飛鳥新社
ジョージ・ブッシュ著、藤井厳喜訳『ジョージ・ブッシュ私はアメリカを変える』扶桑社
田原牧『ネオコンとは何か』明月堂
ダン・ブリオディ著、徳川家広訳『戦争で儲ける人たち』幻冬舎
チャルマーズ・ジョンソン著、鈴木主税訳『アメリカ帝国への報復』集英社
チャルマーズ・ジョンソン著、村上和久訳『アメリカ帝国の悲劇』文藝春秋
中西輝政『アメリカ外交の魂』集英社
西崎文子『アメリカ外交とは何か』岩波書店
フォーリン・アフェアーズ・ジャパン編・監訳『ネオコンとアメリカ帝国の幻想』朝日新聞社
藤原帰一『デモクラシーの帝国』岩波書店
ボブ・ウッドワード著、伏見威蕃訳『攻撃計画』日本経済新聞社
ポール・クルーグマン著、三上義一・竹熊誠訳『嘘つき大統領のアブない最終目標』早川書房
マーク・ハーツガード著、忠平美幸訳『だからアメリカは嫌われる』草思社

マイケル・リンド著、高濱賛訳『アメリカの内戦』アスコム
毎日新聞取材班『民主帝国　アメリカの実像に迫る』毎日新聞社
最上敏樹『国連とアメリカ』岩波書店
本山美彦『民営化される戦争』ナカニシヤ出版
リチャード・クラーク著、楡井浩一訳『爆弾証言』徳間書店
ロバート・ケーガン著、山岡洋一訳『ネオコンの論理』光文社
ロバート・B・ライシュ著、石塚雅彦訳『アメリカは正気を取り戻せるか』東洋経済新報社
ロン・サスキンド著、武井楊一訳『忠誠の代償』日本経済新聞社
山崎雅弘『歴史で読み解くアメリカの戦争』学習研究社
読売新聞取材班『覇権大国アメリカ』中央公論新社

【第四章】

エリック・ラーソン著、浜谷喜美子訳『アメリカ　銃社会の恐怖』三一書房
賀茂美則『アメリカを愛した少年』講談社
小熊英二『市民と武装』慶應義塾大学出版会
砂田向壱『サイレントマーチ』葦書房
矢部武『アメリカよ、銃を捨てられるか』廣済堂出版
矢部武『アメリカ病』新潮社
バリー・グラスナー著、松本薫訳『アメリカは恐怖に踊る』草思社
ブルックス・ブラウン、ロブ・メリット著、西本美由紀訳『コロンバイン・ハイスクール・ダイアリー』太田出版
松尾文夫『銃を持つ民主主義』小学館
丸田隆『銃社会アメリカのディレンマ』日本評論社
ミスティ・バーナル著、三辺律子訳『その日、学校は戦場だった』インターメディア出版

【第五章】

阿川尚之『アメリカン・ロイヤーの誕生』中央公論新社
井上一馬『無罪』河出書房新社

久保田誠一『グレイゾーン』文藝春秋
四宮啓『O・J・シンプソンはなぜ無罪になったか』現代人文社
長谷川俊明『訴訟社会アメリカ』中央公論社
宮本倫好『世紀の評決』丸善
メルビン・B・ザーマン著、篠倉満、横山詩子訳『陪審裁判への招待』日本評論社
ローラ・B・ベンコ、アティラ・ベンコ著、永井二菜訳『訴えてやる!!!』愛育社
和久峻三、古屋陽子『O・J・シンプソン二重殺人　無罪評決』中央公論社
【第六章】
明石紀雄・飯野正子『エスニック・アメリカ』有斐閣
越智道雄『ワスプ(WASP)』中央公論新社
賀川洋、桑子学『図説ニューヨーク都市物語』河出書房新社
上岡伸雄『ニューヨークを読む』中央公論新社
サミュエル・ハンチントン著、鈴木主税訳『分断されるアメリカ』集英社
宍戸清孝『Japと呼ばれて』論創社
ナンシー・グリーン著、明石紀雄監修村上伸子訳『多民族の国アメリカ』創元社
野村達朗『「民族」で読むアメリカ』講談社
ハルミ・ベフ編『日系アメリカ人の歩みと現在』人文書院
【第七章】
大谷康夫『アメリカの黒人と公民権法の歴史』明石書店
上坂昇『キング牧師とマルコムX』講談社
辻内鏡人、中條献『キング牧師』岩波書店
本田創造『アメリカ黒人の歴史』岩波書店
マーチン・ルーサー・キング著、中島和子・古川博巳訳『黒人はなぜ待てないか』みすず書房
マーシャル・フレイディ著、福田敬子訳『マーティン・ルーサー・キング』岩波書店
マーチン・ルーサー・キング著、中島和子訳『良心のトランペット』みすず書房

M・L・キング著、雪山慶正訳『自由への大いなる歩み』岩波書店
マルコムX著、濱本武雄訳『マルコムX自伝』中央公論新社
『週刊100人 マーティン・ルーサー・キング』デアゴスティーニ・ジャパン
『エスクァイア日本版1993年1月号』ユー・ピー・ユー
NIGEL RITCHIE『The Civil Rights Movement』
ANTONIA FELIX『CONDI』Newmarket Press

【第八章】

吉川元忠『円がドルに呑み込まれる日』徳間書店
榊原英資『経済の世界勢力図』文藝春秋
高橋乗宣『通貨の興亡』PHP研究所
田所昌幸『「アメリカ」を超えたドル』中央公論新社
谷口智彦『通貨燃ゆ』日本経済新聞社
萩原伸次郎・中本悟編『現代アメリカ経済』日本評論社
浜田和幸『通貨バトルロワイアル』集英社インターナショナル
細谷千博監修『国際政治経済資料集』有信堂

【第九章】

ウォルター・クロンカイト著、浅野輔訳『クロンカイトの世界』TBSブリタニカ
金子勝、アンドリュー・デウィット『メディア危機』日本放送出版協会
カール・バーンスタイン、ボブ・ウッドワード著、常盤新平訳『大統領の陰謀』立風書房
カール・バーンスタイン、ボブ・ウッドワード著、常盤新平訳『最後の日々』立風書房
柴山哲也『戦争報道とアメリカ』PHP研究所
スタンリー・クラウド、リン・オルソン著、田草川弘訳『マロー・ボーイズ』日本放送出版協会
ステファン・エルフェンバイン著、赤間聡・服部高宏訳『ニューヨークタイムズ』木鐸社
田草川弘『ニュースキャスター』中央公論社
ドン・M・フラノイ／ロバート・K・スチュワート著、山

根啓史ほか訳『CNN　世界を変えたニュースネットワーク』NTT出版
原真『巨大メディアの逆説』リベルタ出版
ハリソン・ソールズベリー著、小川水路訳『メディアの戦場』集英社
ピート・ハミル著、武田徹訳『新聞ジャーナリズム』日経BP社
三輪裕範『ニューヨーク・タイムズ物語』中央公論新社
『週刊100人　リチャード・ニクソン』デアゴスティーニ・ジャパン
NHK放送文化研究所編『放送研究と調査　二〇〇三年九月号』日本放送出版協会
BOB WOODWARD『THE SECRET MAN』SIMON & SCHUSTER

このほか、以下のウェブサイトを参考にしました。
http://www.whitehouse.gov/
http://japan.usembassy.gov/
http://japan.usembassy.gov/j/tamcj-main.html
http://www.defenselink.mil/
http://www.census.gov/index.html
http://www.gallup.com/
http://people-press.org/

（この作品は二〇〇五年一〇月、ホーム社より発行されたものに加筆しました）

レイアウト　デザイントリム

イラスト　平田利之

図版　THÉAS

写真　サン・テレフォト
AP Images
オリオンプレス
毎日新聞社

池上彰の本

好評発売中

現代史の基礎知識・重要事項がよくわかる！

そうだったのか！現代史

〈集英社文庫〉

冷戦とベルリンの壁／スターリン批判とは／朝鮮戦争と三十八度線／文化大革命という壮大な権力闘争／ベトナム戦争の泥沼／ソ連崩壊／石油が武器になった／旧ユーゴ紛争／他

池上彰の本

好評発売中

現代史を知れば、世界の情勢が見えてくる！

そうだったのか！ 現代史 パート2

〈集英社文庫〉

アフガニスタンが戦場に／パレスチナ、報復の連鎖／北朝鮮という不可解な国／インドとパキスタンはなぜ仲が悪いのか／チェルノブイリの悲劇／アウン・サン・スー・チー／他

池上 彰 の本

好評発売中

21世紀のキー国家・中国の知られざる実情とは。

そうだったのか！ 中国

〈集英社文庫〉

「反日」運動はどうして起きたのか／毛沢東の中国誕生／文化大革命／鄧小平が国家を建て直した／一人っ子政策／天安門事件と中国の民主化／巨大な格差社会／進む軍備拡張／他

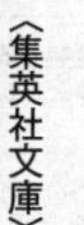

集英社文庫

そうだったのか！ アメリカ

2009年6月30日 第1刷
2012年6月6日 第12刷

定価はカバーに表示してあります。

著者 池上(いけがみ) 彰(あきら)
発行者 加藤 潤
発行所 株式会社 集英社
東京都千代田区一ツ橋2-5-10 〒101-8050
電話 03-3230-6095（編集）
03-3230-6393（販売）
03-3230-6080（読者係）

印刷 凸版印刷株式会社
製本 凸版印刷株式会社

フォーマットデザイン アリヤマデザインストア　マークデザイン 居山浩二

本書の一部あるいは全部を無断で複写複製することは、法律で認められた場合を除き、著作権の侵害となります。また、業者など、読者本人以外による本書のデジタル化は、いかなる場合でも一切認められませんのでご注意下さい。

造本には十分注意しておりますが、乱丁・落丁（本のページ順序の間違いや抜け落ち）の場合はお取り替え致します。購入された書店名を明記して小社読者係宛にお送り下さい。送料は小社負担でお取り替え致します。但し、古書店で購入したものについてはお取り替え出来ません。

© A. Ikegami 2009 Printed in Japan
ISBN978-4-08-746449-8 C0195